걸프 사태

# 의료지원단 및 수송단 파견 1

걸프 사태

# 의료지원단 및 수송단 파견 1

한국학술정보

## | 머리말

걸프 전쟁은 미국의 주도하에 34개국 연합군 병력이 수행한 전쟁으로, 1990년 8월 이라크의 쿠웨이트 침공 및 합병에 반대하며 발발했다. 미국은 초기부터 파병 외교에 나섰고, 1990년 9월 서울 등에 고위 관리를 파견하며 한국의 동참을 요청했다. 88올림픽 이후 동구권 국교 수립과 유엔 가입 추진 등 적극적인 외교 활동을 펼치는 당시 한국에 있어 이는 미국과 국제 사회의 지지를 얻기 위해서라도 피할 수 없는 일이었다. 결국 정부는 91년 1월부터 약 3개월에 걸쳐 국군의료지원단과 공군수송단을 사우디아라비아 및 아랍 에미리트 연합 등에 파병하였고, 군 · 민간 의료 활동, 병력 수송 임무를 수행했다. 동시에 당시 걸프 지역 8개국에 살던 5천여 명의 교민에게 방독면 등 물자를 제공하고, 특별기 파견 등으로 비상시 대피할 수 있도록 지원했다. 비록 전쟁 부담금과 유가 상승 등 어려움도 있었지만, 걸프전 파병과 군사 외교를 통해 한국은 유엔 가입에 박차를 가할 수 있었고 미국 등 선진 우방국, 아랍권 국가 등과 밀접한 외교 관계를 유지하며 여러 국익을 창출할 수 있었다.

본 총서는 외교부에서 작성하여 30여 년간 유지한 걸프 사태 관련 자료를 담고 있다. 미국을 비롯한 여러 국가와의 군사 외교 과정, 일일 보고 자료와 기타 정부의 대응 및 조치, 재외동포 철수와 보호, 의료지원단과 수송단 파견 및 지원 과정, 유엔을 포함해 세계 각국에서 수집한 관련 동향 자료, 주변국 지원과 전후복구사업 참여 등 총 48권으로 구성되었다. 전체 분량은 약 2만 4천여 쪽에 이른다.

2024년 3월

한국학술정보(주)

## | 일러두기

· 본 총서에 실린 자료는 2022년 4월과 2023년 4월에 각각 공개한 외교문서 4,827권, 76만여 쪽 가운데 일부를 발췌한 것이다.

· 각 권의 제목과 순서는 공개된 원본을 최대한 반영하였으나, 주제에 따라 일부는 적절히 변경하였다.

· 원본 자료는 A4 판형에 맞게 축소하거나 원본 비율을 유지한 채 A4 페이지 안에 삽입하였다. 또한 현재 시점에선 공개되지 않아 '공란'이란 표기만 있는 페이지 역시 그대로 실었다.

· 외교부가 공개한 문서 각 권의 첫 페이지에는 '정리 보존 문서 목록'이란 이름으로 기록물 종류, 일자, 명칭, 간단한 내용 등의 정보가 수록되어 있으며, 이를 기준으로 0001번부터 번호가 매겨져 있다. 이는 삭제하지 않고 총서에 그대로 수록하였다.

· 보고서 내용에 관한 더 자세한 정보가 필요하다면, 외교부가 온라인상에 제공하는 『대한민국 외교사료요약집』 1991년과 1992년 자료를 참조할 수 있다.

# 차례

<table>
<tr><td colspan="6">정 리 보 존 문 서 목 록</td></tr>
<tr><td>기록물종류</td><td>일반공문서철</td><td>등록번호</td><td>2012090514</td><td>등록일자</td><td>2012-09-17</td></tr>
<tr><td>분류번호</td><td>721.1</td><td>국가코드</td><td>XF</td><td>보존기간</td><td>영구</td></tr>
<tr><td>명 칭</td><td colspan="5">걸프사태 : 의료지원단 및 수송단 파견, 1990-91. 전6권</td></tr>
<tr><td>생 산 과</td><td>중동1과/북미1과</td><td>생산년도</td><td>1990~1991</td><td>담당그룹</td><td></td></tr>
<tr><td>권 차 명</td><td colspan="5">V1. 의료지원단 파견, 1990.9-12월</td></tr>
<tr><td>내용목차</td><td colspan="5">9.24 외무부 페르시아만 사태 관련 지원방안 발표<br>11.1 주한미국대사관, 의료진 파견을 위한 한.사우디아라비아 정부 간의 협의 희망<br>12.3 이동외과병원의 사우디아라비아 파견 가능성에 대한 사우디아라비아의 의견 타진<br>12.19 사우디 국방부, 파견 환영 및 조건 제시<br>- 1991.1.15 이전 파견 희망, 배치지역, 식량.의약품.경계 등은 사우디아리비아 부담 등<br><br>* 중동사태 관련 군사지원방 검토(국방부, [1990.9.]),<br>군의료단 파견 추진(안)(1990.11.29),<br>군의료단 파견 추진(안)(1990.12.13),<br>걸프전쟁 발발대비 비상대책(안)(1990.12.21),<br>군 의료지원단 사우디 파견 검토(1990.12.22)</td></tr>
</table>

0001

| 관리 번호 | 90-1994 |
|---|---|

| | 분류번호 | 보존기간 |
|---|---|---|
| | | |

# 발 신 전 보

번 호 : WUS-3145 900923 1619 ER WUS-3146 종별 :

수 신 : 주 미 대사. ~~총영사~~

발 신 : 장 관 (미북)

제 목 : 페르시아만 사태 관련 지원방안 발표문 송부

명 9.24(월) 10:00 (KST) 외무장관 대리가 발표할 표제 발표문(국.영문)을 별첨 송부함

첨부 : 상기 발표문 국.영문 각 1부. 끝

(미주국장 반기문 - )

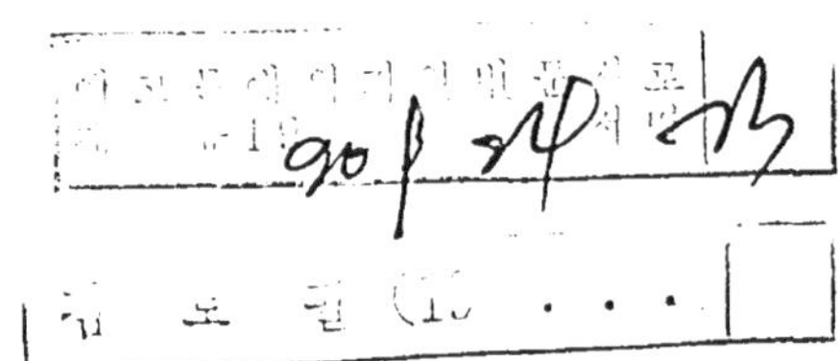

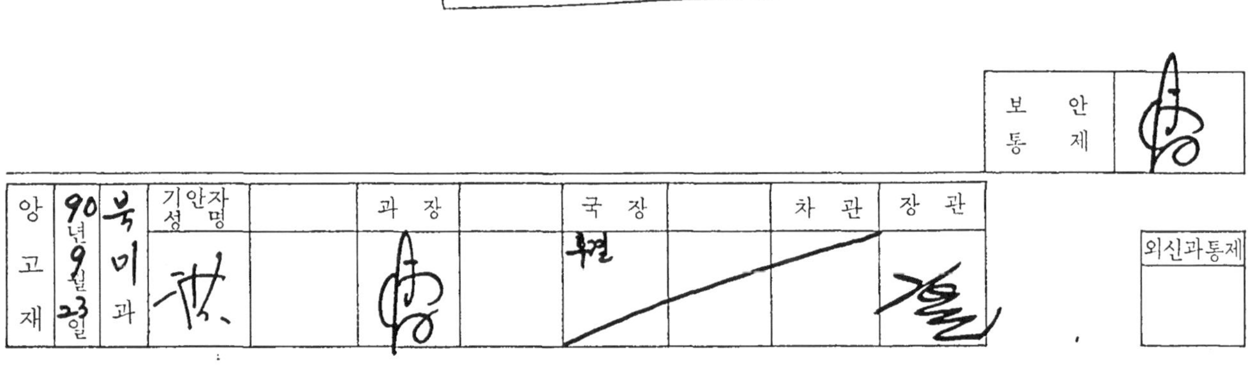

| 앙고재 | 90년 9월 23일 | 북미과 | 기안자 성명 | | 과 장 | | 국 장 | | 차 관 | 장 관 |
|---|---|---|---|---|---|---|---|---|---|---|
| | | | | | | | 전결 | | | |

| 보안통제 | |
|---|---|

| 외신과통제 |
|---|
| |

0002

# 페르시아만 事態關聯 經費分擔에 관한 發表文

ㅇ 政府는 最近 페르시아만 事態와 關聯한 多國籍軍의 經費를 分擔하고, 對이라크 經濟制裁 措置로 인하여 被害를 입고 있는 國家들에 대한 經濟的 支援을 해 달라는 友邦國들의 要請을 接受하고, 이 問題를 檢討해 왔음.

ㅇ 政府는 國際社會에서 武力에 의한 不法的인 侵略行爲가 容認되어서는 안된다는 國際法과 國際正義에 立脚하여 UN 安保理의 對이라크 制裁 決議를 尊重하고, 我國의 신장된 國威에 副應하여 國際 平和 維持 努力에 一翼을 擔當해야 한다는 判斷下에 페르시아만의 秩序 回復을 위한 國際的 努力을 支援키로 決定하였음.

ㅇ 同 決定을 함에 있어서, 總原油需要의 75%를 中東으로부터 導入하는 우리나라로서는 中東事態의 早速한 解決을 통한 原油의 自由로운 需給秩序 回復과 油價 安定이 貿易收支 및 物價安定 等 國益에 크게 도움이 된다는 점을 특히 考慮하였음.

ㅇ 政府는 多國籍軍의 經費로 航空機, 船舶等 輸送手段의 提供과 防毒面, 軍服 등의 現物 支援을 包含하여 1億2千万弗 範圍內에서 特別 支援키로 決定하였음.

0003

o 또한 今番 事態로 經濟的 被害를 입고 있는 周邊國(요르단, 터키, 이집트 等 3個 前線國家)에 대하여는 政府 保有米 30,000톤(1千万弗 相當)을 支援하고 開途國에 대한 長期 低利 借款인 對外 協力 基金(EDCF) 4千万弗 및 同 周邊國의 必要 現物等을 支援하며, 各國의 難民 輸送을 支援하기 위해 國際 移民機構(I.O.M.)에 대해서도 50万弗을 寄與할 豫定임. 이러한 支援은 總1億弗 範圍內에서 이루어질 것임.

o 이와 별도로 政府는 醫療團을 派遣할 것을 肯定的으로 檢討中이며, 具體的인 派遣 計劃은 關聯國과의 協議를 거쳐 決定할 것임.

o 이러한 支援規模 및 方法을 決定함에 있어서 政府는 他 友邦國들의 支援內容을 考慮하였으며, 現在의 어려운 國內 經濟狀況과 특히 最近 洪水 被害로 인한 財政負擔 等을 充分히 감안하였음.

o 政府는 페르시아만 事態 解決을 위한 國際的 努力이 結實을 맺어 이 地域의 平和와 安定이 早速 回復되기를 希望하는 바임.

0004

Statement
by
The Acting Foreign Minister Chong Ha Yoo
on
Costsharing in relation to Gulf Crisis

September 24, 1990

Ministry of Foreign Affairs

0005

o The Government of the Republic of Korea has received requests from friendly countries for favorable consideration to render financial and material support to multinational defense efforts and to countries whose economies are serionsly affected by economic sanctions against Iraq.

o Upholding the international law and justice by which armed aggression should not be tolerated in the international society, the Korean government supports the United Nations Security Council resolutions including the one imposing economic sanctions against Iraq. As a member of the international community, we believe that we should bear a fair share in the international efforts to maintain world peace and stability, thus helping restore the order in the Gulf area.

o In making this decision, the Korean government has taken into consider- ation the fact that an early settlement of the Middle East crisis would ensure the smooth supply of oil and stabilization of its price as well as help maintain peace and stability in that region. As Korea is dependent 75% of the need on oil imported from the Middle East, the stabilized oil supply system will undoubtedly help Korean economy in her balance of trade.

0006

o The Korean government decided to support multinational defense efforts by providing air and maritime transportation facilities and services including in-kind contributions such as military uniforms and gas masks within the range of equivalent to 120 million U.S. dollars.

o In addition to the above-mentioned support, the Korean government will provide the front-line states such as Jordan, Turkey and Egypt whose economies are seriously affected by the imposition of economic sanctions with 30,000 tons of rice equivalent to 10 million U.S. dollars. We will also use 40 million U.S. dollars from the existing Economic Development Cooperation fund which provides loans of long-term and low-interest for third world countries. Also some goods such as the necessaries of life will be provided to the three front-line states. And another half million U.S. dollars will be contributed to the International Organization on Migration to assist in the refugee transportation effort in Gulf region. These economic assistance program will be within the range of 100 million U.S. dollars.

o Additionally, the Korean government is now considering favorably the dispatch of a medical team and the detailed plans will be worked out in consultation with the countries concerned

0007

o In determining the scale and method of support, the Korean government has fully taken into consideration the supports given by other friendly countries, the present domestic economic difficulties and particularly an imminent national budgetary and financial burden which we face due to the recent flood.

o The Korean government sincerely hopes that peace and stability in that area will be restored through the concerted international efforts for a peaceful settlement of the Gulf crisis.

0008

# 軍醫療陣 및 軍輸送機 派遣에 따르는 法的 問題 檢討

1990. 9.25.

1. 問題의 所在

가. 軍醫療陣 派遣 및 軍輸送機 支援이 國軍의 海外 派遣(派兵)의 範疇에 속하는지 與否

나. 페르시아灣 事態와 關聯 多國籍軍 活動支援을 위한 軍醫療陣 派遣 및 軍輸送機 支援의 境遇, 國會의 同意가 必要한지 與否

2. 關聯 法規

가. 憲法 第60條 2項 : 國會는 宣戰布告, 國軍의 外國에의 派遣 또는 外國 軍隊의 大韓民國 領域안에서의 駐留에 대한 同意權을 가진다.

나. 國軍 組織法

第14條 1項 : "軍人" 이라 함은 戰時와 平時를 莫論하고 軍에 服務하는 者를 말한다.

第16條 1項 : 國軍에 軍人 以外에 軍務員을 둔다.

0009

3. 結 論

가. 軍醫療陣 派遣 및 軍輸送機 支援의 法的 性格

o 軍醫療陣 派遣 : 軍醫療陣은 國軍에 속하므로 軍醫療陣 派遣은 憲法上 國軍의 海外 派遣(派兵)에 속함.

o 軍輸送機 支援 : 軍輸送機는 軍物資로서 國軍의 範疇에 속하지 않으므로 軍輸送機만의 支援은 派兵에 속하지 않음. 단, 國軍 操縱士에 의한 輸送支援은 派兵에 속함.

나. 國會 同意 必要與否

o 軍醫療陣 派遣 : 軍醫療陣은 軍人의 身分을 가지므로 軍醫療陣을 海外에 派遣하는 境遇는 當然히 國會의 同意를 要함.

o 軍輸送機 支援 : C-130機 等 軍輸送機만의 支援은 國軍의 派遣에 속하지 않으므로 國會의 同意를 要하지 않으나 國軍 操縱士에 의한 輸送 支援時는 國會의 同意를 要함.

0010

# 국 군 파 월

| | |
|---|---|
| 64.5.6. | 미국의 한국군 파병 요청 공한 |
| 7.5. | 월남 지원 요청 공한 |
| 7.30. | 월남 공화국 지원을 위한 국군부대의 해외 파견 동의, 국회 통과 |
| 9.11. | 제1차 "이동외과 병원 및 태권도 요원 140명 (십자성) 파병" |

0011

| 관리번호 | 92-2120 |
|---|---|

| | 분류번호 | 보존기간 |
|---|---|---|
| | | |

# 발 신 전 보

번 호 : WUN-1481 900925 1938 DY 종별 :

수 신 : 주 장 관 대사. ~~총영사~~ (친전) (주유엔대사 경유)

발 신 : 장관 차 관

제 목 : 군 의료진 및 군수송기 파견에 따르는 법적 문제

1. 금9.25(화) 청와대로부터 다국적군 활동 지원을 위한 군의료진 파견 및 군수송기 지원이 국군의 해외 파견(파병)의 범주에 속하는지 여부와 군의료진 파견 및 군수송기 지원시 국회의 동의를 필요로 하는지 여부를 검토하라는 지시가 있었읍니다.

2. 이에 따라 국방부등 관계부처와 헌법 제60조 제2항 및 국군 조직법 제14조 1항등 관련 규정을 검토한 결과 다음과 같은 일차적인 결론에 도달하였음을 참고로 보고드립니다.

가. 군의료진 파견 및 군수송기 지원의 법적 성격

o 군의료진 파견 : 군의료진은 국군에 속하므로 군의료진 파견은 헌법상 국군의 해외 파견(파병)에 속함.

o 군수송기 지원 : 군수송기는 군물자로서 국군의 범주에 속하지 않으므로 군수송기만의 지원은 파병에 속하지 않음. 단, 국군 조종사에 의한 수송지원은 파병에 속함.

나. 국회 동의 필요 여부

o 군의료진 파견 : 군의료진은 군인의 신분을 가지므로 군의료진을 해외에 파견하는 경우는 당연히 국회의 동의를 요함. /계속/

| 보안통제 | |
|---|---|

| 앙고재 | 90년 9월 25일 | 북미과 | 기안자 성명 | | 과 장 | 심의관 | 국 장 | 제1차관보 | 차 관 | 장 관 |
|---|---|---|---|---|---|---|---|---|---|---|
| | | | | | | | | 출장중 | 전결 | |

| 외신과통제 |
|---|
| |

대책반장:
아중동국장:

0012

ㅇ 군수송기 지원 : C-130기 등 군수송기만의 지원은 국군의 파견에 속하지 않으므로 국회의 동의를 요하지 않으나 국군 조종사에 의한 수송 지원시는 국회의 동의를 요함. 끝.

(차관 유종하)

예고 91.6.30. 일반

검 토 필 (1990.12.31.)

예고문에 의거 일반문서로 재분류 1991.6.30.

0013

# 페르시아만 사태 지원 집행 계획 수립 실무회의 결과

90. 9. 27

외 무 부

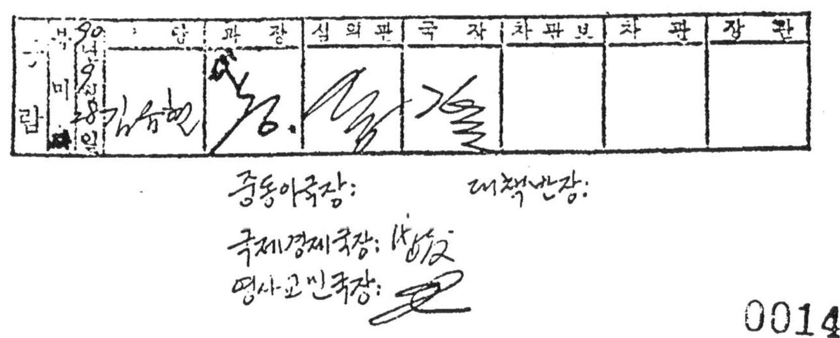

0014

1. 회의 개요

가. 일 시 : 90.9.27(목) 16:30 - 18:40

나. 장 소 : 외무부 조약체결실(8층)

다. 회의 참석자

외 무 부 : 권병현 이라크-쿠웨이트 사태 대책반장(회의주재)

경제기획원 : 장승우 대외조정실 제2협력관
황정중 행정예산과장

외 무 부 : 반기문 미주국장
이두복 중동아국장
허리훈 영사교민국장
윤지준 국제경제국 심의관

재 무 부 : 한택수 외환정책과장

국 방 부 : 윤용남 정책기획관

농수산부 : 박창정 양정과장

상 공 부 : 황두연 상역국장

교 통 부 : 최 훈 수송정책국장

0015

- 다국적군 활동 지원 및 전선국가 경제지원 관련, 아국의 자주적인 결정 영역 확대를 위한 외교적 노력 경주중.
- 기 수송지원 비용에 대한 회사측의 조속한 대금정산 요청과 관련, 추경 예산으로 변제가 될 때까지, 재무부측에서 동 회사에 대한 특별자금 대출 조치 등을 강구해 주길 바람.

o 재 무 부 :

- EDCF 자금을 활용한 경제지원은 회수가능성 및 사업성 심사 등 기술적 문제가 많이 게재되게 되는 점을 주관 부서 선정시 고려해야 함.
- EDCF 지원 관련, 국별 차관액을 미리 정하고 이를 대외적으로 공약 (Commit)하는 것은 바람직하지 못함.

o 국 방 부 :

- 집행계획과 관련 주관부서 등에서 세부계획을 수립하고, 이와 관련한 문제점 등을 외무부에 통보하여 대미 교섭에 활용토록 하는 것이 바람직함.
- (월남파병의 연혁 설명후) 군의료진 파견을 위해서는 국민여론과 국회의 동의를 얻기위한 대의명분이 제일 중요.
- 현재 군의료진은 90.12.1. 이전 선발대 파견, 90.12.25. 이전 본대가 도착토록 하도록 계획을 수립중임.
- 국방부는 현재 군의료진 파견 분위기 조성을 위한 대외 홍보를 전개하고 있는 바, 외무부 등 관계 부처에서도 홍보를 전개해 주기 바람.
- 군의료진 파견시 상당한 예산이 소요되므로 이에 대한 예산 대책 수립이 필요함

o 농수산부 :

- 쌀 수송과 관련 하역비 등은 어느 국가가 부담하는지 등 세부적인 사항에 대한 검토가 필요함.

0016

# 아국의 페만사태 관련 지원에 대한 미국 반응

90.9.27. 현재

1. Brady 미 재무장관 반응(9.25. 정영의 재무장관 면담시)
   - 한국이 조기에 페만 사태 관련 비용분담을 해 준데 대해 감사

2. Kimmit 미 국무부 정무차관 반응(9.20. 주미대사 면담시)
   - 한국 정부의 결정을 환영함.

3. Gregg 주한 미 대사 (9.20. 외무장관 면담시)
   - 상당한 규모의 지원에 감사하며, Brady 재무장관도 한국정부의 결정을 환영할 것임.

4. 아국 지원 내용 통보에 대한 국무부 보도지침 내용 (정례 브리핑시 사용 되지는 않음)
   - 한국정부가 다국적군과 전선국가에 대해 상당한 규모의 지원을 제공키로 한 것을 환영함.
   - 또한 한국정부가 2억2천만불 상당의 지원외에 의료진 파견을 계획하고 있는 것을 환영함.
   - 최근 심각한 홍수사태로 인한 한국정부의 예산상의 어려움을 이해하며, 한국정부가 페만사태 추이에 따라 필요한 지원을 계속할 것임을 확신함.

5. Douglas Paal 백악관 NSC 아시아 담당관
   - 한국정부의 결정에 감사하며, 한국정부가 이러한 결정을 함에 있어 어려운 상황에 처해 있음을 이해함.

0017

# 면 담 요 록

1. 일　　시 : 90.9.25(화) 16:30-17:00

2. 장　　소 : 미주국장실

3. 면 담 자

| 아　측 | 미　측 |
|---|---|
| 반기문 미주국장 | E.Mason Hendrickson, Jr. |
| 김규현 북미과 사무관 | 주한미대사관 참사관 |
| (기록) | Aloysius O'Neill |
| | 주한미대사관 1등서기관 |

4. 면담요지

Hendrickson 참사관 : 페르시아만 사태와 관련한 한국 정부의 지원방안 발표 내용과 한국 정부의 군의료진 파견 결정은 워싱톤에서 환영을 받고 있음.

미 주 국 장 : 금일 일부 언론이 군의료진 파견을 기정사실인 것처럼 보도하고 있으나 아국 정부가 군의료진 파견을 최종적으로 확정한 것은 아님. 다만 개인적으로는 군의료진을 파견하는 방향으로 결정될 가능성이 높다는 생각을 하고 있음. 군의료진 파견의 경우, 정치적 측면의 검토와 법적인 측면의 검토가 필요한 바, 특히 헌법의 규정에 의해 국회의 　　동의를 받아야 하므로 상당한 시일이 소요될 것으로 봄.

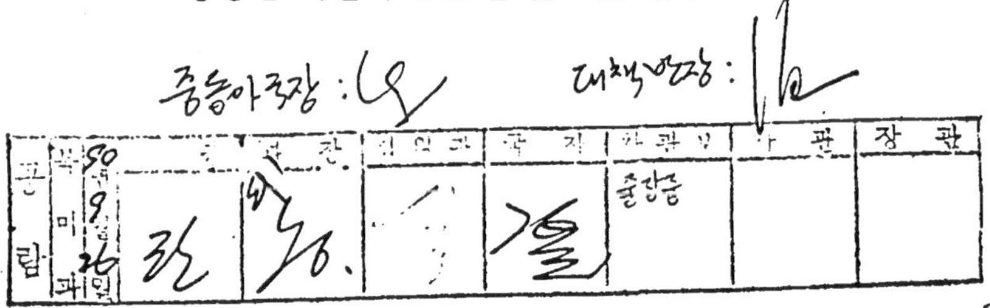

0018

Hendrickson 참사관 : 지난 9.19. 페르시아만 사태와 관련한 아시아 각국 반응에 관한 하원 외무위 아태소위 청문회시 솔라즈 의원등이 상징적인 한국의 파병(Korean presence on the ground)을 요청하였던 점에 비추어 볼때, 한국 정부가 군의료진을 파견할 경우 미 행정부로서는 한국 정부가 이러한 의회의 요청에 부응하고 있다는 점을 대변할 수 있을 것임. 한편, 한국의 파병이 없을 경우 의회가 한국의 방위분담을 증액 시키라는 요청을 할 가능성이 있다는 것이 미 행정부내 한국관계 관리들의 예상임.

미 주 국 장 : 국방부는 군의료진 파견 가능성 검토를 위해 다음과 같은 사항에 대해 미측이 알려줄 것을 요망하고 있음.

- 군의료진 파견시 지휘체계(command structure)
- 배치 지역
- 아국 군의료진이 사용하게 될 시설물에 관한 구체적 사항
- 진료 대상
- 숙소
- 군의료진에 대한 통상적인 지원 업무 담당국가
- 군의료진 및 의료 장비 수송 문제
- 군의료진에 대한 신변 안전 조치 문제

한편 아국 정부는 9.27(목) 관계부처 회의를 소집 구체적인 집행계획을 수립하고자 하는 바, 가급적 상기 회의 이전에 상기 아측의 문의 사항에 대해 답을 주기 바람.

Hendrickson 참사관 : 잘 알겠음.

한국의 쌀 지원과 관련, 현재 요르단에 있는 난민들을 위한 쌀은 충분히 확보가 되어 있으며 이에 따라 미국은 더이상 이들에게 쌀을 공급하지 않고 있음. 따라서 한국 정부가 발표한대로 대량의 쌀을 지원할 경우 동 쌀이 이라크로 흘러 들어가 대 이라크 제재조치를 완화시키는 효과가 나타나지 않도록 사전 예방장치를 강구할 필요가 있다는 것이 미국의 생각임.

0019

| 관리번호 | 90/1345 |
|---|---|

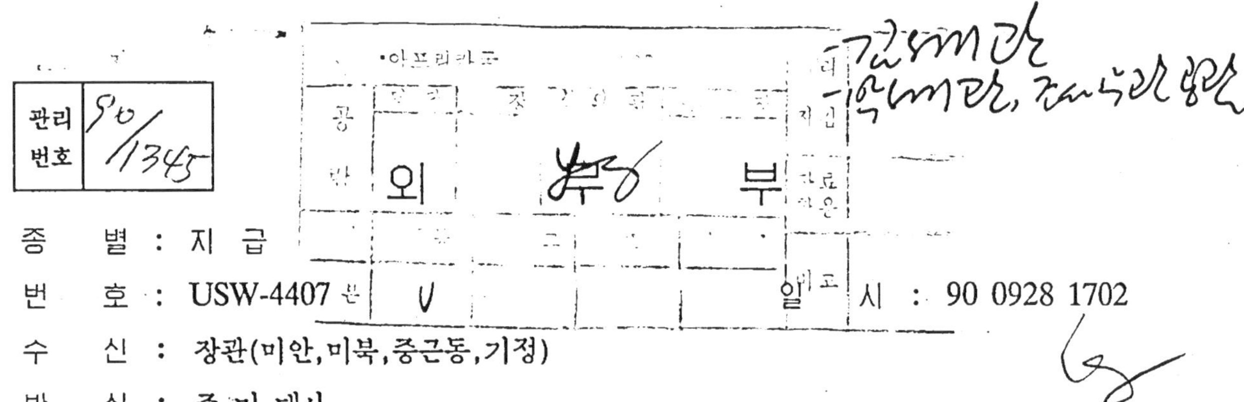

종 별 : 지 급

번 호 : USW-4407 일 시 : 90 0928 1702

수 신 : 장관(미안,미북,중근동,기정)

발 신 : 주 미 대사

제 목 : 페만사태 아국 분담금(의회 반응)

대:WUS-3145

당관은 대호 페만 사태 관련 아국 분담금에 관한 외무부 발표 내용을 의회지도부 및 관련 인사 들에게 통보 하였는바, 그간 당관이 주요 관련 의원 보좌관실을 통해 파악한 반응과 평가를 아래 요지 보고함.

1. 주요 의원 보좌관 반응

가. 하원외무위 아태소위 STANLEY ROTH 수석 전문 위원(SOLARZ 위원장)

0 SOLARZ 의원은 한국정부가 발표한 지원이 상당한 규모의 것(SIGNIFICANT SIZE OF PACKAGE)이라고 인정하고 있으며, 의료단 파견 문제와 관련, 의료단 파견이 갖는 상징적 의미가 중요하다는 차원에서 동파견 문제에 관심을 갖고 있음.

0 동의원은 지난번 청문회 에서도 밝힌것 처럼 한국정부가 소규모의 병력을파병 하는것이 한국정부를 위해서도 좋다는 개인적 생각을 갖고 있으나, 한국군의 파병 문제를 공개적 으로 강요 하거나, 파병 않는다 해도 비난할 생각은 없음. 나. 상원 외교위 동아태 소위 RICHARD KESSLER 전문위원(CRANSTON 위원장)

0 개인 의견을 전제로 한국정부의 조치는 능력이상 성의를 보인것으로 만족스럽게 생각함.

0 그간 미의회의 분담금 증액 압력은 주로 일본에 대한 것이 었으며 한국에대해 불만을 토론한 사례는 없는것으로 기억함.

다. LUGAR 상원의원실 ANDY SEMMEL 외교안보 보좌관

0 한국정부의 조치를 매우 긍정적(POSITIVE)으로 평가 하며 미국의 페만 사태 해결 노력에 크게 도움(HELPFUL)이 될것으로 생각함.

0 군의료진 파견이 이루어 지면 더욱 훌륭한(MORE IMPRESSIVE)조치가 될것으로 생각함.

미주국 장관 차관 미주국 중아국 안기부

PAGE 1

90.09.29 07:10

외신 2과 통제관 FE

0020

라. 하원 군사위 RONALD BARTEK 전문위원(ASPIN 위원장)

0 한국정부 조치에 관하여 여타 우방국 들의 조치와 함께 현재 검토 작업이진행 중이며 내주초 ASPIN 위원장이 이에 대한 입장을 밝힐것임.

마.WIRTH 상원의원실(상원 군사위) JEFF SEABRIGHT 보좌관

0 일본의 GNP 대비 분담 규모와 한국의 경우가 비슷한 율(RATIO)을 기록하는것으로 이해되나 한국의 기여금 2 억 2 천만불은 총액에 있어서 이락사태 관련전체 소요규모에 비추어 상당한 액수가 되지 않는 만큼, 한국의 병력(MANPOWER)파병이 그규모에 상관없이 훨씬 주목을 받을 것으로 생각됨.

0 일본의 경우, 헌법을 이유로 파병을 꺼리는 상황에서 한국의 파병은 동아시아 국가로서 처음으로 행한다는 점에서 의미가 큰(DRAMATIC AND MEANINGFUL)조치가 될것임.

0 이락사태가 평화적으로 해결될 경우, 페르시아만 지역의 안정을 위해 불가피하게 유엔 평화안에 의거하게될것으로 보며, 이경우 유엔 비회원국인 한국의파병은 한국정부의 유엔에서의 입지를 크게 강화하는 효과를 가져올수 있는 정치적 GESTURE 가 될것임.

2. 당관 평가

0 미의회의 페만사태 관련 우방국에 대한 분담금 증액 요청 압력은 그간 주로 당사국인 쿠웨이트와 사우디 및 일본, 서독등 NATO 국가들에 집중된바 있었으나, 지난 9.19 CHEANY 국방장관이 의회 비공개 증언에서 약 200 억불 모금을 발표한이래 약간 수그러들고 있는 조짐임.

0 주요 의원 보좌관들은 상기 반응 에서와 같이 아국 정부의 분담금 발표에대해 대체적으로 규모의 다과 보다는 미국이 주도하고 있는 페만사태의 국제적해결노력에 적극 동참하고 있다는 사실을 긍정적으로 평가하고 있음.

0 페만 사태가 현추세대로 장기화하는 경우 의회내에서의 아국에 대한 관심은 분담금 규모보다 SOLARZ 의원들이 하원 청문회시 제기한 상징적인 차원에서의인력 파견문제로 다시 제기될 가능성은 있으나 ISSUE 화될것인지 여부는 페만사태 발전의 추이에 따라 결정될 것으로 보임.

(대사 박동진-국장)

예고:90.12.31 일반

PAGE 2

0021

의료단 파견 관련

## 對外務部, 對美 協調事項

1. 언제까지, 어디에 가는지?

2. 가서 누구의 지휘를 받으며
누구를 지원(치료) 하는지?

3. CAMP 위치는 어디이며 경계지원을
받을수 있는지? (경계조건 협조요망여부)

4. 병원을 운영하는 의료보급품(약품, 기재류)
지원은 어떻게 하는지?

5. 병원 요원의 의. 식. 주 문제 보장은
누가, 어떻게 하는지?

6. 병원 시설 문제

7. 파견준비부터 현지도착 임무수행시
까지 對美協調 창구, 연락관?

※ 移動方法.

국방부 정책기획관

0022

# 中東事態關聯 軍事支援方案 檢討

國 防 部

0023

# 목 차

1. 槪 要

2. 派兵時 미치는 影響

3. 軍事支援 方案 檢討

4. 考慮할 수 있는 軍事支援 方案

5. 派遣時 韓.美間 協議事項

6. 國內 措置 事項

0024

1. 槪 要

o 미국은 아국에 폐만 군사작전 경비와 전선국가(이집트, 요르단, 터키) 경제원조 요청 (9.7, 브래디 미 재무장관 대통령 예방시)

* 3.5억불 요청.

o 중동사태 종결 시한 불확실성으로 금번 요청액수외 추가경비 요청 예상

o 국가 전략차원에서 군사지원문제 검토 필요성 대두

2. 派兵時 미치는 影響

o 肯定的 側面

. 다국적군의 일환으로 등참시 기존의 한.미 우호관계 및 한국의 국제적 위상 제고

. 한반도 유사시 대비, 우방국과의 안보협력관계 공고화

o 否定的 側面

. 대북 억제력 유지에 다소 차질 우려
. 지역내 교민 안전 우려
. 중동지역 건설 미수금 회수 곤란
. 아랍국 측정상 아국의 대아랍 정책에 영향 초래

1

0025

3. 軍事支援方案 檢討

o 1 案 : 不派兵, 軍需物資 支援

. 미국의 경제적, 재정적 요구 감수 불가피

o 2 案 : 非戰鬪 要員 派兵 (醫務, 整備, 輸送 要員 等)

. 대북 억제력 다소 약화 우려

. 대미 협조적 자세 견지로 미측요구에 성의표명

. 이락 자극 및 아측피해 최소화

o 3 案 : 戰鬪部隊 派兵

. 대북 억제력 약화

. 이락 및 친이락 세력과 적대관계 조성 우려

. 국제적 이미지 제고 가능

o 小 結 論

. 1방안 → 2방안 → 3방안 순으로 대미 협의

. 국가의 전략적 차원과 미측 지원요구액의 경감을 고려시 비전투부대 파견 고려

2

0026

4. 考慮할 수 있는 軍事支援 方案

o 移動外科病院 派遣

. 현재 205(원통), 208(양구), 215(속초) 야전 이동외과병원 운용중

. 군 진료에 어려움이 따르지만 국가정책적 차원이라면 차출 가능

- 현재 군의관 소요 3,684명 대비 204명 부족
- 이동외과병원 편성 : 총 112명
(장교 23, 준사관 1, 하사관 10, 병 78)

. 이동외과병원 파견 결정시는 원통소재 205 병원을 파견하고, 12사단 의무근무대를 조금 보완해주면 가능

✓. 205 야전 이동외과병원 파견시는 수술차량, 병리시험차량, 방사선차량 추가구입 필요

* 인원선발, 전투수당 지급등 후속조치 강구 필요.

o C-130 輸送機 支援

. 총 12대 보유, 최대 2대정도 차출 가능

. 1일 작전소요 : 10-11대
* 공수낙하 3, 정기공수 3, 대비정규전/탐색구조 1-2, 훈련/양성 2, 정비 1.

. 최대 적재능력 19톤 (B-747 : 115톤), 연료충만시는 6톤에 불과 (B-747의 1/19)

. 1대당 야전정비 전문가 최소 5명 필요

. 기본 수송구, 부품 등 정비장비 필요

* 태평양 횡단등 장거리 수송은 곤란, 중동지역에서 운행시 임무수행 가능.

o 驅逐艦 및 掃海艇 支援

| 구　분 | 구축함 | 호위함 | 초계함 | 소해정 | 기 타 |
|---|---|---|---|---|---|
| 보유(194) | 10 | 7 | 24 | 9 | 144 |
| 차출가능 | 2 | | | 3 | |

* . 구축함 : 차출시 대북억제력 약화 초래

. 소해정 : 아주 낡고(70년대 도입), 소형이며, 나무로 제작되어 중등까지 운행 곤란.

※ 구축함, 소해정 지원불가.

o F-4/F-16 整備要員 支援

| 현 정비요원 보직 | 차출 가능 여부 |
|---|---|
| 2,602명 (소요의 90%)<br>. F-4 : 2,056명<br>. F-16 : 546명 | . F-4 정비요원 : 100명수준<br>. F-16 정비요원 : 불가능 |

o 小 結 論 : 지원가능분야

. 이동외과병원
. C-130 수송기 지원
. 최소인원의 F-4 정비요원 지원

4

0028

5. 移動外科病院, C-130 및 F-4 정비요원 派遣時 韓.美間 協議事項

o 지휘 체제
. 이동외과병원
. C-130
. F-4 정비요원

o 보급지원체제

o 현지 운영유지 : 유류, 약품, 정비

o 현지 수송방법 및 시설

o 경계요원 필요성 여부

o 아측 군사지원 조치에 상응한 중동작전 지원비 감액여부

6. 國內 措置事項 : 國民輿論 勘案 派遣名分 提高

o 아국은 유엔 회원국이 아니지만 유엔 안보리 결의를 존중하는 의미에서 다국적군으로 참가 가능

* 현재 서방국 대부분은 다국적군으로, 아랍제국은 아랍연합군 형태로 참가.

o 아국의 대중동 유류의존도(75%) 감안, 사태해결을 위한 동참 필요

o 한반도 유사시에 대비 우방국과의 안보협력관계 공고화 필요

* 탈냉전 이후 첫번째 국제분쟁으로 선례화 가능성 상존.

o 국가예산 절감

5

0029

| 관리 번호 | 90-2186 |
|---|---|

| | 분류번호 | 보존기간 |
|---|---|---|
| | | |

# 발 신 전 보

WSB-0428 900929 1816 EZ

번 호 : 종별 :

수 신 : 주 사우디 대사. 총영사 (친전)

발 신 : 장 관 대리 (미북)

제 목 : 페만 사태 관련 아국지원

연: AM-0189

1. 정부는 연호로 기 통보한 바와 같이 다국적군 활동 지원의 일환으로 군의료진을 귀주재국에 파견할 것을 적극 검토하고 있음.

2. 이와관련, 군의료진 파견지역 선정등에 참고코자 하니 주재국내 다국적군 (특히, 미군) 주둔지, 주둔지별 생활 환경, 쿠웨이트 국경과의 거리, 전쟁발발시 안전도등 관련 참고사항을 가능한 범위내에서 상세히 파악 보고 바람.

중동아국장:

미주국심의관장:

| 보안 통제 | |
|---|---|

| 앙 고 재 | 90년 9월 29일 | 북미과 | 기안자 성명 김승현 | 과 장 | 심의관 | 국 장 | 제1차관보 | 차 관 | 장 관 |
|---|---|---|---|---|---|---|---|---|---|
| | | | | | | | | 전결 | |

| 외신과통제 |
|---|
| |

0030

3. 한편, 상기 아국정부의 군의료진 파견계획 검토사실은 당분간 귀관만의 참고로 하고 보안유지 바라며, 상기 2항 미국측 주둔지 관련사항 파악 가능한 한 은밀히 하기 바람.

끝.

예고: 91. 6.30. 일반

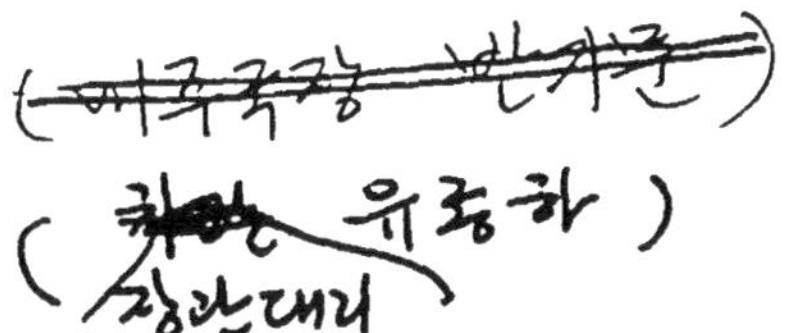


검 토 필 (1990.12.3.)

예고문에 의거 일반문서로 재분류19 91.6.30 서명

0031

국방부 협의(오보안) 필.

| 관리번호 | 90-2161 |
|---|---|

# 외 무 부

원본

종 별 : 지 급

번 호 : SBW-0889 일 시 : 90 1001 1400

수 신 : 장관(미북,기정)

발 신 : 주 사우디 대사

제 목 : 페만사태관련 아국지원

대:WSB-428

대호 주재국내 다국적 주둔지등 관련사항 보고함

1. 다국적군 주둔지

가. 주재국내 전방지역은 사막으로 지형지물이 별로없어 쿠웨이트 및 이라크와의 국경과 평행하게 설치 되어있는 송유관(국경으로부터 50KM 남방)을 중심으로하여 북쪽은 사우디군이 남쪽은 아랍다국적의 작전을 담당하고있으며, 미군은주로 동부해안 유전지역 및 해안 도로를 담당하고있음.

나. 미국은 현재 미군이 주둔하고있는 6 개지역에 병영시설을 신설예정이며,동지역의 국경으로부터 거리는 다음과같음

-DAMMAM 370KM

-FADHILI 300KM

-NAAYRIYAH 100KM

-AL KHUBRAH 250KM

-ABQAIQ 400KM

HANIDH 350KM

다. 미군주둔지역은 동부 유전지역을 방어하는 주요 교통요지 또는 주변에 위치하고있음

2. 주둔지별 생활환경

가. 동부 및 북부지역은 95%가 사막지대임

나. 담맘은 항구도시로서 30 만여명이나 기타 미군주둔지역은 해안에서 약간 내륙쪽으로 위치하고있으며, 상주주민이 많지않은곳임

다. 담맘지역의 연평균온도 섭씨 25 도 (여름(5-8 월)최고온도는 45 도 겨울은 10

미주국 안기부

PAGE 1

90.10.01 21:32

외신 2과 통제관 FE 10.5

0032

도내외)이며, 습도는 1 월에 53-96%,7 월에 15-75%내외임

3. 전쟁발발시 안전도

가. 미군주둔 동부지역은 대부분 유전지대로서 전쟁발발시 이라크의 주요공격목표가 될것으로 예상

나. 동지역은 이라크미사일의 사정권내에 위치

(대사 주병국-국장)

예고:90.12.31 일반

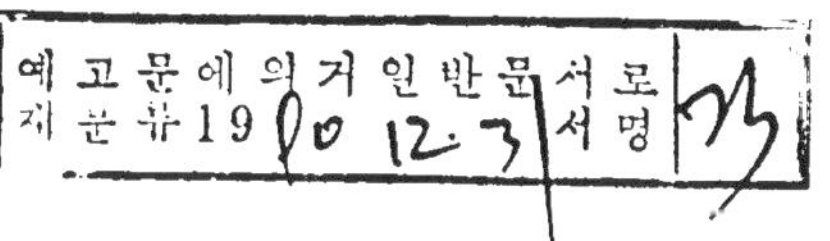


PAGE 2

0033

# 중동 의료 선발대 본대, 10월내 사우디 입국(동경신문 10.16자)

o 현지 의료사정 조사단(단장 : 와다나베 주형가리 공사)은 1개월간의 현지 조사후 10.15, 의료단 본부를 "아르코바르"(쿠웨이트에서 400키로 떨어진 "페"만 연안에 위치)에 설치키로 결정 발표

- 선발대는 일부를 남기고 10.18 일단 귀국하나, 언제 전쟁이 발발할지 모르므로, 10월중 100명 규모 의료지원단 본대의 사우디 입국을 요청 예정

o 선발대 구성

- 와다나베 단장외에, 국립 나가사끼 중앙병원 테라모도 원장을 팀리더로 하는 의사 5인, 간호원 2인, 간호사 2인, 통역등으로 구성

o 조사단 활동(9.18 사우디 입국, 리야드 주재 일대사관을 거점으로 조사 활동)
① 현지 의료사정 조사, ② 의료진 거점 확보 ③ 만일의 경우 치료활동등을 주로 조사

- 의료사정 조사에는 ① 리야드 보건성 간부 및 군관계자등과의 간담회 ② 쿠웨이트 접경부근 동부지역 공립병원, 사우디 육군병원 및 쥬베르 미군야전 병원등 100개소 시찰도 포함
- 의료단 본부 설치 장소로는 미군 후방 거점이 "다란"공항주변이 방어면에서 안전하다고 판단되므로 동 지역내 본부설치를 결정하고 2층 철근건물 민가도 가계약

o 만일의 경우 치료활동은 곧 난민치료를 필요로 하게될 것으로 보이나 약20만명의 쿠웨이트 난민이 의외로 잘 사우디로 「흡수」(호텔, 아파트등에 수용)되고 있기 때문에 지금까지 실제 치료는 1건도 발생안함

0034

o 테라모도 원장등의 조사결과에 의하면,

- 수도 리야드에는 영.미.화등 구미의사가 많아 의료수준이 꽤높고 의료 기기도 많지만, 동부지역에는 충분치 않아 일본의료단은 「평시에도 의료 협력 희망」을 요청 받아옴

- 전선에서는 부상병 치료는 원칙적으로 군(미군포함 다국적군의 야전병원)이 대응할 수 있어 일본 의료단 치료대상은 민간인이지만, 부상병이 넘칠때는 다르다는 점등을 알게됨

o 의료단 치료범위는 일차적 구급의료(종합수술, 골절, 화상, 출혈, 외상성 쇼크등)이나, 일차치료후 후방병원으로 후송이 필요하게 되기 때문에 의료단 본부에는 일본에서 구급차 3대를 들여놓기로 결정함

o 그러나 "아르코바르"지역은 전쟁발발시 화학무기를 탄두로한 미사일 사정 거리내에 있음. 이런점에 대해서 와다나베 단장은 의료단 활동범위가 어디 까지나 "후방"(미군 및 다국적군이 진을 치고 있는 최전선 및 부근의 후방을 피함)이 원칙적이나, 실제로 "후방"의 해석은 어렵다고 하고 있음

0035

| 관리번호 | 90-2322 |
|---|---|

| 분류번호 | 보존기간 |
|---|---|
| | |

# 발 신 전 보

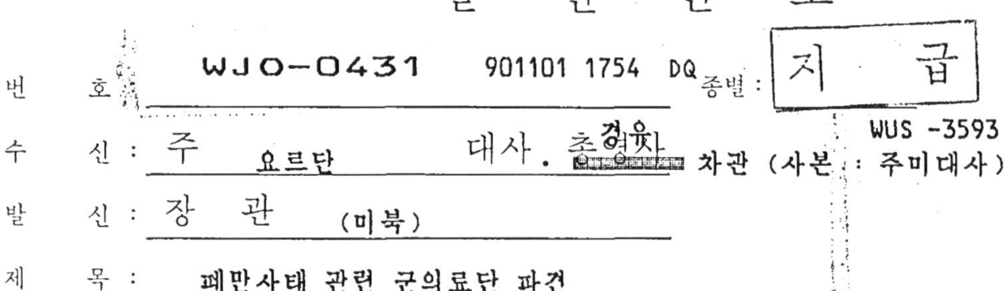

번 호 : WJO-0431 901101 1754 DQ 종별 : 지 급

수 신 : 주 요르단 대사. 총영사 차관 (사본 : 주미대사) WUS -3593

발 신 : 장 관 (미북)

제 목 : 페만사태 관련 군의료단 파견

1. 주한 미 대사관은 금11.1(목) 표제관련 아래 미측 입장을 전달해 옴.

o 미국 정부는 금번 페만사태 관련 한국 정부의 지원 노력에 감사히 생각하고 있음.

o 현재 중동지역 배치 미군을 위한 의료시설은 충분하나 현재 한국 정부가 검토중인 군이동외과 병원(MASH)은 적절한 수준의 의료 지원을 받고 있지 못하고 있는 일부 다국적군에게는 필수적(vital)인 것으로 보임.

o 미측은 적절한 한국 의료진 파견을 위해 한국 정부가 사우디 정부와 직접 협의키를 희망함.

o 필요시 미국 정부는 한국 정부와 사우디 정부간 동 문제 관련 협의를 적극 협조 예정임.

2. 동 미측 입장은 Kimmitt 국무부 정무차관의 결재를 득한 사항이라 하는 바, 로마 조정회의 참가시 미측과의 동 문제 협의에 참고 바람. 끝.

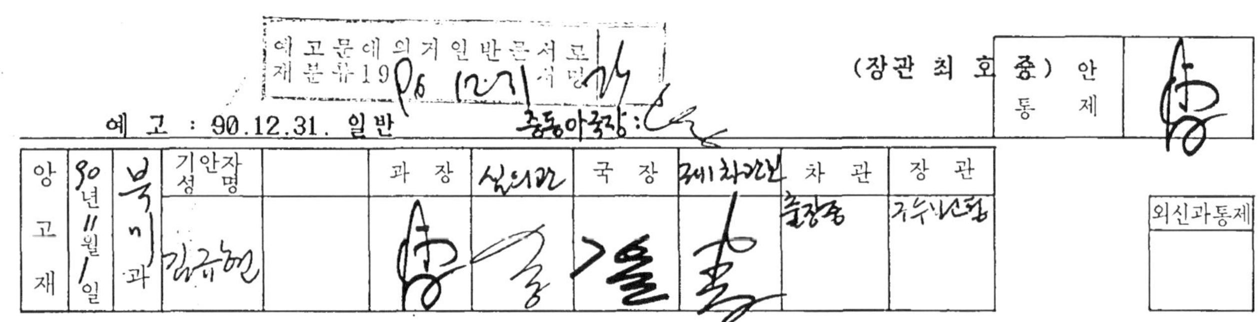

예고문에 의거 일반문서로 재분류19 90. 12. 31. 서명

(장관 최 호 중) 안 통 제

예 고 : 90.12.31. 일반

중동아국장:

| 앙 고 재 | 90년 11월 1일 | 북미과 | 기안자 성 명 | 김규현 | 과 장 | 심의관 | 국 장 | 제1차관보 | 차 관 | 장 관 |
|---|---|---|---|---|---|---|---|---|---|---|
| | | | | | | | | | 출장중 | 가수신함 |

| 외신과통제 |
|---|
| |

0036

-- THE USG SINCERELY APPRECIATES THE EFFORTS OF THE ROKG IN THE MIDEAST CRISIS.

-- PRESENTLY SUFFICIENT U.S. MEDICAL UNITS ARE DEPLOYED TO SUPPORT U.S. UNITS IN THE MIDDLE EAST. HOWEVER, THE USG FEELS THAT THE MASH UNIT UNDER CONSIDERATION BY THE ROKG COULD BE VITAL TO THE MULTINATIONAL EFFORT, PARTICULARLY THOSE PARTICIPATING NATIONS WHO DEPLOYED WITHOUT THIS LEVEL OF MEDICAL SUPPORT.

-- WE WOULD REQUEST THE ROKG CONTACT THE SAUDI GOVERNMENT DIRECTLY FOR THE OPTIMUM EMPLOYMENT OF THIS ESSENTIAL UNIT.

-- THE USG WILL BE GLAD TO ASSIST THE ROKG IN COORDINATING THE EFFORT THROUGH THE SAUDI GOVERNMENT, IF DESIRED.
KIMMITT
BT
#2724

11. 1
Hendrickson

0037

| 관리 번호 | 90-2246 |
|---|---|

| 분류번호 | 보존기간 |
|---|---|
| | |

# 발 신 전 보

번 호 : WJA-4760 901110 1650 DQ 종별 :

수 신 : 주 일 대사. 총영사

발 신 : 장 관 (미북)

제 목 : 페만사태 관련 일본 의료단 파견

국내 언론 보도에 의하면, 당초 일본정부는 페르시아만 사태와 관련 다국적군 활동지원의 일환으로 의료단 100명을 파견할 예정이었으나 사정상 2명의 의사만을 파견키로 결정하였다고 하는 바, 일본 외무성과 접촉, 의료단 파견에 관한 일본정부의 정확한 결정 내용을 파악 보고 바랍. 끝.

(미주국장 반기문)

예 고 : 90.12.31.일반

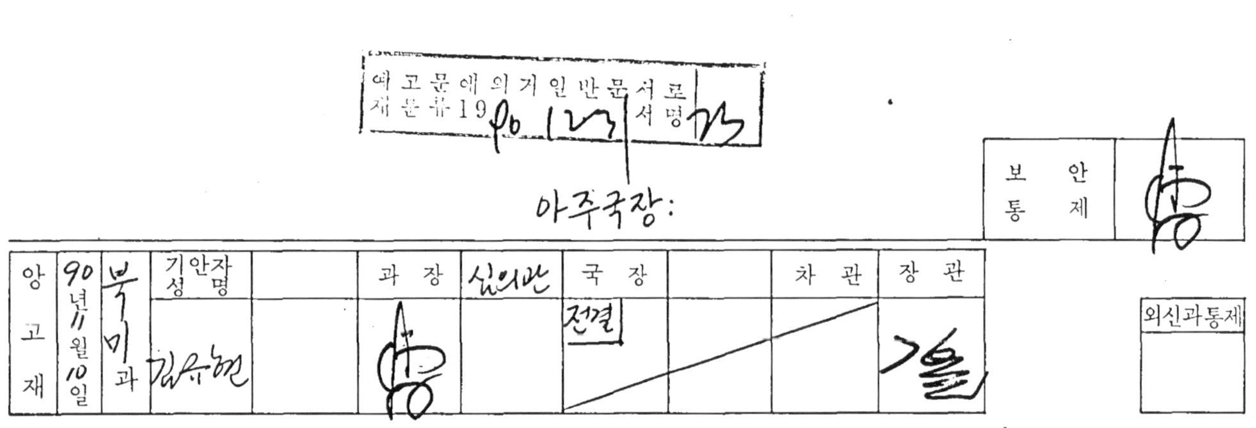
예고문에 의거 일반문서로 재분류 19 90. 12. 31 서명

아주국장:

보안 통제

| 앙고재 | 90년 11월 10일 | 북미과 | 기안자 성명 | 김유현 | 과 장 | 심의관 | 국 장 | | 차 관 | 장 관 |
|---|---|---|---|---|---|---|---|---|---|---|
| | | | | | | | 전결 | | | |

외신과통제

0038

관리 번호 90-2261

원 본

# 외 무 부

종 별 : 지 급

번 호 : JAW-6970 일 시 : 90 1114 1820

수 신 : 장관(미북,중근동,아일)

발 신 : 주 일 대사(일정)

제 목 : 페만 사태관련 일본 의료단 파견

대:WJA-4760

표제 관련, 금 11.14. 당관 강대현 1 등서기관이 일 외무성 북미과 이하라 수석사무관과 유엔정책과 아즈마 수석으로 부터 청취한 설명 내용을 하기 보고함.

1. 의료단 100 명 파견을 위한 사전 준비조사 작업으로 지난 9 월 선발 의료단 17 명을 사우디, 요르단등에 파견, 의료수요 및 구체적 협력가능성을 협의하였으나, 사우디등은 후방병원 지원을 위한 의료활동의 필요성 및 중요성은 크게 평가하지 않았음.

2. 사우디는 후방 근무용 의사는 필요 없다는 입장 이었으며, 요르단 난민 수용소에도 의사 및 의료시설은 충분하다는 입장이었는바, 반대로 전방에 나가 활동할 의사라면 100 명 이상이라도 받아들이겠다는 입장이었음.

3. 그러나, 일본의사의 경우, 직접 전선의 미군병원에 근무할 희망자는 거의 없는 형편이며(일본정부의 방침도 다국적군 활동지원을 위한 일본의 활동은 후방 비전투 분야의 의료, 수송, 통신업무등에 국한됨을 밝히고 있음), 따라서 금번 제 2 차 선발대도 2 명밖에 파견할수 없는 사정이 되었음.

4. 따라서 일 정부의 의료단 파견규모는 페르샤만 정세 및 국내상황을 좀더 관찰하면서 검토할 것이나, 당초 100 명 보다 규모가 크게 축소될 것으로 생각함.(파견의료단의 구체적 숫자를 현재 결정할 수 없는 상태이며, 다만 훨씬 적은 숫자가 될 것이라고 함.). 끝.

(공사 김병연-국장)

예고:91.6.30 까지

검 토 필 (1990.12.31.)

예고문에 의거 일반문서로 재분류19 91.6.30. 서명

미주국 1차보 아주국 중아국 대책반

PAGE 1 90.11.14 19:24

외신 2과 통제관 DO

0039

관리 번호 90-2168

원 본

# 외 무 부

종 별 : 지 급

번 호 : USW-5282 일 시 : 90 1127 1706

수 신 : 장관(미북,중근동)

발 신 : 주 미 대사

제 목 : 걸프 사태관련 군 의료단 파견

대 WUS-3593

1. 금 11.27 국무부 RICHARDSON 한국과장은 당관 유명환 참사관에게 표제 관련 대호 미측 입장 전달후, 한-사우디 양국간 협의 여부등 진전 사항이 있었는지를 문의하여왔음.

2. 동 과장은 아국 군 의료단의 사우디 주둔 다국적군 참여는 그 상징적 의미가 크기 때문에 미측으로서도 이를 크게 환영했었으며, 이러한 입장에는 상금 아무런 변화가 없다고 언급함.

3. 참고로 동건 관련, KIMMITT 정무 차관 보좌관인 KARTMAN 전 주한 정무 참사관도 한국이 의료단을 다국적군의 일원으로 파견하는것은 그 상징적 의미가 클것으로 본다고 언급하면서 관심을 표명한바, 관련 진전 사항등 회보 바람.

(대사 박동진-차관)

90.12.31 일반

예고문에 의거 일반문서로 재분류19 90.12.31 서명

미주국 차관 1차보 중아국

PAGE 1

90.11.28 08:45

외신 2과 통제관 FE

0040

# 軍醫療團 派遣 推進(案)

90.11.29.

北 美 課

1. 軍醫療團 派遣 推進 現況

o 政府는 9.24. 페르시아灣 事態 關聯 支援計劃 發表時 2億 2千万弗의 支援에 追加하여 醫療團 派遣을 肯定的으로 檢討中입을 公表

o 政府는 9.25. 軍醫療團 派遣時 配置地域, 指揮體系, 診療對象 等 關聯 事項 美側과 協議 開始

o 美側은 11.1. 軍醫療團 派遣問題를 我國政府가 직접 사우디 政府와 交涉, 推進할 것을 勸誘

o 政府는 美側立場 및 日-사우디間 醫療團 派遣交涉時 사우디側이 보인 微溫的인 態度를 考慮, 事態推移 觀望中

- 日本이 지난 9월, 17명의 제1차 선발 醫療團을 사우디 및 요르단에 派遣 協議時, 사우디側은 後方 支援을 위한 醫療團은 不要하다는 立場 表明 (다만, 前方에서 活動할 醫療團은 받아 들이겠다는 立場)
- 이에따라 日本은 제2차 선발 醫療團으로 醫師 2명만을 派遣키로 決定

* 詳細 推進 現況 : 別 添

0041

## 2. 向後 推進 計劃

o 駐 사우디 大使로 하여금 사우디 政府에 我國의 軍醫療團 派遣 意思를 傳達하고 이에대한 사우디側 反應을 把握토록 指示

- 駐韓 사우디 大使舘側에도 通報

o 사우디 政府가 우리의 提議를 歡迎할 경우, 外務部,國防部 等의 關係官으로 構成된 協商團을 사우디에 派遣, 派遣條件, 時期 等 具體的인 事項에 관해 직접 協議토록 措置

- 美側과 側面 緊密 協議 竝行

---

* 사우디側과의 主要協議 事項

o 派遣 時期

- 對이라크 武力使用을 許容하는 11.29.자 유엔安保理 決議 內容을 감안, 對이라크 制裁措置에 대한 國際的인 努力에 同參 效果를 극대화하면서 美側의 追加 支援要請 可能性을 考慮할 必要

o 指揮體系 및 配置地域

o 補給支援 體制

o 현지 運營維持 支援

o 醫療施設 問題

o 警戒要員 必要性

---

0042

o 兩國間 合意 到達時 國會 同意 등 軍醫療團 派遣을 위한 國內節次 進行

- 國民與論 감안, 言論 및 國會에 대한 軍醫療團 派遣 必要性 및 名分 弘報 전개
- 憲法 제60조 제2항의 規定에 따른 國會 同意 節次 進行

添 附 : 페르시아灣 事態 關聯 軍醫療團 派遣 推進現況

0043

(첨 부)

# 페르시아만 사태 관련 군의료단 파견 추진 현황

o 9.24. 아국의 페르시아만 사태 관련 지원계획 발표시 군의료단 파견도 긍정적으로 검토하고 있음을 공표.
 - 미측은 아국의 군의료단 파견 계획 환영

o 9.25. 미주국장은 주한 미 대사관 Hendrickson 참사관에게 군의료단 파견시 지휘체계, 배치지역, 진료대상 등에 관한 미측 의견 문의

o 국방부, 9.27 지원집행 계획 수립을 위한 관계부처 실무협의시 90.12.1. 이전 군의료단 선발대 파견, 90.12.25 이전 본대 도착토록 계획 수립중임을 언급

o 9.29. 미주국장, Hendrickson 참사관에게 군의료단 파견 관련 아측 질의사항에 대한 미측 답변 조속 회보 요청
 - Hendrickson 참사관, 아측 질의사항에 대해 국무부측 답변이 충분치 않아 주한 미군 당국을 통해 미 국방부 및 주 사우디 미군 사령부에 문의중임을 밝힘.
 - 아울러 아국 정부가 사우디 정부와 직접 교섭하는 방안을 제의

o 군의료단 파견 검토 관련, 9.29. 주 사우디 대사에게 다국적군 특히, 미군의 주둔 위치, 주둔지, 기후, 생활환경 등 관련 정보 파악 지시
 - 10.1. 주 사우디 대사 보고 접수

o 10.12. 제2차 페만 사태 지원 공여국 조정회의시 미측은 아측의 군의료단 파견 문제에 관한 미측 입장을 확정하지 못하였음을 언급

0044

o 11.1. 주한 미 대사관측은 아국의 군의료단 파견 문제 관련, 다음 입장 통보

- 현재 중동지역 배치 미군을 위한 의료시설은 충분하나 현재 한국 정부가 검토중인 군 이동외과 병원(MASH)은 적절한 수준의 의료 지원을 받지 못하고 있는 일부 다국적군에게는 필수적(vital)인 것으로 보임.
- 따라서 미측은 적절한 한국 의료단 파견을 위해 한국 정부가 사우디 정부와 직접 협의키를 희망함.
- 필요시 미국 정부는 한국 정부와 사우디 정부간 동 문제 관련 협의를 적극 협조 예정임.

o 미국의 입장 및 일-사우디간 의료단 파견 협의 결과에 비추어 정부는 군의료단 파견을 서두를 필요가 없다는 판단하에 사태 추이 관망중

o 11.27. 미 국무부측은 한-사우디간 의료단 파견 문제 진전 사항 문의

0045

공보관실
90.11.30.

# 외무부장관 정례 기자간담회

1. 일시 및 장소 : 1990.11.30(금), 10:00-10:20, 외무부 회의실

2. 내 용 :

가. 장관 언급 내용

금주도 바쁜 한 주가 되었음. 한.일 각료회의와 국정 감사가 계속 있고해서 모두 바쁘게 보냈는데, 이를 취재하시는 여러분들도 많은 노고가 있었음을 치하드림.

여담이긴 하나, 정부는 정부가 하는 일이 국민들에게 정확하게 홍보되는 것이 중요하다고 보고 있음. 그런데 이번에 소관 업무에 관한 대국민 홍보를 잘 하고 있는 부처중 하나로 외무부가 평가 받게 되었음. 이것은 외무부 자체의 노력만으로는 어려운 것이며, 그간 여러분들이 적극적으로 협조하여 주신 덕분이라고 생각함. 이에 다시 감사드림.

오늘로 11월이 끝나고 내일부터는 금년도의 마지막 달이 시작되는데 외무부로서는 외빈들이 방한하는등 계속 분주할 것 같음.

(1) 세네갈 외상 방한

먼저 12.3-6 기간중 세네갈 "씨이" 외상이 부인을 동반하고 우리나라를 공식 방문할 예정임. 이 기간중 외무장관 회담도 갖고, 대통령도 예방하여, 양국간 여러 분야에서의 협력 증진 방안과 아프리카 지역 정세등에 관해 논의하게 될 것임.

세네갈은 서부아프리카 뿐만아니라 아프리카 전역에서 지도적 역할을 수행하고 있는 나라이며, 우리나라하고는 긴밀한 협력 관계를 유지하여 왔음.

1

0046

답 : 일본측에서 1.16 이전 방한을 희망하여 왔기 때문에 이에 따라 일정을 조정하고 있음. 우리측도 재일 한국인 법적 지위 문제 협상 시한인 1.16 이전에 방한하는 것이 바람직하다는 판단하에 일정 협의에 임하고 있음.

문 : 어제 국정 감사 답변에서 페르시아만에 이동외과 병원을 파견하는 방안을 검토중이라고 하셨음. 오늘 유엔에서 무력 사용 승인 결의안이 채택되었으니 파견 시기가 앞당겨질 수 있다고 보여지는데, 파견 의료진의 규모와 시기는 어느 정도 결정되었는가 ? (조선일보 김승영 기자)

답 : 아직은 구체적인 파견 규모나 시기를 검토하는 단계까지 이르지 않았음. 미국의 경우에는 자국의 파견 병력을 위한 의료진이 충분하게 준비되었다고 봄. 따라서 우리가 의료진을 파견할 경우 미국을 위한 것이기 보다는 미국이외의 다른 다국적군을 위해 필요할 것이라고 생각함. 그러나 아직도 이와 관련한 구체적인 사항을 검토하지는 않았음.

문 : 파견할 경우 규모는 대략 어느정도가 될 것으로 보는가 ? (한겨레신문 오태규 기자)

답 : 이동외과를 보낼 것으로 결정될 경우, 많아야 100명 정도가 될 것이라 봄. 그러나 방금 말씀드린 것처럼 아직은 가능성에 대비할 정도이며, 구체적인 구성이나 조직등에 관해 검토한 것은 없음.

문 : 국정 감사시 의원 질의에 의료진을 파견할 경우 병력 파견 까지로 발전될 가능성도 예측된다는 내용이 있었는데, 혹시 사전 막후에서 파병 문제에 관한 협의가 있었는지 ? (민주 일보 정해용 기자)

답 : 이미 여러차례 명백히 밝혔듯이 미국이나 다른 외국 정부로 부터 파병 요청을 받은 바 없음. 또 이 문제에 관해서는 노대통령께서도 우리의 특수한 안보적 상황등으로 파병하지 않을 것이라고 명백히 밝히신 바 있음.

5

0047

미 국무부 "솔로몬" 차관보도 미의회 증언에서 한국으로 부터의 파병은 기대하지 않고 있다고 분명히 말한 바도 있음. 다만 미의회의 일부 의원들이 한국의 파병 당위성에 관한 개인적 의견을 표명하고 있는 실정임.

그러나 미국 정부로부터 파병을 요청 받은적도 없고, 또 우리 정부로서도 이를 고려해 본 적이 없음.

문 : 이동외과 병원 경유 규모가 100명 정도라고 한다면 순수 의료진 요원외에 행정요원도 포함된 것인가 ? (한겨레신문 오태규 기자)

답 : 그런 것으로 알고 있음. 일본이 지난번 평화협력군 파병 법안 심의시 우리에게 설명해 온 것에 의하면 순수한 민간 의료진만 파병하게되면 기동력이 없기 때문에 자위대의 지원 요원을 함께 파견해야 할 필요성이 있다고 하면서, 결코 이것이 병력을 파견하여 군사대국으로 발전하기 위한 것이 아니라고 강조하였음.

페르시아만에 의료진을 보내기로 할 경우 순수한 민간 조직만 파견하는 것은 사실상 어려울 것임. 그것은 우리나라 뿐만 아니고 다른 나라의 경우에도 마찬가지일 것임.

문 : 얼마전 외신 보도에 의하면 남아프리카 대통령이 방한할 계획이라고 하는데, 사실인가 ? (민주일보 정해용 기자)

답 : 남아프리카 공화국 대통령 자신의 생각인지는 모르겠으나, 우리와는 외교 관계도 없는 나라임. 그러한 가능성이 전혀 없음.

문 : 중국으로부터 서울주재 무역대표부 개설 계획에 관해 통보 받은 것이 있는지 ? (기독교방송 백경학 기자)

6

0048

# 페르시아만 사태 관련 의료단 파견 현황

90.11.30. 현재

미 국

o 사우디 담만항에 병원선 2척 파견
  - 수용 능력 : 1,000 beds

o 사우디 알바틴에 종합 의료단 운영
  - 수용 능력 : 350 beds
  - 의 료 단 : 전문의 35명

영 국

o 의사 200명 및 400 병상 규모의 야전 병원 파견 예정
  (Arab News 지 최근 보도)

방글라데시

o 2개 의무대 400명 파견
  - 장교 16명, 사병 84명

필리핀

o 11.17.로부터 3주내 의료 지원팀 50명 사우디 파견 예정
  (11.17. 주 사우디 필리핀 대사 발표)

0049

폴란드

o 병원선 1척 파견 검토중

호 주

o 2개 의무팀 파견 검토중

체 코

o 야전 병원 파견 검토중

0050

| 관리번호 | 90-2458 |
|---|---|

| | 분류번호 | 보존기간 |
|---|---|---|
| | | |

# 발 신 전 보

번　호 : WSB-0557　　901203 1811　DP　　종별 : 지 급

수　신 : 주　　사 우 디　대사. 총영사　(친전)

발　신 : 장 관　(미북, 중근동)

제　목 : 군 의료단 파견

대 : SBW-0889
연 : WSB-0428

1. 정부는 페르시아만 사태와 관련 다국적군 활동에 대한 재정적 지원에 추가하여 아국 군의료단 파견 문제에 관해 미측과 협의해 온 바, 미측은 의료단 파견 문제를 귀주재국 정부와 직접 협의하는 것이 좋겠다는 의견을 제시하여 왔음.

2. 정부는 이에 따라 군의료단 파견 문제를 직접 귀주재국과 협의 예정인 바, 귀주재국 정부에 아국이 군이동외과 병원(MASH) 파견 가능성을 검토하고 있음을 우선 알리고 이에 대한 주재국 정부의 반응을 보고 바람. 만일 사우디에 MASH 병원이 충분히 있을경우 일반적인 장비를 휴대한 군의관을 상대적으로 더 보낼수있을것인바, 사우디측이 아측의 의료지원을 원하는경우 어느 방향의 지원을 더 필요로하는지도 파악 보고 바람.

3. 또한 군 이동외과 병원 파견시 기본 진료 장비는 아측이 제공 예정이나 그외 현지에서의 진료 활동에 필요한 비용, 시설, 의료품 등은 사우디 측이 부담하는 조건이 될 것임을 알리고 아울러 다음 사항에 대한 주재국 정부의 방침도 파악 보고 바람. (동건 협의시 필요한 경우 Hussein 국방지원 국장과도 접촉 바람)

- 파견 시기 및 배치 지역
- 군의료단 파견시 지휘 체계 및 진료 대상
- 군이동외과 병원 camp 위치, 경계 요원 배치 필요성 여부 및 경계 요원 필요시 사우디측의 경계 지원 제공 여부
- 약품등 의료품 지원 문제　/ 계 속 /

| 보 안 통 제 | 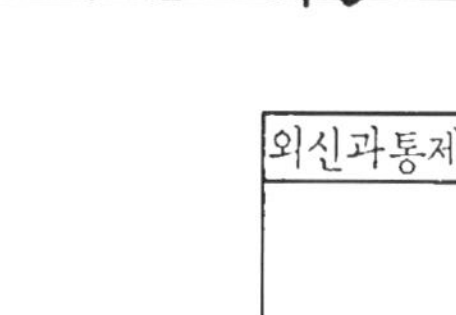 |
|---|---|

중동아국장

| 앙고재 | 90년 11월 30일 | 북미과 | 기안자 성명 | | 과 장 | 심의관 | 국 장 | 제1차관보 | 차 관 | 장 관 |
|---|---|---|---|---|---|---|---|---|---|---|
| | | | 김유현 | | | | | | | |

| 외신과통제 |
|---|
| |

0051

- 진료 요원의 숙소 및 각종 보급 지원
- 아국 군의료단 파견시 사용하게될 병원 시설에 관한 구체적 사항

4. 귀 주재국측과 본건 협의를 위한 당부 및 국방부 관계관 귀지 파견 필요성에 대한 귀견 회보 바람.

5. 한편, 군의료단 파견 문제는 국내적으로 매우 민감한 사안인 만큼 보안에 각별 유념하기 바람. 끝.

(장 관 최호중)

예고 : 91.6.30. 일반

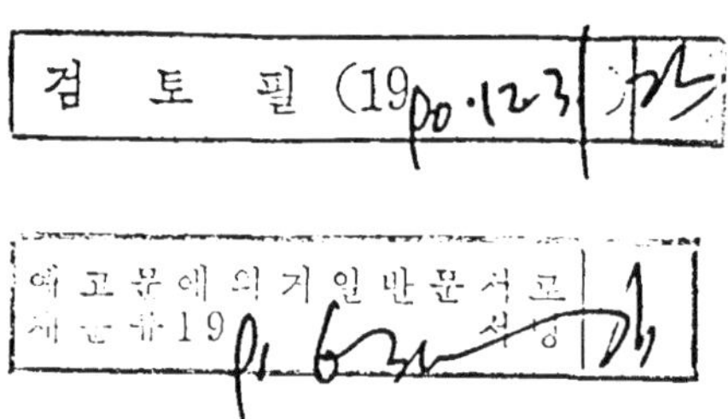

0052

| 관리 번호 | 90-2499 |
|---|---|

| | 분류번호 | 보존기간 |
|---|---|---|
| | | |

# 발 신 전 보

번 호 : WUS-3997 901204 0919 FC 종별 :

수 신 : 주 미 대사. ~~총영사~~

발 신 : 장 관 (미북)

제 목 : 걸프사태 관련 의료단 파견

대 : USW-5282

1. 대호 관련, 정부는 주 사우디 대사로 하여금 아국이 군 이동외과 병원(MASH) 파견 가능성을 검토하고 있음을 사우디 정부에 통보하고 이에대한 사우디측의 반응을 파악 보고하도록 12.3(월) 훈령하였음.

2. 한편, 미주국장은 12.3. Hendrickson 주한 미 대사관 참사관에게 우리 정부가 주 사우디 아국대사를 통해 군의료단 파견 문제에 관해 사우디 정부와 교섭을 개시한 사실을 통보하였음을 참고 바람. 끝.

(미주국장 반기문)

예 고 : 91.6.30.일반

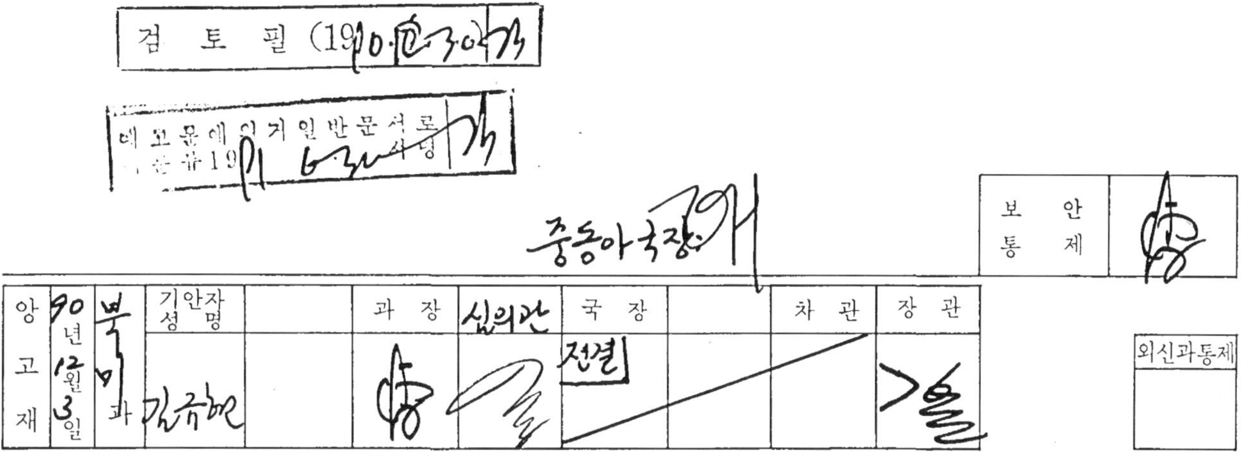
검 토 필 (1990.12.30.)

예고문에 의거 일반문서로 재분류 1991

중동아국장

| 보안 통제 | |
|---|---|

| 앙 고 재 | 90년 12월 3일 | 북미과 | 기안자 성명 | | 과 장 | 심의관 | 국 장 | | 차 관 | 장 관 |
|---|---|---|---|---|---|---|---|---|---|---|
| | | | 김규현 | | | | 전결 | | | |

외신과통제

0053

| 관리 번호 | 90-2525 |
|---|---|

원 본

# 외 무 부

종 별 :

번 호 : SBW-1142 일 시 : 90 1206 0140

수 신 : 장관(미북, 중근동)

발 신 : 주 사우디 대사대리

제 목 : 군의료단 파견

대:WSB-557

1. 소직은 대호관련 금 12.5 주재국 외무부 MANSOURI 정무담당차관을 면담하였는바, 동면담 주요내용 아래보고함(동차관은 현재 제다에서 근무중임, 백기문참사관 배석)

가. 대호지시에 따라 아국정부가 군이동외과 병원파견 가능성을 검토중에있음을 설명하였던바, 동차관은 주재국 관계기관과 동파견 접수여부에관한 주재국입장을 협의결정한후, 그결과를 알려주겠다고 하면서, 기타사항에 관하여는추후 협의하자고 하였음

나. 이어 동차관은 페만사태관련, GCC 기금을 통한 지원도하고 있다면서, 아국의 대사우디 지원여부를 문의하여, 소직은 금년들어 아국의 무역적자가 65 억불에 이르게 되는등 어려운 경제적 여건하에서도 아국이 다국적군 유지 및 주변 전선국가 지원경비로 총 2.2 억불를 지원하기로 결정한 사실을 상기시킨후 아국을 일본과 비교해서 말할수는 없다고 하였음, 이에대해 동차관은 한국이 사우디를 지원한다는 상징적인 원조를 기대하였었다고 하면서, 동문제는 더이상 거론치 않겠다고 하였음

2. 군이동외과 병원 파견에 대한 주재국입장 통보받는대로 보고예정임.끝

(대사대리 박명준-국장)

예고:91.6.30. 일반

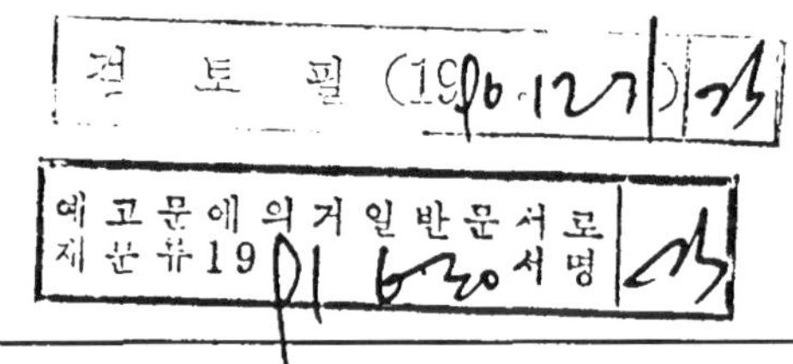


미주국 중아국

PAGE 1

90.12.06 08:25

외신 2과 통제관 BT

0054

| 관리 번호 | 90-2523 |
|---|---|

| | 분류번호 | 보존기간 |
|---|---|---|
| | | |

# 발 신 전 보

번 호 : WPH-0979 901206 1828 AO 종별 : 지 급

수 신 : 주 필리핀 대사. 총영사

발 신 : 장 관 (미북)

제 목 : 필리핀 의료단 사우디 파견

1. 귀지 발 12.5.자 로이터 통신이 귀 주재국 Rafael Ileto 안보 보좌관의 발언을 인용, 보도한 바에 의하면, 의사, 간호원 및 기타 보조인력 등으로 구성된 137명의 필리핀 의료단이 12.12. 사우디 향발 예정이며, 동 의료단은 후방지역에 배치 예정이라 함.

2. 이와관련 귀직은 귀 주재국 관계당국과 접촉, 필리핀 의료단 파견 관련 사우디 정부와의 교섭 경위, 의료단 파견 조건, 배치지역, 진료대상, 약품 등 의료품 지원문제, 의료단 숙소 및 각종 보급 지원문제, 그리고 기타 참고사항에 관해 가능한 상세히 파악 보고 바람.

3. 한편, 정부는 페르시아만 사태와 관련, 다국적군 활동 및 대이라크 경제재재조치 참여로 피해를 입고 있는 이집트등 전선국가에 대한 경제적 지원에 추가하여 사우디에 군의료단을 파견하는 문제를 검토하고 있음을 귀관만의 참고로 하기 바람. 끝.

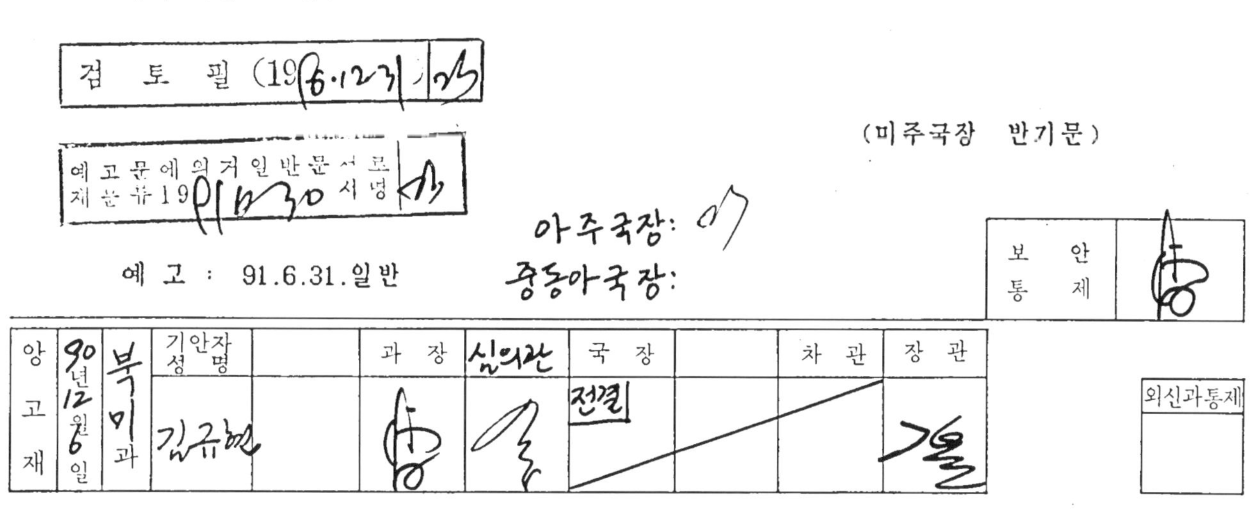

검 토 필 (1990.12.31.)

예고문에 의거 일반문서로 재분류 1991.12.30 서명

(미주국장 반기문)

아주국장:

중동아국장:

예 고 : 91.6.31.일반

| 보안 통제 | |
|---|---|

| 앙 고 재 | 90년 12월 6일 | 북미과 | 기안자 성명 | | 과 장 | 심의관 | 국 장 | | 차 관 | 장 관 |
|---|---|---|---|---|---|---|---|---|---|---|
| | | | 김유현 | | | | 전결 | | | |

| 외신과통제 |
|---|
| |

0055

긴

| 관리 번호 | 90-2531 |
|---|---|

원 본

# 외 무 부

종 별 :

번 호 : PHW-1632 일 시 : 90 1207 1130

수 신 : 장관(미북,아동,기정,국방부)

발 신 : 주 필리핀 대사

제 목 : 필리핀 의료단 사우디 파견(자료응신 183호)

대:WPH-979

대호관련 주재국 YAN 제 1 외무차관은 12.6(목) "THE GULF CRISIS: IT'S IMPACT AND AFTERMATH"라는 주제로 NIKKO MANILA HOTEL 에서 당지 외교단을 상대로 주재국의 대중동 정책을 브리핑하면서 주재국 의료단을 파견하는 문제를 설명한 내용(당관 황참사관 참석) 및 12.7(금) 황참사관의 외무부 중동국 GIUNUMLA 부국장 및 보건부 EMMANUEL DE GUZMAN 차관 비서와 동건 관련 문의 내용을 기초로 아래와 같이 보고함.

1. 주재국 의료단 파견 계획 현황

주재국은 현재 100 명 내지 200 명의 의사, 간호원 및 의료기술자를 12.12 첫 TEAM 으로 파견할 계획하에 현재 최종 인선 작업을 하고 있음. 주재국은 의료진을 300 명까지 파견한다는 목표로 하고 있는바 나머지 인원은 추후 파견될 것이라고 함.

파견 인력은 모두 자원한 자들로 구성되어 있으며 당초 예상과 달리 지원자가 많다고 함.

2. 의료단 파견 배경

YAN 차관에 의하면 동의료단은 당초 사우디 및 쿠웨이트측에서 주재국에 병력을 파견해 달라는 요청을 한데 대하여 의료단을 파견하기로 결정한 것이라고 함.

동 의료단 파견과 관련미국과 사전 협의가 없었느냐고 황참사관이 질문한데 대하여 동 차관은 미국과는 전연 협의한 사실이 없다고 답변하였음.

3. 의료단 파견 조건

의료단은 주재국 자비로 파견되며 의료단 파견에 따른 다른 조건은 없다고 함.

의료진료에 필요한 숙소, 장비는 사우디 정부가 제공하기로 하였다하며 의약품은 유엔 및 국제기구가 기증한 것과 사우디 정부가 제공하는 것을 사용하기로 하였다함.

4. 진료대상

미주국 차관 1차보 2차보 아주국 청와대 안기부 국방부

PAGE 1

90.12.07 13:36

외신 2과 통제관 BW

0056

기본적으로 민간인을 대상으로 하나 후송되는 군인도 진료 대상에 포함될 것이라함.

5. 배치지역

의료진의 숙소, 배치지역은 아직 구체적으로 확정되지 않았으며 후방 지역에 사우디 정부가 지정해주는 장소가 될것이라고 함.

(대사 노정기-국장)

예고:91.6.30. 일반

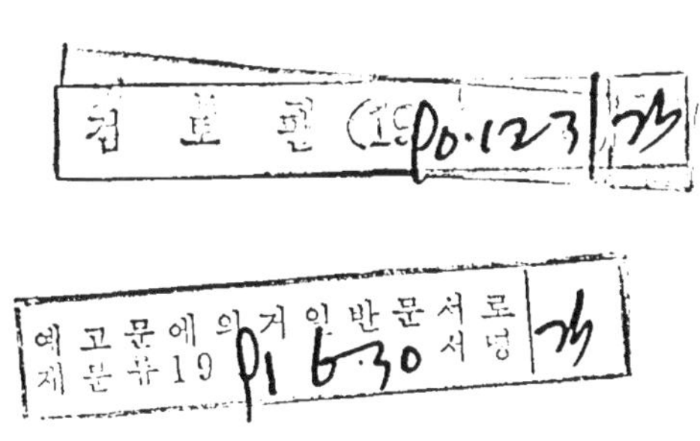

PAGE 2

0057

관리 번호 90-2545

원 본

# 외 무 부

종 별 :

번 호 : PHW-1644 일 시 : 90 1212 1200

수 신 : 장관(미북,아동,기정,국방부)

발 신 : 주 필리핀 대사

제 목 : 필리핀 의료단 사우디 파견(자료응신 185호)

연:PHW-1632

1. 필리핀 정부는 연호 의사, 간호원, 의료기술자로 구성된 219 명의 의료단을 12.12.(수) 사우디 정부 제공 항공편으로 사우디로 파견한다고 발표하였음.

2. 상기 의료단은 이락-사우디 국경선에서 떨어진 군병원에서 근무할 예정이라고 하며, 동 의료단의 60 프로는 정부소속 기관에서, 40 프로는 민간 병원에서 근무하던 지원자로 구성되었다함.

3. 필리핀 정부는 상기 의료단 파견이 필리핀의 석유 80 프로가 중동지역에서 수입되고 있고 필리핀 노동자 50 만명이 걸프지역에서 근무하고 있는점을 감안한 것이라고 하며, 동 의료팀이 필리핀 노동자를 포함 국적을 불문한 난민 및 군인을 돌보아 줄 것이라고 하였음.

(대사 노정기-국장)

예고:91.6.30. 일반

검 토 필 (1990.12.31)

예고문에 의거 일반문서로 재분류 1991.6.30 서명

미주국 아주국 정문국 안기부 국방부

PAGE 1

90.12.12 13:51

외신 2과 통제관 BT

0058

# 軍醫療團 派遣 推進(案)

90.12.13.

北 美 課

1. 軍醫療團 派遣 推進 現況

o 政府는 9.24. 페르시아灣 事態 關聯 支援計劃 發表時 2億 2千万弗의 支援에 追加하여 醫療團 派遣을 肯定的으로 檢討中임을 公表

o 政府는 9.25. 軍醫療團 派遣時 配置地域, 指揮體系, 診療對象 等 關聯 事項 美側과 協議 開始

o 美側은 11.1. 軍醫療團 派遣問題를 我國政府가 직접 사우디 政府와 交涉, 推進할 것을 勸誘

o 政府는 美側立場 및 日-사우디間 醫療團 派遣交涉時 사우디側이 보인 微溫的인 態度를 考慮, 事態推移 觀望中

- 日本이 지난 9월, 17명의 제1차 선발 醫療團을 사우디 및 요르단에 派遣 協議時, 사우디側은 後方 支援을 위한 醫療團은 不要하다는 立場 表明 (다만, 前方에서 活動할 醫療團은 받아 들이겠다는 立場)
- 이에따라 日本은 제2차 선발 醫療團으로 醫師 2명만을 派遣키로 決定

* 詳細 推進 現況 : 別 添

0059

o 90.12.3.駐 사우디 大使로 하여금 사우디 政府에 我國의 軍醫療團 派遣 意思를 傳達하고 이에대한 사우디側 反應을 把握토록 指示

- 駐韓 사우디 大使館側에도 通報
- 12.5. 사우디측은 관계 기관과 협의후 사우디 입장 통보 예정이라 언명

## 2. 向後 推進 計劃

o 사우디 政府가 우리의 提議를 歡迎할 경우, 外務部,國防部 等의 關係官으로 構成된 協商團을 사우디에 派遣, 派遣條件, 時期 等 具體的인 事項에 관해 직접 協議토록 措置

- 美側과 側面 緊密 協議 並行

* 사우디側과의 主要協議 事項

o 派遣 時期
  - 對이라크 武力使用을 許容하는 11.29.자 유엔安保理 決議 內容을 감안, 對이라크 制裁措置에 대한 國際的인 努力에 同參 效果를 극대화하면서 美側의 追加 支援要請 可能性을 考慮할 必要
o 指揮體系 및 配置地域
o 補給支援 體制
o 현지 運營維持 支援
o 醫療施設 問題
o 警戒要員 必要性

0060

o 兩國間 合意 到達時 國會 同意 등 軍醫療團 派遣을 위한 國內節次 進行

- 國民與論 감안, 言論 및 國會에 대한 軍醫療團 派遣 必要性 및 名分 弘報 전개
- 憲法 제60조 제2항의 規定에 따른 國會 同意 節次 進行

添 附 : 페르시아灣 事態 關聯 軍醫療團 派遣 推進現況

0061

(첨 부)

# 페르시아만 사태 관련 군의료단 파견 추진 현황

o 9.24. 아국의 페르시아만 사태 관련 지원계획 발표시 군의료단 파견도 긍정적으로 검토하고 있음을 공표.

- 미측은 아국의 군의료단 파견 계획 환영

o 9.25. 미주국장은 주한 미 대사관 Hendrickson 참사관에게 군의료단 파견시 지휘체계, 배치지역, 진료대상 등에 관한 미측 의견 문의

o 국방부, 9.27 지원집행 계획 수립을 위한 관계부처 실무협의시 90.12.1. 이전 군의료단 선발대 파견, 90.12.25 이전 본대 도착토록 계획 수립중임을 언급

o 9.29. 미주국장, Hendrickson 참사관에게 군의료단 파견 관련 아측 질의사항에 대한 미측 답변 조속 회보 요청

- Hendrickson 참사관, 아측 질의사항에 대해 국무부측 답변이 충분치 않아 주한 미군 당국을 통해 미 국방부 및 주 사우디 미군 사령부에 문의중임을 밝힘.
- 아울러 아국 정부가 사우디 정부와 직접 고섭하는 방안을 제의

o 군의료단 파견 검토 관련, 9.29. 주 사우디 대사에게 다국적군 특히, 미군의 주둔 위치, 주둔지, 기후, 생활환경 등 관련 정보 파악 지시

- 10.1. 주 사우디 대사 보고 접수

o 10.12. 제2차 페만 사태 지원 공여국 조정회의시 미측은 아측의 군의료단 파견 문제에 관한 미측 입장을 확정하지 못하였음을 언급

0062

o 11.1. 주한 미 대사관측은 아국의 군의료단 파견 문제 관련, 다음 입장 통보

- 현재 중동지역 배치 미군을 위한 의료시설은 충분하나 현재 한국 정부가 검토중인 군 이동외과 병원(MASH)은 적절한 수준의 의료 지원을 받지 못하고 있는 일부 다국적군에게는 필수적(vital)인 것으로 보임.
- 따라서 미측은 적절한 한국 의료단 파견을 위해 한국 정부가 사우디 정부와 직접 협의키를 희망함.
- 필요시 미국 정부는 한국 정부와 사우디 정부간 동 문제 관련 협의를 적극 협조 예정임.

o 미국의 입장 및 일-사우디간 의료단 파견 협의 결과에 비추어 ~~정부는 군의료단 파견을 서두를 필요가 없다는 판단하에~~ 사태 추이 관망중

o 11.27. 미 국무부측은 한-사우디간 의료단 파견 문제 진전 ~~사항~~ 문의

o 12.3. 주 사우디 대사로 하여금 사우디 정부에 아국의 군 이동 외과 병원 파견 의사를 전달하고 이에 대한 사우디측 반응을 파악토록 지시

- 12.5. 사우디측은 관계기관과 협의후 사우디 입장 통보 예정이라 언급

0063

홍/김

| 관리번호 | 90-2565 |
| --- | --- |

원 본

# 외 무 부

종 별 :

번 호 : SBW-1183 일 시 : 90 1218 1500

수 신 : 장 관(미북,마그,중근동,기정,국방부)

발 신 : 주 사우디 대사

제 목 : 주재국 외무부 아주국장 면담

대:WSB-557

연:SBW-1142

본직은 12.17 주재국 외무부 아주국장 MOUMINA 대사를 면담하였는바, 주요내용 아래보고함(백기문참사관배석)

1. 군의료단 파견

-본직은 아국정부가 군이동외과병원 파견가능성을 검토중임을 다시한번 상기시키고, 동건에 대한 주재국의 입장을 타진하였던바, 동국장은 관계기관과 협의 가능한 빨리 주재국입장을 알려주겠다고 하였음

2. 레바논지원

-동국장은 레바논지원 국제기금 기여요청관련, 한국측이 양자협력 측면에서 대레바논 지원을 검토하고 있음을 잘알고 있다면서 다시한번 동기금에 한국기여를 희망한다는 의사를 피력

-본직은 이에대해 아국의 현여건등을 자세히 설명한후 다시한번 아국의 입장을 밝혀음

(대사 주병국-국장)

예고:91.6.30 일반

검 토 필 (1990.12.31.) 

예고문에 의거 일반문서로 재분류 1991.6.30. 서명

미주국 차관 1차보 2차보 중아국 중아국 안기부 국방부

PAGE 1

90.12.18 22:02

외신 2과 통제관 DO

0064

홍

| 관리 번호 | 90/2571 |
|---|---|

원 본

# 외 무 부

종 별 :

번 호 : SBW-1195 일 시 : 90 1219 1900

수 신 : 장 관(미북,중근동,국방부,기정)

발 신 : 주 사우디 대사

제 목 : 군의료진 파견

대:WSB-557

연:SBW-1142

1. 대호관련, 12.19 일 국방부 통합군사령부 AL-HUSAAIN 준장과의 면담시 동인의 주요언급내용 아래 보고함

가. 주재국 외무부로부터 한국정부가 군이동외과병원 파견을 검토중이라는내용을 통보받았으며, 국방부로서는 동파견을 환영함

나. 동병원 파견시 91.1.15 이전에 동파견이 완료되기를 희망하며, 아울러 동파견에 따른 세부사항 실무협의를 위한 협상실무팀이 조속한 시일내에 사우디를 방문하여 주기를 원함

다. 동병원 파견시, 사우디군 의무사 지휘하에 동부지역 또는 알바턴에 배치될것이며, 식량, 연료, 의약품 및 시설사용료등은 사우디가 부담하게됨, 또한 경계는 사우디군이 책임질것임

2. 전항에 따라 곧 주재국 외무부로부터 아국 군이동외과병원 파견 검토에대한 주재국의 공식입장을 통보받을것으로 예상되는바, 주재국입장 확인되는대로 보고예정임

(대사 주병국-국장)

예고:91.6.30 일반

검 토 필 (1990.12.31)

예고문에의거일반문서로 재분류19 91.6.30 서명

미주국 중아국 안기부 국방부

PAGE 1

90.12.20 06:04

외신 2과 통제관 CW

0065

# 외 무 부

종 별 :

번 호 : HGW-0852 일 시 : 90 1219 1930

수 신 : 장 관(동구이,중근동)

발 신 : 주 헝가리 대사

제 목 : 헝가리 의료팀 걸프 파견 의결

1.헝 외무장관 요청으로 헝의회는 작 18일 걸프사태 진전에 따라 지원자들로만 구성된 헝가리 의료팀을 걸프지역에 파견하는 의안을 의결했다고 12.18.저녁 SZABAD 의장이 정식발표함. SZABAD 의장은 헌법에 규정된 출석의원 2/3 이상의 찬성을 필요로 했던 이번결의는 새로운 헝가리 역사상 이정표가 될만한 결정이었다고 말한다음 헝정부가 미공군의 걸프지역 출동을 위한 영공통과 요청을 받았다는 항간의 소문에 대해서는 아는바 없다고 대답함.

2. TAMAS KATONA 외무부 정무차관은 걸프지역에 의료팀을 파견한다면 이는 영국군 관할하에 들어가게 될것이며, 의회결의에 의한 의료팀 파견을 위한 국내 관련부처 및 관련 국가간의회의가 조만간 이루어질 것이라고 말함.끝.

(대사-국장)

구주국 1차보 중아국 정문국 안기부

PAGE 1 90.12.20 09:24 WG

외신 1과 통제관

0066

# 걸프戰爭 勃発対備 非常対策(案)

1990. 12. 21

外 務 部

0067

# 目　　　次

1. 状　況

2. 基本的 考慮事項

3. 基本 方針

4. 対　策

가. 僑民 安全 및 撤收 問題
나. 經濟的 利益 保護問題
다. 原油供給問題
라. 軍備 追加負擔 問題
마. 軍醫務團等 非戰闘要員 派遣問題
바. 北韓의 挑發 可能性 問題

5. 当面 措置事項

0068

## 1. 状 況

가. 걸프 事態는 11.29 유엔 安保理가 對이락 武力 使用을 承認하였음에도 불구하고 부시 美國 大統領이 12.1. 이락에 直接 協商을 提議하고 이락이 이를 受容하는 同時에 곧이어 西方人質 全員의 釋放을 決定함으로써 平和的 解決의 展望이 밝아지는듯 하였으나 베이커 長官의 이라크 訪問日字를 놓고 兩側이 強硬히 맞서고 있어 다시금 대단히 流動的인 局面을 맞이 하고 있음.

나. 美國과 이락間의 協商이 失敗할 경우 美國은 어차피 武力使用이 이락의 軍事力 弱化라는 美國의 戰略目標를 가장 確實하게 保障하는 方法이 되겠으므로 安保理의 武力使用 承認 決議를 背景으로 戰爭을 遂行할 可能性이 있다고 봄.

다. 武力使用의 경우 이는 奇襲的, 電擊的, 短期的인 大量 攻擊이 될 것으로 豫想됨. 1月 初旬까지는 多國籍軍 約 55萬, 이락軍 約 45萬이 配置될 것으로 봄.

라. 이러한 展望下에서 武力衝突에 대비한 非常對策을 樹立해 두고자 하는 것이 本 對策(案)의 背景임.

0069

## 2. 基本的 考慮事項

戰爭勃發時 我國의 基本的인 考慮事項은 다음이 될 것임.

가. 我國人 安全 및 迅速 撤收

나. 이락內 我國의 經濟利益 保護

다. 安定的 原油 確保

라. 國際的 平和維持 活動 參與

마. 北韓의 挑發 可能性에 對備한 警戒態勢의 强化

## 3. 基本方針

以上 考慮事項을 염두에 두고 對策을 마련함에 있어 다음을 基本 方針으로 삼고자 함.

가. 關係部處間 協調體制의 確立

나. 現地 公館의 活動 支援

다. 進出業體와의 協力

라. 友邦과 緊密 協議 및 協調

0070

## 4. 対 策

### 가. 僑民 安全 및 撤收問題( 公舘員, 家族 包含)

1) 現 況

가) 쿠웨이트 殘留人員 9名은 個人事業上 撤收 不願

나) 이락 殘留人員 120名은 公舘員 및 家族과 業體所屬 必須要員임.

2) 對 策

가) 段階的 撤收 推進

1段階( 開戰 臨迫 判斷時)

(1) 이락 殘留 人員 撤收

(2) 駐이락 大使舘 人員 減縮( 友邦國과 緊密協議)

(3) 隣接國 滯留 僑民 自進撤收 勸奬

2段階( 戰爭 勃發時)

(1) 駐이락 大使舘 完全 撤收
- 友邦國과 緊密協議
- 殘留僑民 保護, 未收金 問題, 長期的 經濟利益等도 勘案

0071

나) 撤收 對備 事前措置

(1) 1.10. 前後 狀況 判斷 實施
(2) 公館 水準 緊急 撤收計劃 樹立
(3) 業體別 撤收計劃은 公館의 綜合計劃과 連繫
(4) 現地公館 및 業體 非常連絡網 構成
(5) 非常 待避施設 確保
(6) 出國許可 獲得
(7) 非常食品, 醫藥品 特別支援方案 講究
(8) 駐이락 및 隣接 公館에 非常金 確保
(9) 關聯 公館에 化生放 裝備 支援(11月 旣措置)
(10) 僑民用 化生放 裝備는 業體別로 支援

나. 經濟的 利益保護 問題

1) 建設分野

가) 이락 新規工事 受注 禁止
나) 未收金에 따른 進出會社의 資金壓迫 緩和 支援
다) 工事 中斷에 따른 紛爭 소지 除去
라) 未收金 現況
(1) 이 락 : 7個社 972百萬弗
(2) 쿠웨이트 : 3個社 63百萬弗

0072

2) 交易分野

가) 交易 損失 極小化 方案 講究

나) 輸出保險 強化方案 講究

다) 戰後 域内 豫想 需要에 對備

라) 對이락 經濟制裁措置로 豫想되는 輸出 차질액 (90.8-12月 基準)

(1) 이 락 : 110百萬弗

(2) 쿠웨이트 : 80百萬弗

다. 原油供給問題

1) 油價引上에 따른 追加負擔 豫想

가) 25弗 基準時 1次年度 15-30億弗

나) 배럴當 1弗 引上時 年間 330百萬弗

2) 對 策

가) 段階別 原油 供給

1段階 : 精油社 導入 物量으로 充當

2段階 : 政府 備蓄 및 精油社 在庫 活用(70:30)

3段階 : 原油 確保狀態를 보아 備蓄, 使用 計劃 調整

나) 戰爭 長期化 對備 中長期對策 樹立

0073

라. 軍備 追加負擔問題

1) 支援 現況

가) 1990年 多國籍軍 95百萬弗
周邊國 經濟支援 75百萬弗

나) 1991年 多國籍軍 25百萬弗
周邊國 經濟支援 25百萬弗

2) 要請 있을때 考慮事項(주로 外交的 側面)

가) 我國의 對이락 및 對아랍圈 政治, 經濟的 利益

나) 이집트, 시리아等 未修交國과의 修交 側面支援 可能性

다) 他國의 追加支援 現況

라) 醫務團 派遣等 余他 方法 支援 可能性

마. 軍 醫務團等 非戰鬪要員 派遣問題

1) 사우디側 回信(12.19)에 대해 肯定的 檢討中

2) 考慮事項(주로 外交的 側面)

가) 事態 平靜後 對이락 關係 不便

나) 醫務團 派遣이 연계선이 된 派兵 可能性

다) 經濟的 負擔

바. 北韓의 挑發 可能性 問題

1) 東西和解로 생긴 힘의 空白을 이용한 第3世界 指導者들의 冒險主義 대두

0074

2) 強力한 軍事力, 内部不滿等 이락과 北韓의 유사성
3) 걸프灣 戰爭勃發時 韓半島 및 周邊 美軍의 部分的 移動 可能性

## 5. 当面措置事項

### 가. 各級 非常對策班 運營

1) 外務部 非常對策班(中東阿局 中心 24時間 運營)
2) 政府 合同 對策班(1次補 主宰 關係部處 局長級)
3) 駐이락 大使館 官民 對策會議(大使主宰 進出業體 包含)
4) 中東 公館長會議(1月 初旬, 리야드 開催)

### 나. 非常對策 關聯 豫算 確保

# 長官 報告事項

| 報告畢 |
| --- |
| |

1990.12.21.
中近東課

## 題目 : 軍醫療團 사우디 派遣 檢討

걸프灣 事態와 關聯, 多國籍軍 活動 支援의 一環으로 檢討하여온 我國의 軍醫療團 派遣件에 대한 進展 및 檢討事項을 아래와 같이 報告드립니다.

### 1. 對 사우디 協議

가. 美國과의 協議를 거쳐 12.3. 我國 移動外科 病院의 사우디 派遣 可能性에 대한 사우디側 意見을 打診함.

나. 12.19. 사우디 國防部側은 我國 移動外科 病院의 派遣을 歡迎하고 아래의 條件을 提示함.

1) 91.1.15. 以前 派遣 希望

2) 사우디 醫務司令部 指揮 아래 東部 또는 알바틴 地域 配置

3) 食糧, 燃料, 醫藥品, 施設使用料, 警戒는 사우디 負擔

4) 實務協議위한 協商 代表團 사우디 訪問 希望

### 2. 措置 方案

가. 移動外科 病院 派遣

1) 國會 事前 同意 必要 (헌법 60조 2항)

- 91.1.24. 臨時國會 處理 可能
- 유엔이 정한 撤收時限 以後에나 派遣 可能하다는 問題點

2) 規 模

- 國防部와 協議하되 일단 總員 100名 정도 考慮

미주국장: 2초 제2차관보

| 양고재 | 공람 | 90/12/21 | 담 당 | 과 장 | 심의관 | 국 장 | 차관보 | 차 관 | 장 관 |
| --- | --- | --- | --- | --- | --- | --- | --- | --- | --- |
| | | | 권혁 | 가 | 양 | 대 | 홍 | | |

0076

3) 派遣時期 및 期間

- 國會 同意 卽時 派遣 可能토록 事前準備 完了

- 派遣期間은 일단 3-6個月로 함

4) 所要經費

- 往復 輸送費, 海外勤務 手當等 費目

- 91年 페灣支援 豫定額 50百萬弗中 一部를 使用토록 美側과 協議하되, 不如意하면 政府 歲出 豫算 豫備費 使用 檢討

5) 考慮事項

- 國民輿論의 支持를 얻는 問題

- 事態 平靜後 이락 및 아랍권에 대한 我國의 政治, 經濟的 利益을 保護하는 問題

나. 民間 醫療陳 派遣

1) 人員 確保 특히 外科醫 募集이 容易치 않음
(월 10,000불 정도라도 10명정도 확보도 의문)

2) 看護員 경우 1,000弗 정도면 醫師보다는 募集 容易

3) 國會 同意는 不要

다. 公衆 保健醫(무의촌 3년 근무 조건부 병역의무 면제자) 派遣

1) 每年 700-800名 정도 排出되나 一般醫가 大部分이고 專門醫는 과목당 全國에 10名 정도에 不過함

2) 또한 해외 派遣은 農漁村 保健醫療 特別 措置法上 不可
(보사부 의정국장 의견)

라. 聯合司에 軍醫療陳 配屬後 海外 派遣

一應 國會 同意를 省略할 수 있는 方案으로 생각되나, 聯合司의 管轄地域이 韓半島에 局限 되므로 問題點 있음.

마. 國會 同意 받기前 民間 醫療陳 우선 派遣

1) 移動外科 病院의 派遣 同意가 1月 下旬에나 可能하므로 于先 民間 醫療陳 若干名을 選拔 派遣, 美軍에 配屬시킴

2) 美國에 대한 誠意 表示 效果 있음

0077

3. 關係部處 協議 및 政府 實務 代表團 派遣 建議

가. 靑瓦臺(담당비서관), 外務部(중동아국장, 미주국장), 國防部 (정책기획관실차장)間 協議 豫定 (12.24)

나. 사우디側 要請에 따라 外務部, 國防部 合同 實務 代表團을 12月 下旬 사우디 派遣(중동아국장 인솔)

4. 參 考 : 1964年 十字星部隊 派越 經緯

가. 64.5.6. 美國의 韓國軍 派越 要請 公翰
64.7.5. 越南의 支援 要請 公翰

나. 64.7.30. 國會 同意案 議決

다. 64.9.11. 移動外科 病院(십자성 부대 140명) 派遣

0078

| 報告畢 |
| --- |
| |

# 長 官 報 告 事 項

1990.12.21.
中 近 東 課

## 題 目 : 軍醫療團 사우디 派遣 檢討

걸프灣 事態와 關聯, 多國籍軍 活動 支援의 一環으로 檢討하여온 我國의 軍醫療團 派遣件에 대한 進展 및 檢討事項을 아래와 같이 報告드립니다.

## 1. 對 사우디 協議

가. 美國과의 協議를 거쳐 12.3. 我國 移動外科 病院의 사우디 派遣 可能性에 대한 사우디側 意見을 打診함.

나. 12.19. 사우디 國防部側은 我國 移動外科 病院의 派遣을 歡迎하고 아래의 條件을 提示함.

1) 91.1.15. 以前 派遣 希望
2) 사우디 醫務司令部 指揮 아래 東部 또는 알바틴 地域 配置
3) 食糧, 燃料, 醫藥品, 施設使用料, 警戒는 사우디 負擔
4) 實務協議위한 協商 代表團 사우디 訪問 希望

## 2. 措置 方案

가. 移動外科 病院 派遣

1) 國會 事前 同意 必要 (헌법 60조 2항)
- 91.1.24. 臨時國會 處理 可能
- 유엔이 정한 撤收時限 以後에나 派遣 可能하다는 問題點

2) 規 模
- 國防部와 協議하되 일단 總員 100名 정도 考慮

0079

3) 派遣時期 및 期間

- 國會 同意 卽時 派遣 可能토록 事前準備 完了
- 派遣期間은 일단 3-6個月로 함

4) 所要經費

- 往復 輸送費, 海外勤務 手當等 費目
- 91年 페灣支援 豫定額 50百萬弗中 一部를 使用토록 美側과 協議하되, 不如意하면 政府 歲出 豫算 豫備費 使用 檢討

5) 考慮事項

- 國民輿論의 支持를 얻는 問題
- 事態 平靜後 이락 및 아랍권에 대한 我國의 政治, 經濟的 利益을 保護하는 問題

나. 民間 醫療陳 派遣

1) 人員 確保 특히 外科醫 募集이 容易치 않음 (월 10,000불 정도라도 10명정도 확보도 의문)

2) 看護員 경우 1,000弗 정도면 醫師보다는 募集 容易

3) 國會 同意는 不要

다. 公衆 保健醫(무의촌 3년 근무 조건부 병역의무 면제자) 派遣

1) 每年 700-800名 정도 排出되나 一般醫가 大部分이고 專門醫는 과목당 全國에 10名 정도에 不過함

2) 또한 해외 派遣은 農漁村 保健醫療 特別 措置法上 不可 (보사부 의정국장 의견)

라. 聯合司에 軍醫療陳 配屬後 海外 派遣

一應 國會 同意를 省略할 수 있는 方案으로 생각되나, 聯合司의 管轄地域이 韓半島에 局限 되므로 問題點 있음.

마. 國會 同意 받기前 民間 醫療陳 우선 派遣

1) 移動外科 病院의 派遣 同意가 1月 下旬에나 可能하므로 于先 民間 醫療陳 若干名을 選拔 派遣, 美軍에 配屬시킴

2) 美國에 대한 誠意 表示 效果 있음

간호원 2-300개

0080

3. 關係部處 協議 및 政府 實務 代表團 派遣 建議

가. 靑瓦臺(담당비서관), 外務部(중동아국장, 미주국장), 國防部 (정책기획관실차장)間 協議 豫定 (12.24)

나. 사우디側 要請에 따라 外務部, 國防部 合同 實務 代表團을 12月 下旬 사우디 派遣(중동아국장 인솔)

4. 參 考 : 1964年 十字星部隊 派越 經緯

가. 64.5.6. 美國의 韓國軍 派越 要請 公翰

64.7.5. 越南의 支援 要請 公翰

나. 64.7.30. 國會 同意案 議決

다. 64.9.11. 移動外科 病院(십자성 부대 140명) 派遣

0081

| 관리번호 | 91/950 |
|---|---|

# 외 무 부

종 별 : 지 급

번 호 : USW-5662 일 시 : 90 1221 1806

수 신 : 대통령(사본 외무부 장관)

발 신 : 주 미 대사

제 목 : 중동 사태 관련 부쉬 대통령 면담

1. 금 12.21 당지 시간으로 1330 부터 약 30 분간 BUSH 대통령의 요청으로 백악관에서 중동 사태에 관한 우방 외교 사절들과의 회담이 있었는데, BUSH 대통령은 직접 몇가지 사항에 관해서 설명을 하고 또 참가국가들의 적극 협조를 요청하였읍니다.

2. 백악관 으로부터는 SUNUNU 비서실장, SCOWCROFT 안보 담당 보좌관, GATE차석 보좌관, 행정부에서는 BRADY 재무장관, EAGLEBURGER 국무부 부장관등이 배석 하였으며, 회의가 시작 되기 전에는 사진 기자들에게 공개 하였읍니다.

3. 초청된 우방은 한국, 일본등을 포함한 재정 지원 공여국 이외에 군대를 파견한 우방 일부와 SAUDI ARABIA, KUWAIT 도 포함되어 있었읍니다.

4. 부쉬 대통령이 오늘 참석한 외교 사절들에게 본국의 국가 원수들에게 충실히 전달할것을 부탁한 발언 요지는 다음과 같습니다.

가. 지금까지 IRAQ 침략 저지에 참여한 다수 국가들의 튼튼한 결속(TOGETHERNESS)은 IRAQ 의 SADAM HUSSEIN 에게 강도 있게 표시된것으로 평가하며, 우방들의 적극적 자세를 미국은 감사하고 있음.

나. 미국은 참가 제국과의 긴밀한 협력관계와 상호 협의 태세를 앞으로도 계속 유지해 나가기를 희망하며, 중동 사태의 성공적 해결에 관해서 우방들로부터 유익한 의견이나 조언이 있을때는 이를 환영함.

다.IRAQ 에 대해서는 미국이 UN 안보리 결의를 관철하기 위해서 결단코 군사력을 사용할 용의가 있다는 사실과 군사작전에 착수할때는 막대한 타격을 가할것이고 비교적 속전 속결 주의로 나갈것이며 결코 월남전과같이 장기화 될수는 없다는 점이 명백히 인식되도록 다같이 노력할 필요가 있음.

라. 미국 의회측에서 여러가지 이견을 말하고 있으나 자신은 의회의 간섭을받지

청와대 장관 총통국

PAGE 1

90.12.22 08:58

외신 2과 통제관 FE

0082

않고 필요한 시점에는 단연코 미국 병력을 사용할것인바, 제 3 자들이 착오 없기를 바람(병력 사용의 결의를 재삼 강조하였음)

마.IRAQ 의 KUWAIT 침략을 성공적으로 저지하는 여부는 냉전 체제 이후의 세계 신질서 수립을 위해서 매우 중요하며, 세계 평화와 법의 지배, 인간의 자유등을 확보하려는 새로운 장래의 설계를 위해서도 IRAQ 의 침략은 방임할수 없으며 인명의 손상을 두려워 한다면 큰 목적을 달성하기 어려움.

바.IRAQ 의 침략을 성공적으로 저지하기 위해서는 참가 우방 사이의 책임 분담("RESPONSIBILITY SHARING") 이 필요하며 앞으로 참가 우방들이 재정적 지원을 적극 증대할것을 미국 대통령은 강력히 요청함.

6. 관측

UN 안보리 결의에서 지정한 평화적 해결의 시한이 임박하는데도 IRAQ 측과의 외교적 대화 노력이 무진전 상태임에 비추어, BUSH 대통령이 군사 작전 불사의 결연한 용의를 직접 표시하는 한편, 참가 우방국들의 책임 분담 확대를 강하게 호소하는것이 오늘 회동의 주 목적 이었다고 판단 됩니다. 끝

91.12.31 일반

91 6 30 (서명)

PAGE 2

0083

駐美 大使는 12.21. 부쉬 大統領의 要請으로 백악관에서 中東事態에 관한 友邦 外交 使節들과의 會談에 參席 하였는바 同 要旨 및 關聯事項을 아래와 같이 報告 합니다.

## 1. 面談 槪要

가. 面談日時 및 場所 : 90.12.21. 13:30부터 약 30分間, 백악관

나. 會議 參席者

1) 美側陪席 : Sununu 秘書室長, Scowcroft 安保擔當 補佐官, Gate 次席補佐官, Brady 財務長官, Eagleburger 國務部 副長官

2) 招請 外交使節團 : 韓國, 日本, 사우디, 쿠웨이트등 財政支援 供與國, 軍隊派遣國家 大使等 12名

## 2. 부쉬 大統領 發言 要旨

가. 本國 國家元首에게 報告 要望事項

1) 이락 侵略 沮止에 參與한 多數國家의 結束은 사담 후세인에게 强度있게 表示된 것으로 評價하며 友邦國들의 積極的 姿勢에 謝意를 表明함.

2) 美國은 同參國家들과 繼續 緊密한 協調關係가 維持되기를 希望하며 中東事態 關聯, 友邦의 有益한 意見이나 助言을 歡迎함.

3) 對이락 武力使用 決然한 意志 再闡明

- 軍事行動時는 速戰速決로 이락에 致命打를 가할것이며 越南戰과 같이 長期化될수 없다는 점이 明白히 認識되도록 共同 努力 必要함.

0084

4) 議會내에 異見이 있으나 必要時 美軍의 武力行事를 不辭할 것임.

5) 脫冷戰時 되어있어 新秩序 樹立을 위해 이락의 侵略 行爲는 容納할 수 없으며 人命 損傷 두려워하면 큰 目的을 達成하기 어려울것임.

6) 이라크의 侵略을 沮止하기 위해 友邦國의 責任分擔이 必要하며 財政的 支援을 積極的으로 增大할것을 强力히 要請함.

나. 駐美大使 觀側

1) 美國, 이락間 外交的 對話 努力이 失敗할시 武力使用 不辭 意志 再闡明
2) 友邦國의 責任分擔 增大 呼訴 目的

## 3. 最近 各國의 居留民 撤收 動向

가. 英國 外務部, 12.17. 바레인, 카타르, 사우디 東部地域 居住 21,475名 撤收 勸告

나. 駐 이락 泰國 大使館, 12.18. 이락內 我國業體 所屬 自國 勤勞者 (삼성 47, 현대 25) 1.10.한 出國 協調 要請

다. 아일랜드 外務部, 12.19. 사우디, 바레인, 카타르, UAE 居住 1,500名 1.15. 한 撤收 勸告

라. 덴마크 政府, 12.20. UAE, 시리아, 오만 居住 약 1,000名 1.15. 한 撤收 勸告

마. 參考로 12.21. 現在 我國 滯留者 現況은 이락에 115名, 쿠웨이트 9名인바, 上記 各國의 撤收 勸誘에 비추어 我國도 可及的 最大限 早速 撤收토록 現地 公館에 再指示 하였음

0085

## 4. 醫療團 사우디 派遣 問題

가. 美國과의 協議를 거쳐 사우디側에 意見 打診 結果, 사우디 國防部側은 이를 歡迎하고 아래 條件 提示

1) 91.1.15. 以前 派遣 希望

2) 사우디 醫務司令部 指揮 아래 東部 또는 알바틴 地域 配置

3) 食糧, 燃料, 醫藥品, 施設使用料, 警戒는 사우디 負擔

4) 實務協議위한 協商 代表團 사우디 訪問 希望

나. 關係部處 高位 實務 協議會

1) 日 時 : 12.24. 12:00 外務部 主管

2) 參席者 : 大統領 秘書室, 國防部, 外務部, 保社部

3) 案件 : 醫療團 사우디 派遣 問題點

다. 協商 實務團 派遣

1) 사우디側 要請에 따라 外務部, 國防部 合同 實務 代表團 사우디 派遣 (外務部 中東阿局長 引率)

2) 時期는 可及的 早速 派遣
90.12月 下旬 2박3일 정도

0086

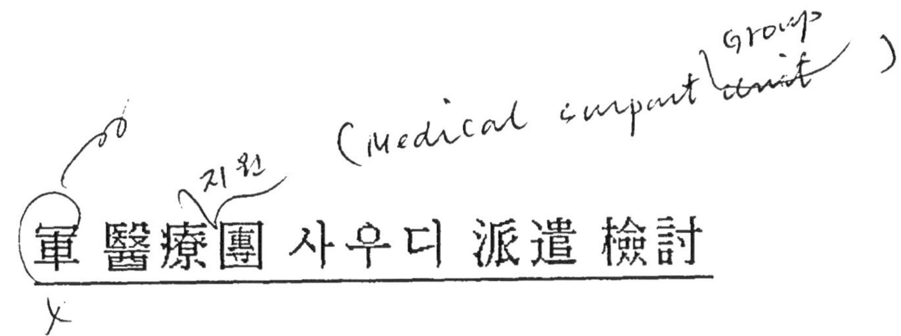

# 軍醫療團 사우디 派遣 檢討

1990. 12. 22.

外　　務　　部
中東아프리카局

0087

# 軍醫療團 사우디 派遣 檢討

## 1. 對 사우디 協議

가. 美國과의 協議를 거쳐 12.3. 我國 移動外科 病院의 사우디 派遣 可能性에 대한 사우디側 意見을 打診함.

나. 12.19. 사우디 國防部側은 我國 移動外科 病院의 派遣을 歡迎하고 아래의 條件을 提示함.

1) 91.1.15. 以前 派遣 希望

2) 사우디 醫務司令部 指揮 아래 東部 또는 알바틴 地域 配置

3) 食糧, 燃料, 醫藥品, 施設使用料, 警戒는 사우디 負擔

4) 實務協議위한 協商 代表團 사우디 訪問 希望

## 2. 措置 方案

가. 移動外科 病院 派遣

1) 國會 事前 同意 必要 (헌법 60조 2항) ~

- 91.1.24. 臨時國會 處理 可能
- 유엔이 정한 撤收時限 以後에나 派遣 可能하다는 問題點

2) 規 模

- 國防部와 協議하되 일단 總員 100名 정도 考慮

3) 派遣時期 및 期間

- 國會 同意 卽時 派遣 可能토록 事前準備 完了
- 派遣期間은 일단 3-6個月로 함

1) 4) 所要經費

- 往復 輸送費, 海外勤務 手當等 費目
- 91年 페灣支援 豫定額 50百萬弗中 一部를 使用토록 美側과 協議하되, 不如意하면 政府 歲出 豫算 豫備費 使用 檢討

2) 5) 考慮事項

- 國民與論의 支持를 얻는 問題
- 事態 平靜後 이락 및 아랍권에 대한 我國의 政治, 經濟的 利益을 保護하는 問題

0088

나. 民間 醫療陣 派遣

1) 人員 確保 특히 外科醫 募集이 容易치 않음
(월 10,000불 정도라도 10명정도 확보도 의문)

2) 看護員 경우 1,000弗 정도면 醫師보다는 募集 容易

3) 國會 同意는 不要

다. 公衆 保健醫(무의촌 3년 근무 조건부 병역의무 면제자) 派遣

1) 每年 700-800名 정도 排出되나 一般醫가 大部分이고 專門醫는 과목당 全國에 10名 정도에 不過함

2) 또한 해외 派遣은 農漁村 保健醫療 特別 措置法上 不可
(보사부 의정국장 의견)

라. 聯合司에 軍醫療陣 配屬後 海外 派遣
一應 國會 同意를 省略할 수 있는 方案으로 생각되나, 聯合司의 管轄地域이 韓半島에 局限 되므로 問題點 있음.

마. 國會 同意 받기前 民間 醫療陣 우선 派遣

1) 移動外科 病院의 派遣 同意가 1月 下旬에나 可能하므로 于先 民間 醫療陣 若干名을 選拔 派遣, 美軍에 配屬시킴

2) 美國에 대한 誠意 表示 效果 있음

## 3. 關係部處 協議 및 政府 實務 代表團 派遣 建議

가. 靑瓦臺(담당비서관), 外務部(중동아국장, 미주국장), 國防部 (정책기획관실차장)間 協議 豫定 (12.24)

나. 사우디側 要請에 따라 外務部, 國防部 合同 實務 代表團을 12月 下旬 사우디 派遣(중동아국장 인솔)

## 4. 參 考 : 1964年 十字星部隊 派越 經緯

가. 64.5.6. 美國의 韓國軍 派越 要請 公翰
64.7.5. 越南의 支援 要請 公翰

나. 64.7.30. 國會 同意案 議決

다. 64.9.11. 移動外科 病院(십자성 부대 140명) 派遣

0089

## 大韓民國 憲法 제 60조

① 國會는 相互援助 또는 安全保障에 관한 條約, 중요한 國際組織에 관한 條約, 友好通商航海條約, 主權의 制約에 관한 條約, 講和條約, 國家나 國民에게 重大한 財政的 負擔을 지우는 條約 또는 立法事項에 관한 條約의 締結·批准에 대한 同意權을 가진다.

② 國會는 宣戰布告, 國軍의 外國에의 派遣 또는 外國軍隊의 大韓民國 領域안에서의 駐留에 대한 同意權을 가진다.

0090

# 農漁村 保健醫療를 위한 特別措置法上 公衆保健醫師의 服務限界

1. 上記法은 農漁村등 保健醫療 脆弱地域의 住民에게 保健醫療를 効率的으로 提供하게 함으로써 國民의 醫療均霑과 保健向上에 寄與함을 目的으로 한다 (同法 제 1조)

2. "公衆保健醫師"란 特例補充役에 編入된 醫師또는 齒科醫師로서 保健社會部長官으로부터 公衆保健業務에 從事할것을 命令받은 者를 말한다 (同法 제 2조 1항)

3. "公衆保健業務"란 接敵地域, 島嶼, 僻地 기타 大統領令으로 정하는 醫療脆弱地域 및 大統領令으로 정하는 醫療施設에서 행하는 保健醫療業務를 말한다(同法 제 2조 2항)

4. 大統領令으로 정하는 醫療脆弱地域이란 醫療施設과의 거리가 通常의 交通手段에 의하여 30분이상 所要되는 地域을 말하며(施行令 제 2조 1항), 大統領令으로 정하는 醫療施設이란 病院船, 齒科診療施設이 있는 郡地域내의 公共保健 醫療機關(齒科醫師에 한함), 郡地域 醫療施設로서 保健社會部長官이 정하는 醫療施設을 말한다(施行令 제 2조 2항)

5. 따라서 公衆保健醫師가 軍醫務團 資格으로 海外에 派遣되는 것은 同法의 目的에 비추어볼때 現行法上 不可能함.

0091

# 軍 醫療團 사우디 派遣 檢討

지원

Medical Support Group

MASH 96名 — 150(200名)

경비 ① 수당

~~② 인원~~

1990. 12. 22.

③ 수송

④ 장비(추가)

국민홍보대책

② 현지조사단

外 務 部
中東아프리카局

305-1819

0092

# 軍醫療團 사우디 派遣 檢討

## 1. 對 사우디 協議

가. 美國과의 協議를 거쳐 12.3. 我國 移動外科 病院의 사우디 派遣 可能性에 대한 사우디側 意見을 打診함.

나. 12.19. 사우디 國防部側은 我國 移動外科 病院의 派遣을 歡迎하고 아래의 條件을 提示함.

1) 91.1.15. 以前 派遣 希望

2) 사우디 醫務司令部 指揮 아래 東部 또는 알바틴 地域 配置

3) 食糧, 燃料, 醫藥品, 施設使用料, 警戒는 사우디 負擔 (의료기구)

4) 實務協議위한 協商 代表團 사우디 訪問 希望

## 2. 措置 方案

가. 移動外科 病院 派遣

1) 國會 事前 同意 必要 (헌법 60조 2항)

- 91.1.24. 臨時國會 處理 可能
- 유엔이 정한 撤收時限 以後에나 派遣 可能하다는 問題點

2) 規 模

- 國防部와 協議하되 일단 總員 100名 정도 考慮

3) 派遣時期 및 期間

- 國會 同意 卽時 派遣 可能토록 事前準備 完了
- 派遣期間은 일단 3-6個月로 함

4) 所要經費

- 往復 輸送費, 海外勤務 手當等 費目
- 91年 페灣支援 豫定額 50百萬弗中 一部를 使用토록 美側과 協議하되, 不如意하면 政府 歲出 豫算 豫備費 使用 檢討

5) 考慮事項

- 國民輿論의 支持를 얻는 問題
- 事態 平靜後 이락 및 아랍권에 대한 我國의 政治, 經濟的 利益을 保護하는 問題

0093

나. 民間 醫療陳 派遣

1) 人員 確保 특히 外科醫 募集이 容易치 않음

(월 10,000불 정도라도 10명정도 확보도 의문)

2) 看護員 경우 1,000弗 정도면 醫師보다는 募集 容易

3) 國會 同意는 不要

다. 公衆 保健醫(무의촌 3년 근무 조건부 병역의무 면제자) 派遣

1) 每年 700-800名 정도 排出되나 一般醫가 大部分이고 專門醫는 과목당 全國에 10名 정도에 不過함

2) 또한 해외 派遣은 農漁村 保健醫療 特別 措置法上 不可

(보사부 의정국장 의견)

라. 聯合司에 軍醫療陣 配屬後 海外 派遣

一應 國會 同意를 省略할 수 있는 方案으로 생각되나, 聯合司의 管轄地域이 韓半島에 局限 되므로 問題點 있음.

마. 國會 同意 받기前 民間 醫療陳 우선 派遣

1) 移動外科 病院의 派遣 同意가 1月 下旬에나 可能하므로 于先 民間 醫療陣 若干名을 選拔 派遣, 美軍에 配屬시킴

2) 美國에 대한 誠意 表示 效果 있음

바. 사전 조사단

## 3. 關係部處 協議 및 政府 實務 代表團 派遣 建議

가. 青瓦臺(담당비서관), 外務部(중동아국장, 미주국장), 國防部 (정책기획관실차장)間 協議 豫定 (12.24)

나. 사우디側 要請에 따라 外務部, 國防部 合同 實務 代表團을 12月 下旬 사우디 派遣(중동아국장 인솔)

## 4. 參 考 : 1964年 十字星部隊 派越 經緯

가. 64.5.6. 美國의 韓國軍 派越 要請 公翰

64.7.5. 越南의 支援 要請 公翰

나. 64.7.30. 國會 同意案 議決

다. 64.9.11. 移動外科 病院(십자성 부대 140명) 派遣

0094

# 大韓民國 憲法 제 60조

① 國會는 相互援助 또는 安全保障에 관한 條約, 중요한 國際組織에 관한 條約, 友好通商航海條約, 主權의 制約에 관한 條約, 講和條約, 國家나 國民에게 重大한 財政的 負擔을 지우는 條約 또는 立法事項에 관한 條約의 締結·批准에 대한 同意權을 가진다.

② 國會는 宣戰布告, 國軍의 外國에의 派遣 또는 外國軍隊의 大韓民國 領域안에서의 駐留에 대한 同意權을 가진다.

0095

## 農漁村 保健醫療를 위한 特別措置法上 公衆保健醫師의 服務限界

1. 上記法은 農漁村등 保健醫療 脆弱地域의 住民에게 保健醫療를 効率的으로 提供하게 함으로써 國民의 醫療均霑과 保健向上에 寄與함을 目的으로 한다 (同法 제 1조)

2. "公衆保健醫師"란 特例補充役에 編入된 醫師또는 齒科醫師로서 保健社會部長官으로부터 公衆保健業務에 從事할것을 命令받은 者를 말한다 (同法 제 2조 1항)

3. "公衆保健業務"란 接敵地域, 島嶼, 僻地 기타 大統領令으로 정하는 醫療脆弱地域 및 大統領令으로 정하는 醫療施設에서 행하는 保健醫療業務를 말한다(同法 제 2조 2항)

4. 大統領令으로 정하는 醫療脆弱地域이란 醫療施設과의 거리가 通常의 交通手段에 의하여 30분이상 所要되는 地域을 말하며(施行令 제 2조 1항), 大統領令으로 정하는 醫療施設이란 病院船, 齒科診療施設이 있는 郡地域내의 公共保健 醫療機關(齒科醫師에 한함), 郡地域 醫療施設로서 保健社會部長官이 정하는 醫療施設을 말한다(施行令 제 2조 2항)

5. 따라서 公衆保健醫師가 軍醫務團 資格으로 海外에 派遣되는 것은 同法의 目的에 비추어볼때 現行法上 不可能함.

공공의료보건기관 — 보건소, 보건지소, 국립병원, 지방공사의료원

0096

| 관리 번호 | |
|---|---|

| | 분류번호 | 보존기간 |
|---|---|---|
| | | |

# 발 신 전 보

번 호 : WSB-0592 901222 1247 FK 종별 : 긴급

수 신 : 주 사우디 대사.

발 신 : 장 관 (중근동)

제 목 : 의료단 파견 현황 파악

걸프사태와 관련 귀 주재국등 걸프지역에 파견된 의료단 현황(국가, 규모, 경비, 지휘체계, 시설제공등), 의료단 파견시 정부와 협정체결 여부 및 내용을 파악 보고 바람. 끝.

(중동아국장 이 해 순)

예 고 : 91.6.30. 일반

| 보안 통제 | |
|---|---|

| 앙고재 | 90년 12월 22일 | 중근동과 | 기안자 성명 | | 과 장 | 심의관 | 국 장 | | 차 관 | 장 관 |
|---|---|---|---|---|---|---|---|---|---|---|
| | | | | | | | 전결 | | | |

| 외신과통제 |
|---|
| |

0097

| 報 告 畢 |
| --- |
| |

# 長 官 報 告 事 項

1990.12.24.
中 近 東 課

## 題 目 : 醫療 支援團 派遣 關聯 關係部處 實務 會議

걸프事態 關聯, 多國籍軍 支援 活動의 一環으로 檢討 되어온 醫療 支援團 사우디 派遣 問題 協議를 위한 關係部處 會議 結果를 아래와 같이 報告 합니다.

1. 日 時 : 1990.12.24.(月) 12:00-14:30
2. 參席者 :
   가. 靑瓦臺, 外務部, 國防部, 保社部 關係局長 및 課長 13名 參席 (명단 별첨)
   나. 主 宰 : 外務部 中東阿局長
3. 會議 結果
   가. 醫療 支援團 派遣
      1) 必要性
         o 美國과의 通商 摩擦 및 我國의 페灣事態 分擔金 支援 實積이 未洽하다는 美側의 關心 表明을 감안하고 國際的인 平和 努力에 積極 參與한다는 뜻에서 可能한限 早速 醫療 支援團 派遣이 要望됨.
         o 특히 그동안 微溫的 態度를 취해온 사우디側이 1.15. 以前 派遣을 希望하는등 我側 提議에 積極的 反應을 보이고 있는 점을 감안함.
      2) 早期 派遣 方案
         o 民間 醫療陣(공중보건의 포함) 派遣 問題는 選拔上 隘路, 現行法上 問題 등으로 現實的으로 不可能하다는 結論이었음.

0098

○ 美國에 대한 誠意 表示로 國會 同意前 우선 小規模의 民間 醫療陣 派遣 可能性을 檢討하였으나 역시 上記와 같은 이유로 어렵다는 結論이었음.

○ 따라서 91.1.15. 以前 軍醫務要員으로 構成된 先發隊를 派遣하는 方案이 採擇됨.(이경우 실무 조사단 이라는 명칭을 사용하여 해외 출장 형식을 취함으로서 국회 동의 이전 파견이 가능함)

3) 規 模 :

○ 通常 移動外科 病院의 規模인 100名 内外를 考慮하되 사우디側과의 協議 結果에 따라 行政, 警備 兵力을 包含 250名까지 될 수도 있음.

4) 時 期 :

○ 選拔 節次, 國會同意 獲得, 豫算問題 등으로 本隊 派遣은 91.1.30. 以後에나 可能할 것이라는 結論임.

5) 國會同意

○ 軍 醫療 支援團 派遣은 憲法上 國會 同意를 얻어야 하며 이問題는 國防部와 外務部가 계속 協議하기로 함.

○ 91.1.24. 開會되는 臨時國會 同意 要請

6) 所要經費(수송비, 해외근무수당등)

○ 페灣 支援金에서 使用하는 方案은 當初 美側과의 約束에 비추어 適切치 않다는 結論이었음. (아국 페만지원 발표시 의료단 파견을 추후 별도로 검토할 것임을 밝힌바 있음)

○ 政府 歲出 豫算 豫備費 使用이 不可避하다는 意見임.

7) 軍 醫療陣의 名稱 問題

○ 移動外科 病院(MASH)은 性格上 最前方 配置가 不可避할 것이므로 人命被害 可能性과 經費 過多 所要等에 비추어 "醫療支援團 (Medical Support Group)"으로 呼稱키로 合議

나. 弘報 對策

1) 醫療 支援團 派遣을 可及的 빨리 公開하여 對内的으로는 支持 輿論을 造成하고 對外的으로도 美國等 友邦國에 我國의 積極的인 態度를 알리는 效果를 거두도록 함.

0099

2) 國會 同意에 대비 與野 指導者에 事前 非公式 通報가 必要함.

3) 弘報 對策은 靑瓦臺 政策調整室에서 總括 調整함.

다. 協商 代表團 派遣 建議

1) 時 期 : 12月末경부터 約 10日間 사우디 派遣

2) 構 成 : 靑瓦臺, 經濟企劃院, 外務部, 國防部, 安企部 實務者로
構成 (단장 : 외무부 중동아국장)

3) 目 的 : 사우디側과 指揮系統, 地位問題, 活動, 配置地域, 裝備,
施設 사용경비 問題等 協議. 끝.

첨 부

# 회의 참석자 명단

(13명)

1. 청와대 외교안보 보좌관실
   정태익 비서관
   이민재 대령
2. 국방부 기획정책관실 차장
   박용옥 장군
   윤규식 대령
3. 보사부 병원행정과장 정상윤
   지역의료과장 오태규
4. 외무부 중동아국장
   중동아심의관
   중근동과장
   담당서기관
5. 외무부 미주국장
   북미과장
   안보과장

0101

90/1691

| 분류기호 문서번호 | 중근동 720-1753 (전화: ) | 기 안 용 지 | 시 행 상 특별취급 | |
|---|---|---|---|---|
| 보존기간 | 영구·준영구. 10. 5. 3. 1. | 장 | 관 | |
| 수 신 처 보존기간 | | | | |
| 시행일자 | 1990. 12. 24. | | | |

| 보조기관 | | 협조기관 | 문서통제 |
|---|---|---|---|
| 국 장 | | | 1990. 12. 24 |
| 심의관 | | | |
| 과 장 | | | 발송인 |
| 기안책임자 | 김 동 억 | | 1990. 12. 24 |

| 경유 수신 참조 | 수신처 참조 | 발신명의 | |
|---|---|---|---|
| 제 목 | 군의료단 사우디 파견 검토 | | |

걸프만 사태와 관련, 다국적군 활동지원의 일환으로 검토하여온 아국의 군의료단 파견건에 대한 진전 및 검토사항을 별첨과 같이 송부합니다.

첨 부 : 표제 검토 의견서 1부. 끝.

예 고 : 1991. 6. 30. 일반

수신처 : 대통령비서실장, ~~안기부장~~ , 국방부장관, 보사부 장관.

0102

1505-25(2-1) 일(1)갑 190㎜×268㎜ 인쇄용지 2급 60g/㎡
85. 9. 9. 승인 "내가아낀 종이 한장 늘어나는 나라살림" 가 40-41 1990. 5. 28

# 대 한 민 국
# 외 무 부

중근동 720-1753　　720-2327　　1990 . 12 . 24 .

수 신 : 수신처 참조

제 목 : 군의료단 사우디 파견 검토

걸프만 사태와 관련, 다국적군 활동지원의 일환으로 검토하여온 아국의 군의료단 파견건에 대한 진전 및 검토사항을 별첨과 같이 송부 합니다.

첨 부 : 표제 검토 의견서 1부. 끝.

예 고 : 1991. 6. 30. 일반

외 무 부 장 관

중동아프리카국장

수신처 : 대통령 비서실장, 국방부 장관, 보사부 장관.

0103

# 軍 醫療團 사우디 派遣 檢討

1990. 12. 22.

外 務 部
中東아프리카局

0104

# 軍醫療團 사우디 派遣 檢討

## 1. 對 사우디 協議

가. 美國과의 協議를 거쳐 12.3. 我國 移動外科 病院의 사우디 派遣 可能性에 대한 사우디側 意見을 打診함.

나. 12.19. 사우디 國防部側은 我國 移動外科 病院의 派遣을 歡迎하고 아래의 條件을 提示함.

1) 91.1.15. 以前 派遣 希望

2) 사우디 醫務司令部 指揮 아래 東部 또는 알바틴 地域 配置

3) 食糧, 燃料, 醫藥品, 施設使用料, 警戒는 사우디 負擔

4) 實務協議위한 協商 代表團 사우디 訪問 希望

## 2. 措置 方案

가. 移動外科 病院 派遣

1) 國會 事前 同意 必要 (헌법 60조 2항)

- 91.1.24. 臨時國會 處理 可能
- 유엔이 정한 撤收時限 以後에나 派遣 可能하다는 問題點

2) 規 模

- 國防部와 協議하되 일단 總員 100名 정도 考慮

3) 派遣時期 및 期間

- 國會 同意 即時 派遣 可能토록 事前準備 完了
- 派遣期間은 일단 3-6個月로 함

4) 所要經費

- 往復 輸送費, 海外勤務 手當等 費目
- 91年 페灣支援 豫定額 50百萬弗中 一部를 使用토록 美側과 協議하되, 不如意하면 政府 歲出 豫算 豫備費 使用 檢討

5) 考慮事項

- 國民與論의 支持를 얻는 問題
- 事態 平靜後 이락 및 아랍권에 대한 我國의 政治, 經濟的 利益을 保護하는 問題

0105

나. 民間 醫療陳 派遣

1) 人員 確保 특히 外科醫 募集이 容易치 않음
(월 10,000불 정도라도 10명정도 확보도 의문)

2) 看護員 경우 1,000弗 정도면 醫師보다는 募集 容易

3) 國會 同意는 不要

다. 公衆 保健醫(무의촌 3년 근무 조건부 병역의무 면제자) 派遣

1) 每年 700-800名 정도 排出되나 一般醫가 大部分이고 專門醫는 과목당 全國에 10名 정도에 不過함

2) 또한 해외 派遣은 農漁村 保健醫療 特別 措置法上 不可
(보사부 의정국장 의견)

라. 聯合司에 軍醫療陣 配屬後 海外 派遣
一應 國會 同意를 省略할 수 있는 方案으로 생각되나, 聯合司의 管轄地域이 韓半島에 局限 되므로 問題點 있음.

마. 國會 同意 받기前 民間 醫療陳 우선 派遣

1) 移動外科 病院의 派遣 同意가 1月 下旬에나 可能하므로 于先 民間 醫療陣 若干名을 選拔 派遣, 美軍에 配屬시킴

2) 美國에 대한 誠意 表示 效果 있음

## 3. 關係部處 協議 및 政府 實務 代表團 派遣 建議

가. 靑瓦臺(담당비서관), 外務部(중동아국장, 미주국장), 國防部 (정책기획관실차장)間 協議 豫定 (12.24)

나. 사우디側 要請에 따라 外務部, 國防部 合同 實務 代表團을 12月 下旬 사우디 派遣(중동아국장 인솔)

## 4. 參 考 : 1964年 十字星部隊 派越 經緯

가. 64.5.6. 美國의 韓國軍 派越 要請 公翰
64.7.5. 越南의 支援 要請 公翰

나. 64.7.30. 國會 同意案 議決

다. 64.9.11. 移動外科 病院(십자성 부대 140명) 派遣

0106

# 大韓民國 憲法 제 60조

① 國會는 相互援助 또는 安全保障에 관한 條約, 중요한 國際組織에 관한 條約, 友好通商航海條約, 主權의 制約에 관한 條約, 講和條約, 國家나 國民에게 重大한 財政的 負擔을 지우는 條約 또는 立法事項에 관한 條約의 締結·批准에 대한 同意權을 가진다.

② 國會는 宣戰布告, 國軍의 外國에의 派遣 또는 外國軍隊의 大韓民國 領域안에서의 駐留에 대한 同意權을 가진다.

0107

# 農漁村 保健醫療를 위한 特別措置法上 公衆保健醫師의 服務限界

1. 上記法은 農漁村등 保健醫療 脆弱地域의 住民에게 保健醫療를 効率的으로 提供하게 함으로써 國民의 醫療均霑과 保健向上에 寄與함을 目的으로 한다 (同法 제 1조)

2. "公衆保健醫師"란 特例補充役에 編入된 醫師또는 齒科醫師로서 保健社會部長官으로부터 公衆保健業務에 從事할것을 命令받은 者를 말한다 (同法 제 2조 1항)

3. "公衆保健業務"란 接敵地域, 島嶼, 僻地 기타 大統領令으로 정하는 醫療脆弱地域 및 大統領令으로 정하는 醫療施設에서 행하는 保健醫療業務를 말한다(同法 제 2조 2항)

4. 大統領令으로 정하는 醫療脆弱地域이란 醫療施設과의 거리가 通常의 交通手段에 의하여 30분이상 所要되는 地域을 말하며(施行令 제 2조 1항), 大統領令으로 정하는 醫療施設이란 病院船, 齒科診療施設이 있는 郡地域내의 公共保健 醫療機關(齒科醫師에 한함), 郡地域 醫療施設로서 保健社會部長官이 정하는 醫療施設을 말한다(施行令 제 2조 2항)

5. 따라서 公衆保健醫師가 軍醫務團 資格으로 海外에 派遣되는 것은 同法의 目的에 비추어볼때 現行法上 不可能함.

0108

| 관리<br>번호 | |
|---|---|

원 본

# 외 무 부

종 별 :

번 호 : SBW-1202 일 시 : 90 1223 1100

수 신 : 장 관(중동아프리카국장)

발 신 : 주 사우디 대사(박명준 공사)

제 목 : 업연

1. 당지호텔예약등 사전준비에 참고코져 하오니, 걸프사태와 관련하여 추진중인 GCC 및 주변국가 공관장 회의 개최 예정일자등 관련사항을 알려주시기 바람

2. 건승기원함. 끝

예고:91.6.30. 까지

중아국

PAGE 1

90.12.23 19:57

외신 2과 통제관 CF

0109

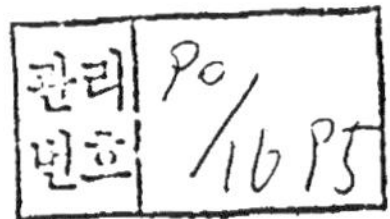

| 분류번호 | 보존기간 |
|---|---|
| | |

# 발 신 전 보

번 호 : WSB-0594 901224 2048 DQ 종별 :

수 신 : 주 사우디 대사. 총영사 (박명준 공사)

발 신 : 장 관 (중동아 국장)

제 목 : 업 연

1. 사우디에 의료지원단 파견 문제가 급박해져서 연말경 협상대표단 일행 약 10명을 이끌고 귀지 방문 해야될 것 같습니다. 주말까지는 상세 통보 있을 것입니다.

2. 따라서 귀지역 공관장회의는 1.5-8. 경 그것도 1항건과 함께 곧 공식 (사이 어느 정도 생각하고 있는바) 통보토록 하겠읍니다. 축건승. 끝.

독후파기

| 보 안 통 제 | |
|---|---|

| 앙 고 재 | 90년 12월 24일 | 중근동과 | 기안자 성명 | | 과 장 | | 국 장 | | 차 관 | 장 관 |
|---|---|---|---|---|---|---|---|---|---|---|
| | | | 서명 | | | | 서명 | | | |

| 외신과통제 |
|---|
| |

0110

報告畢

1990.12.24.
中近東課

# 長官報告事項

## 題目 : 醫療 支援團 派遣 關聯 關係部處 實務 會議

걸프事態 關聯, 多國籍軍 支援 活動의 一環으로 檢討 되어온 醫療 支援團 사우디 派遣 問題 協議를 위한 關係部處 會議 結果를 아래와 같이 報告합니다.

1. 日　時 : 1990.12.24.(月) 12:00-14:30
2. 參席者 :
   가. 青瓦臺, 外務部, 國防部, 保社部 關係局長 및 課長 13名 參席 (名單 別添)
   나. 主　宰 : 外務部 中東阿局長
3. 會議 結果
   가. 醫療 支援團 派遣
      1) 必要性
         - 美國과의 通商 摩擦 및 我國의 페灣事態 分擔金 支援 實積이 未洽하다는 美側의 關心 表明을 감안하고 國際的인 平和 努力에 積極 參與한다는 뜻에서 可能한限 早速 醫療 支援團 派遣이 要望됨.
         - 특히 그동안 微溫的 態度를 취해온 사우디側이 1.15. 以前 派遣을 希望하는등 我側 提議에 積極的 反應을 보이고 있는 점을 감안함.
      2) 早期 派遣 方案
         - 民間 醫療陣(公衆保健醫 包含) 派遣 問題는 選拔上 隘路, 現行法上 問題 등으로 現實的으로 不可能하다는 結論이었음.

0111

o 美國에 대한 誠意 表示로 國會 同意前 우선 小規模의 民間 醫療陣 派遣 可能性을 檢討하였으나 역시 上記와 같은 이유로 어렵다는 結論이었음.

o 따라서 91.1.15. 以前 軍醫務要員으로 構成된 先發隊를 派遣하는 方案이 採擇됨.(이경우 實務 調査團 이라는 名稱을 사용하여 海外 出張 形式을 취함으로서 國會 同意 以前 派遣이 可能함)

3) 規 模 :

o 通常 移動外科 病院의 規模인 100名 内外를 考慮하되 사우디側 과의 協議 結果에 따라 行政, 警備 兵力을 包含 250名까지 될 수도 있음.

4) 時 期 :

o 選拔 節次, 國會同意 獲得, 豫算問題 등으로 本隊 派遣은 91.1.30. 以後에나 可能할 것이라는 結論임.

5) 國會同意

o 軍 醫療 支援團 派遣은 憲法上 國會 同意를 얻어야 하며 이問題는 國防部와 外務部가 계속 協議하기로 함.

o 91.1.24. 開會되는 臨時國會 同意 要請

6) 所要經費(輸送費, 海外勤務手當等)

o 페灣 支援金에서 使用하는 方案은 當初 美側과의 約束에 비추어 適切치 않다는 結論이었음.(我國 페灣支援 發表時 醫療團 派遣을 追後 別途로 檢討할 것임을 밝힌바 있음)

o 政府 歲出 豫算 豫備費 使用이 不可避하다는 意見임.

7) 軍 醫療陣의 名稱 問題

o 移動外科 病院(MASH)은 性格上 最前方 配置가 不可避할 것이므로 人命被害 可能性과 經費 過多 所要等에 비추어 "醫療支援團 (Medical Support Group)"으로 呼稱키로 合議

나. 弘報 對策

1) 醫療 支援團 派遣을 可及的 빨리 公開하여 對内的으로는 支持 輿論을 造成하고 對外的으로도 美國等 友邦國에 我國의 積極的인 態度를 알리는 效果를 거두도록 함.

0112

2) 國會 同意에 대비 與野 指導者에 事前 非公式 通報가 必要함.

3) 弘報 對策은 靑瓦臺 政策調整室에서 總括 調整함.

다. 協商 代表團 派遣 建議

1) 時 期 : 12月末경부터 約 10日間 사우디 派遣

2) 構 成 : 靑瓦臺, 經濟企劃院, 外務部, 國防部, 安企部 實務者로 構成 (團長 : 外務部 中東阿局長)

3) 目 的 : 사우디側과 指揮系統, 地位問題, 活動, 配置地域, 裝備, 施設 사용경비 問題等 協議. 끝.

0113

첨 부

# 회의 참석자 명단

(13명)

1. 청와대 외교안보 보좌관실
   정태익 비서관
   이민재 대령
2. 국방부 기획정책관실 차장
   박용옥 장군
   윤규식 대령
3. 보사부 병원행정과장 정상윤
   지역의료과장 오태규
4. 외무부 중동아국장
   중동아심의관
   중근동과장
   담당서기관
5. 외무부 미주국장
   북미과장
   안보과장

0114

원 본

관리번호 90/1701

# 외 무 부

종 별 :

번 호 : SBW-1207 일 시 : 90 1224 1000

수 신 : 장 관(중근동,미북,국방부,기정)

발 신 : 주 사우디 대사

제 목 : 의료단 파견 현황

대:WSB-592

연:SBW-1195

대호관련, 주재국에 파견된 군.민의료단 현황을 아래와 같이 파악 보고함

1. 미국, 영국, 불 및 이태리등의 의무부대는 동의무부대가 소속된 부대와 함께 파견됨

2. 파키스탄 및 방글라는 파견부대 소속이 아닌 별도의 군의료단을 구성.파견함

가. 파키스탄:1 개중대(100 여명)

나. 방글라데시:2 개중대(300 여명)

다. 양국모두 사우디정부가 양국가에 특사를 파견 정식요청하여 군의료단을파견하였으며, 동파견전에 2-3 명으로 구성된 실무팀이 주재국을 방문, 관련기관과 협의하였음

라. 방글라데시는 동파견에 따른 양해각서(적용법, 경비부담 주체, 사고시 처리절차, 무기 및 탄약지급 방법등)를 작성 사우디정부에 수교한바 있으나 파키스탄은 아무런 협정을 체결한바 없음

)3. 필리핀은 204 명으로 구성된 민간의료진을 파견하였으며, 동파견에 따른 협정체결은 없었음

4. 일본의 경우 민간의료진 파견 검토를 위해 주재국 정부와 교섭한바 있으나 현재는 교섭이 중단상태에 있음, 태국은 현재 의료진파견 여부를 검토중에 있음

5. 기타관련 사항은 연호 참조바람

(대사 주병국-국장)

예고:91.6.30 . 에 예고 의거 일반문서로 재분류

중아국 차관 1차보 2차보 미주국 안기부 국방부

PAGE 1

90.12.24 17:54

외신 2과 통제관 BA

0115

| 報告畢 |
| --- |
| |

# 長官報告事項

1990.12.26.
中 近 東 課

## 題 目 : 各國의 醫療團 사우디 派遣 現況

> 걸프事態 關聯, 各國의 醫療團 사우디 派遣 現況을 다음과 같이 報告 합니다.

1. 미국, 영국, 불란서, 이태리
   자국의 사우디 파견부대 소속으로 군의료단 파견함
2. 파키스탄, 방글라데시
   가. 형 태 : 자국의 사우디 파견부대와 별개의 군의료단을 구성 파견함
   나. 규 모
      1) 파키스탄 : 1개 중대 (100여명)
      2) 방글라데시 : 2개 중대 (300여명)
   다. 사우디는 양국가에 특사를 파견 의료단 지원 정식 요청
3. 군의료단 파견 관련 사우디와 협정체결 여부
   가. 파키스탄 : 협정 체결 없음
   나. 방글라데시 : 적용법, 경비부담 주체, 사고시 처리 절차, 무기 및 탄약지급 방법등에 관한 양해각서를 사우디 정부에 수교함
4. 민간의료단 파견 국가
   가. 필리핀 : 204명으로 구성된 민간의료단 파견 (협정체결 없음)
   나. 헝가리 : 12.18. 헝가리 의회 30-40명 정도 자원 민간의료단 사우디 파견에 동의함 (영국군 소속으로 파견)

~~※ 참고사항~~

다. 일본은 민간 의료진 파견 문제를 사우디측과 교섭한바 있으나 현재는 교섭 중단 상태임

라. 태국은 현재 의료진 사우디 파견을 검토중임 . 끝.

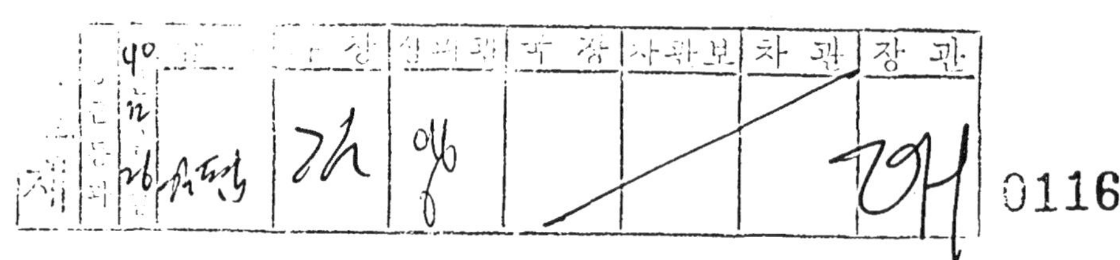

0116

關係部處 對策會議 資料

1990. 12. 28. 14:30

第1綜合廳舍 817號室

外 務 部
中東아프리카局

0117

## I. 醫療 支援團 派遣 關聯 關係部處 實務 會議 結果

1. 日　　時 : 1990.12.24.(月)　12:00-14:30

2. 參 席 者 :

青瓦臺, 外務部, 國防部, 保社部 關係局長 및 課長 13名 參席
(外務部 中東阿局長 主宰)

3. 會議 結果

가. 醫療 支援團 派遣

1) 必要性

o 美國과의 通商 摩擦 및 我國의 페灣事態 分擔金 支援 實積이 未洽하다는 美側의 關心 表明을 감안하고 國際的인 平和 努力에 積極 參與한다는 뜻에서 可能한限 早速 醫療 支援團 派遣이 要望됨.

o 특히 그동안 微溫的 態度를 취해온 사우디側이 1.15. 以前 派遣을 希望하는등 我側 提議에 積極的 反應을 보이고 있는 점을 감안함.

2) 早期 派遣 方案

o 民間 醫療陣(公衆保健醫 包含) 派遣 問題는 選拔上 隘路, 現行法上 問題 등으로 現實的으로 不可能하다는 結論이었음.

o 美國에 대한 誠意 表示로 國會 同意前 우선 小規模의 民間 醫療陣 派遣 可能性을 檢討하였으나 역시 上記와 같은 이유로 어렵다는 結論이었음.

3) 規　模 :

o 通常 移動外科 病院의 規模인 100名 內外를 考慮하되 사우디側과의 協議 結果에 따라 行政, 警備 兵力을 包含 250名까지 될 수도 있음.

0118

4) 時 期 :

ㅇ 選拔 節次, 國會同意 獲得, 豫算問題 등으로 本隊 派遣은 91.1.30. 以後에나 可能할 것이라는 結論임.

5) 國會同意

ㅇ 軍 醫療 支援團 派遣은 憲法上 國會 同意를 얻어야 하며 이問題는 國防部와 外務部가 계속 協議하기로 함.

ㅇ 91.1.24. 開會되는 臨時國會 同意 要請

6) 所要經費(輸送費, 海外勤務手當等)

ㅇ 페灣 支援金에서 使用하는 方案은 當初 美側과의 約束에 비추어 適切치 않다는 結論이었음. (我國 페灣支援 發表時 醫療團 派遣을 追後 別途로 檢討할 것임을 밝힌바 있음)

ㅇ 政府 歲出 豫算 豫備費 使用이 不可避하다는 意見임.

7) 軍 醫療陣의 名稱 問題

ㅇ 移動外科 病院(MASH)은 性格上 最前方 配置가 不可避할 것이므로 人命被害 可能性과 經費 過多 所要等에 비추어 "醫療支援團 (Medical Support Group)"으로 呼稱키로 合議

나. 弘報 對策

1) 醫療 支援團 派遣을 可及的 빨리 公開하여 對內的으로는 支持 輿論을 造成하고 對外的으로도 美國等 友邦國에 我國의 積極的인 態度를 알리는 效果를 거두도록 함.

2) 國會 同意에 대비 與野 指導者에 事前 非公式 通報가 必要함.

3) 弘報 對策은 靑瓦臺 政策調整室에서 總括 調整함.

다. 協商 代表團 派遣 建議

1) 時 期 : 12月末경부터 約 10日間 사우디 派遣

2) 構 成 : 靑瓦臺, 經濟企劃院, 外務部, 國防部, 安企部 實務者로 構成 (團長 : 外務部 中東阿局長)

3) 目 的 : 사우디側과 指揮系統, 地位問題, 活動, 配置地域, 裝備, 施設 使用經費 問題等 協議

0119

## Ⅱ. 協商 代表團 構成 (11名)

가. 團 長 : 外務部 中東阿局 이해순 局長

나. 團 員 : 青瓦臺 外交安保 이민재 大領

| | | | |
|---|---|---|---|
| 國防部 | 政策企劃官 | 유진규 | 大領 |
| 國防部 | 軍需局 | 이성우 | 大領 |
| 國防部 | 醫務管理官室 | 김준일 | 大領 |
| 國防部 | 首都統合病院 | 박동수 | 大領 |
| 國防部 | 合參軍事協力課 | 황진하 | 大領 |
| 外務部 | 中近東課 | 김동억 | 書記官 |
| 外務部 | 北美課 | 홍석규 | 書記官 |
| 經企院 | 防衛豫算課 | 김춘선 | 事務官 |

## Ⅲ. 航 空 日 程

가. 出 發

| | | | |
|---|---|---|---|
| 12.29. (土) | 09:40 | KE 631 | 서울 出發 |
| | 13:20 | " | 방콕 到着 |
| | 19:55 | SV 377 | 방콕 出發 |
| | 23:40 | " | 리야드 到着 |
| 91.1.7. (月) | 18:10 | SV 264 | 리야드 出發 |
| | 19:10 | " | 바레인 到着 |
| | 21:35 | CX 200 | 바레인 出發 |
| 1.8. (火) | 09:40 | " | 홍콩 到着 |
| 1.9. (水) | 10:00 | KE 608 | 홍콩 出發 |

나. 歸 國 14:00 " 서울 到着

0120

## Ⅳ. 사우디側과 協議 事項

| 區　　分 | 사우디側 意見 | 對應方案 |
|---|---|---|
| 指揮系統 | 사우디 醫務司 | |
| 醫療支援團 地位 問題 | | |
| 配置地域 | 東部地域 또는 알바틴 | |
| 裝　備 | | |
| 施設提供(具體事項) | | |
| 任務遂行期間 | | |
| 診療對象 | | |
| 所要經費 | 食糧, 燃料, 醫藥品 사우디負擔 | |
| 캠프位置 | | |
| 警戒要員 配置 必要性 與否 | | |
| 사우디側 警戒 支援 提供 與否 | | |
| 診療要員 宿所 및 各種 普及 支援 | | |
| 病院施設에 관한 事項 | | |
| 弘報對策 | | |
| | | |
| | | |
| | | |

0121

# 醫療 支援團 派遣 推進 計劃

1990. 12. 29.

外　　務　　部

0122

## 1. 사우디側과의 協議

가. 美國과의 協議를 거쳐 90.12.3. 我國 醫療支援團의 사우디 派遣에 대한 사우디側 意見을 打診

나. 12.19. 사우디 國防部側은 我國 醫療支援團의 派遣을 歡迎하고 아래의 條件을 提示함.

1) 91.1.15. 以前 派遣 希望

2) 사우디 醫務司令部 指揮 아래 東部 또는 알바틴 地域 配置

3) 食糧, 燃料, 醫藥品, 施設使用料, 警戒는 사우디 負擔

4) 實務協議위한 協商 代表團 사우디 訪問 希望

## 2. 派遣 準備 事項

가. 사우디側과 醫療支援團의 指揮系統, 地位問題, 活動, 配置地域, 裝備, 施設使用經費 問題等 協議를 위하여 靑瓦臺, 經濟企劃院, 外務部, 國防部, 安企部 實務者로 構成(團長 : 外務部 中東阿局長)되는 協商 代表團을 90.12.29-91.1.9. 사우디 派遣

나. 國防部는 150-200名 規模의 醫療支援團 本隊 派遣을 91.1.30. 以前 可能토록 準備中

다. 國防部는 本隊 派遣 以前 10-20名으로 構成되는 先發隊 派遣 必要에 對備, 先發隊 派遣도 準備中

## 3. 國內 派兵 同意 節次

가. 軍醫療支援團 派遣은 憲法上 國會 同意를 얻어야 하며 同意 問題는 十字星 部隊 派越時와 같이 國防部가 主務部署가 되고, 外務部는 弘報等 協調토록 함

나. 1月初 次官會議, 國務會議를 거처 1.24. 開會되는 臨時國會에 同意 要請

0123

## 1. 사우디側과의 協議

가. 美國과의 協議를 거쳐 90.12.3. 我國 醫療支援團의 사우디 派遣에 대한 사우디側 意見을 打診

나. 12.19. 사우디 國防部側은 我國 醫療支援團의 派遣을 歡迎하고 아래의 條件을 提示함.

1) 91.1.15. 以前 派遣 希望

2) 사우디 醫務司令部 指揮 아래 東部 또는 알바틴 地域 配置

3) 食糧, 燃料, 醫藥品, 施設使用料, 警戒는 사우디 負擔

4) 實務協議위한 協商 代表團 사우디 訪問 希望

## 2. 派遣 準備 事項

가. 사우디側과 醫療支援團의 指揮系統, 地位問題, 活動, 配置地域, 裝備, 施設使用經費 問題等 協議를 위하여 靑瓦臺, 經濟企劃院, 外務部, 國防部, 安企部 實務者로 構成(團長 : 外務部 中東阿局長)되는 協商 代表團을 90.12.29-91.1.9. 사우디 派遣

나. 國防部는 150-200名 規模의 醫療支援團 本隊 派遣을 91.1.30. 以前 可能토록 準備中

다. 國防部는 本隊 派遣 以前 10-20名으로 構成되는 先發隊 派遣 必要에 對備, 先發隊 派遣도 準備中

## 3. 國內 派兵 同意 節次

가. 軍醫療支援團 派遣은 憲法上 國會 同意를 얻어야 하며 同意 問題는 十字星 部隊 派越時와 같이 國防部가 主務部署가 되고, 外務部는 弘報等 協調토록 함

나. 1月初 次官會議, 國務會議를 거쳐 1.24. 開會되는 臨時國會에 同意 要請

0124

# 사우디側 醫療團 配置 要請 地域

(알바틴 또는 東部地域)

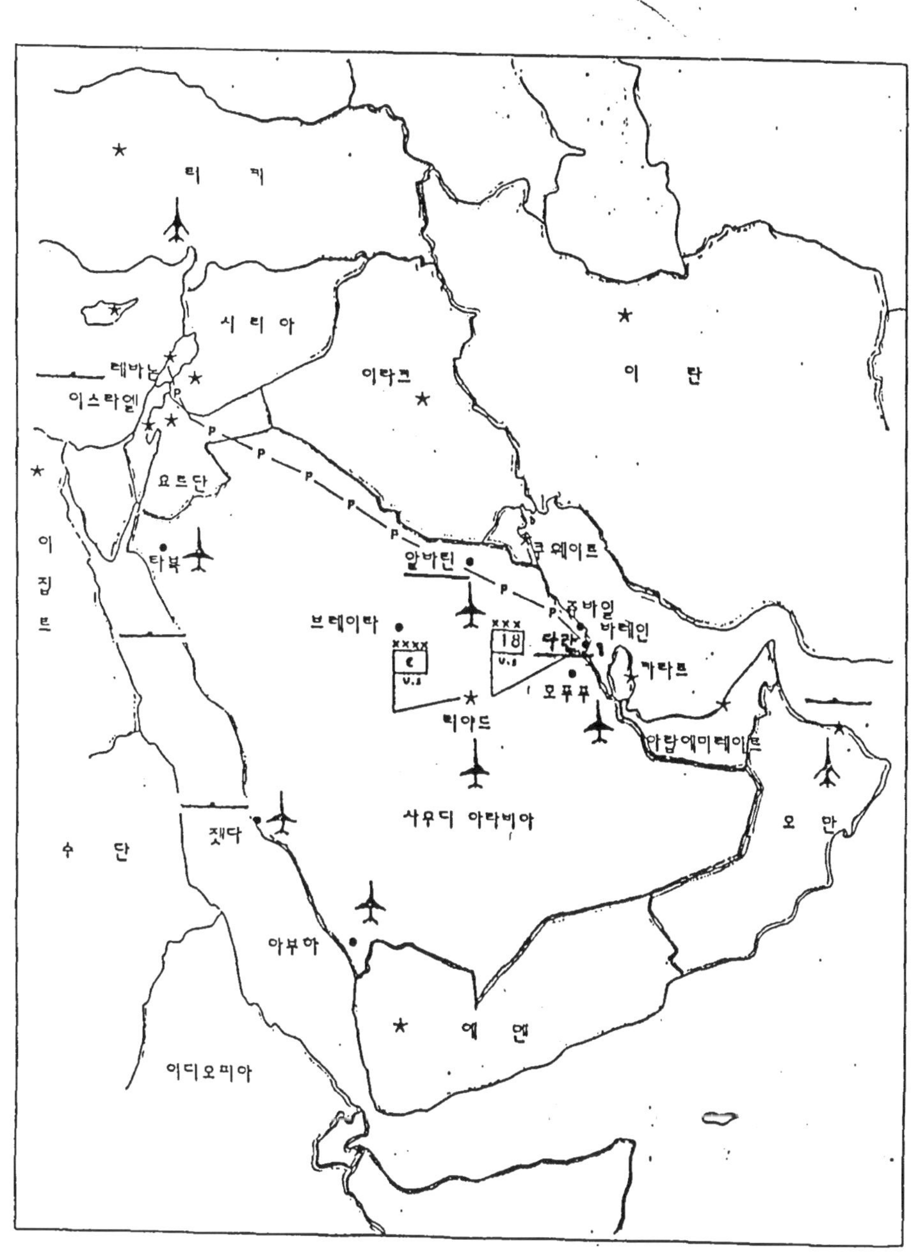


0125

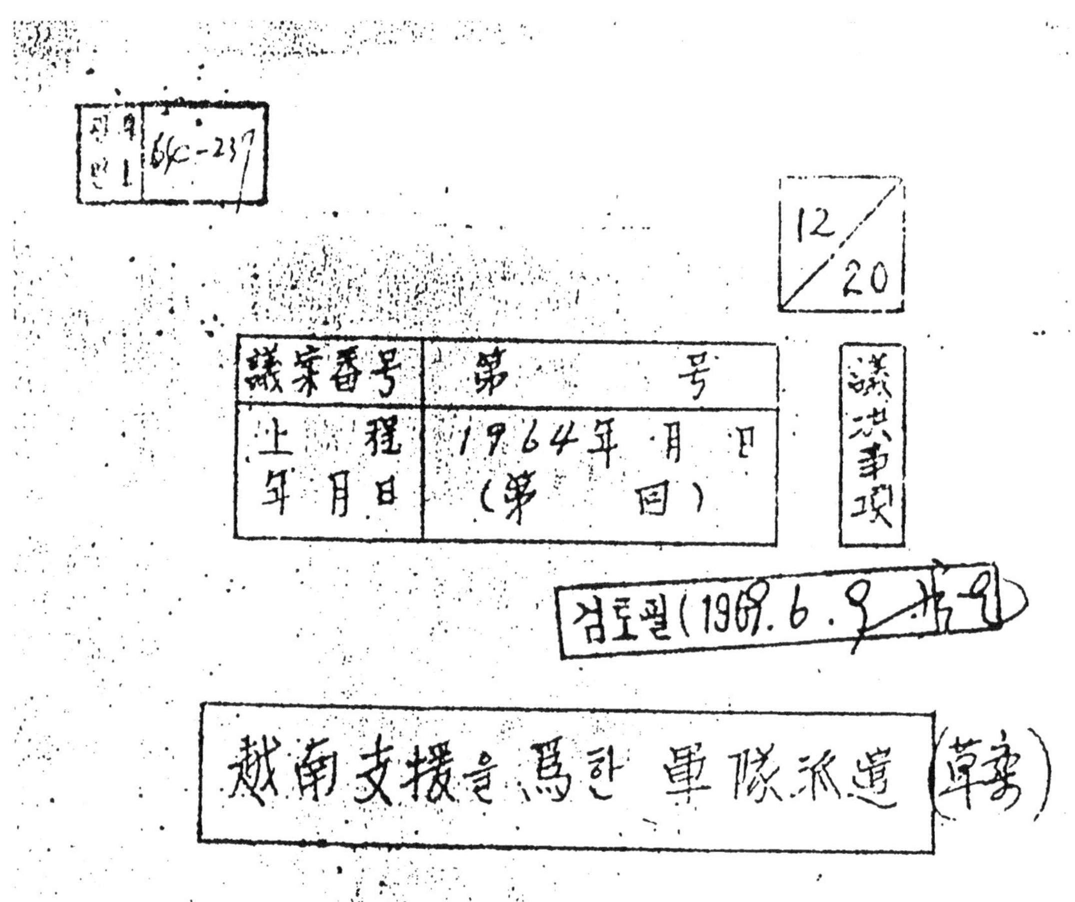

| 議案番号 | 第 号 |
| --- | --- |
| 上程年月日 | 1964年 月 日 (第 回) |

議決事項

검토필(1969. 6. 9.)

越南支援을 爲한 軍隊派遣(草案)

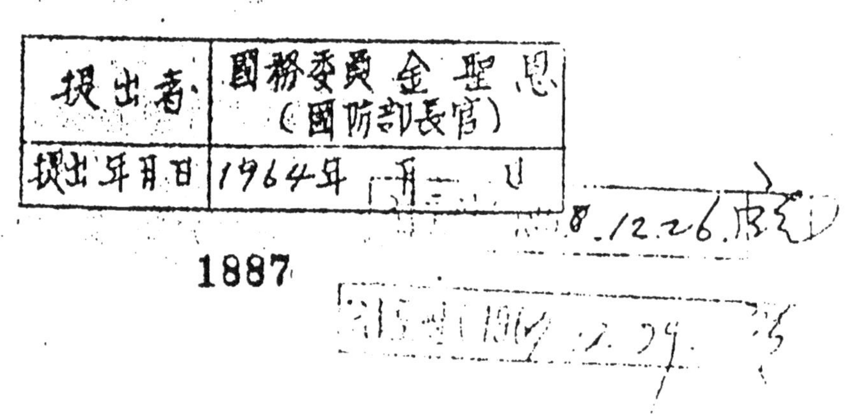

| 提出者 | 國務委員 金聖恩 (國防部長官) |
| --- | --- |
| 提出年月日 | 1964年 月 日 |

1887

0126

1. 議決主文

가. 越南共和国을 支援하기 爲하여 增强된 1個移動外科病院과 10名의 跆拳道 指導要員을 派遣한다

나. 越南支援을 爲해서 軍隊를 派遣하는데 따르는 所要予算 美貨 ______弗과 韓貨______원을 措置한다

2. 提案理由

가. 우리韓国과 共同의 敵인 共産侵略에 依하여 威脅을 당하고 있는 越南의 安全은 韓国의 安全保障에 直結되기 때문에 韓国은 自由友邦인 越南共和国을 支援한다

나. 韓国動乱時 自由友邦의 絶対的인 支援을 받은바 있는 韓国은 上記 自由友邦의 共産侵略을 除去키 爲한 道義的 責任이 있다.

다. 1964年5月9日 美国政府는 韓国을 包含한 25個 自由諸国에 対하여 越南支援을 正式으로 要請한바 있다.

라. 越南政府는 年 月 日에 增強된 1個移動外科病院과 跆拳道指導要員의 支援을 韓国政府에 要請해 온바 있다

3. 主要骨子

가. 経緯

나. 支援内容

다. 予算関係

라. 建議

1888

0127

4. 參考事項

가. 關係法令條文: 憲法第4段. 第56條 第2項 第86條 第2項

나. 豫算措置: 別紙豫算所要

다. 合 意:

라. 其 他:

1889

9. 12. 17 2.11 ᶜ170

0128

## 월남공화국 지원을 위한 국군부대의 해외파견에 관한 동의

1964. [illegible]

[illegible]

공산침략에 의해서 위협을 받고 있는 월남을 지원하기 위해서 대한민국과 월남공화국간의 협의 또는 대한민국정부당국이 정하는 기간까지 장병 130명으로 구성하는 일개 이동외과병원과 10명의 장교로 구성하는 태권도 지도위원을 월남공화국에 파견할 것을 요청합니다.

동 요청의 이유

가. 자유진영의 공동의 적인 공산침략에 의해서 위협을 받고 있는 월남의 현 사태는 한국의 안전보장에 간접적으로 영향을 주는 것으로 한국은 자유우방인 월남공화국을 지원할 필요가 있다.

나. 6.25 동란시 자유우방의 절대적인 지원을 받은 한국은 자유우방의 공산 위협을 공동으로 제거할 도의적인 의무가 있다.

다. 1964.5.9. 미국정부는 한국을 포함한 25개국의 자유우방국에 대하여 월남공화국의 지원을 정식으로 호소한바 있다.

라. 월남정부는 1964.7.15. 월남지원을 요청하는 호소문을 정식으로 한국정부에 보내왔다.

마. 헌법 제4조의 정신에 입각하여 한국은 국제평화의 유지와 침략적 전쟁의 부인을 위하여 월남공화국을 지원할 필요가 있다.

1916

0129

64. 12. 17 [illegible] 2176

# 의료 지원단 파견의 필요성

<민자당 송부>
90.12.30

ㅇ 지난해 8월 2일 새벽 이라크군의 쿠웨이트 침공으로 시작된 페르시아만 사태는 유엔이 결의한 이라크군의 쿠웨이트 철수 시한을 며칠 앞두고 지난 1.9 제네바에서 열린 베이커 미 국무장관과 아지즈 이라크 외무장관간의 제네바 회담마저 성과없이 결렬됨으로써 전쟁 일보 직전까지 치닫고 있어 전세계를 불안에 떨게 하고 있다. 그간 페르시아만 사태는 평화적 해결을 위해 압도적인 힘의 우위 전략에 입각하여 이라크의 쿠웨이트로부터의 철수를 유도하려는 미국의 극한 정책(Brinkmanship)과 쿠웨이트는 이라크의 19번째 주로 영원히 남을 것이라며, 국제사회의 철수 요구를 묵살하고 있는 이라크측의 입장이 대립되어와 그 누구도 해결 전망에 관해 예견을 하기 어려운 상태이다.

ㅇ 금번 사태를 여하히 해결하는가에 따라 앞으로의 국제질서는 상당한 변화를 겪을 것으로 전망되는데 우리나라는 다국적군 활동과 이라크에 대한 제재조치 참여로 피해를 입고 있는 이집트, 터키, 요르단 등 소위 전선국가에 대해 작년도에 2억 2천만불의 지원을 약속하고 의료지원단의 파견을 추가로 공약한 바 있다.

우리 정부는 페르시아만 지역에 전운이 짙게 드리우자 전쟁 발발시 다국적군의 인명 손실을 최소화하기 위한 인도적 견지에서 사우디에 의료 지원단을 가능한 신속히 파견키로 방침을 정하고 오는 1.24 개최되는 임시국회에서 의료지원단 파견에 대한 국회의 동의를 요청할 방침인 것으로 알고 있다. 이에 대해 일부에서는 월남전에서의 경험을 들어 우리가 의료 지원단을 파견할 경우 이는 단순한 의료 지원의 차원에서 그치는 것이 아니라 필연적으로 참전의 시발이 된다며 반대하고 있고, 또 한편으로는 미국의 압력에 굴복, 용병을 보내는

0130

저자세 외교라느니 하며 정부의 방침에 반대를 하고 있다. 또 일부 인사들은 중동지역이 우리나라에서 지리적으로 멀리 떨어져 있는데도 굳이 국내적으로 어려운 상황에서 의료 지원단을 보내면서까지 금번 사태에 발을 들여놓을 이유가 없다며, 의료지원단 파견에 반대하는 주장을 전개하기도 한다.

o 이러한 반대 의견은 우리나라가 현재 처해 있는 상황과 국제적 환경을 정확히 인식하지 못하고 자기 중심적으로만 생각하는 주장으로서 이러한 주장을 하기에 앞서 우리나라의 국익이 어디에 있는지 냉철하게 생각해 보았는지 의문을 제기 하지 않을 수 없다.

o 오늘날 국제사회는 어느 한 나라도 지구상의 다른 나라에서 일어나고 있는 일에 직.간접적으로 영향을 받지 않는 국가는 없다.
우리는 그만큼 서로 밀접히 연관되어 있는 시대에 살고 있는 것이다.
특히 원유 소요의 75% 이상을 중동으로부터 수입하고 있는 우리나라로서는 페르시아만 지역에서 전개되고 있는 금번 사태가 우리의 국익과 경제에 미치는 막대한 영향을 감안할 때 어떠한 형태로든 금번 사태의 조속한 해결을 위한 국제적인 노력에 적극적인 참여를 해야하는 당위성은 자명해진다.
간단한 예로, 원유 가격이 1배럴당 10불만 가격이 올라가도 우리는 원유 수입으로 인해 연간 33억불의 추가 부담을 안아야 하는 어려움을 겪게 될 것이다.

o 보다 근본적으로는 전후 40여년간 국제사회를 지배해 왔던 냉전체제가 붕괴된 이후 화해와 협력의 새로운 국제질서가 형성되는 시점에서 발생한 금번 사태가 여하히 해결 되느냐에 따라 한반도에 미칠 영향을 생각해 보지 않을 수 없다.
사담 후세인의 무력 침략 행위가 국제 사회에서 용인될 경우 탈 냉전시대에 있어 무력에 의한 침략을 정당화하는 결과를 낳게 되며 이는 북한의 무력 적화 통일 노선을 부추기게 되어 우리의 안보에 중대한 위협을 초래케 될 가능성이 다분하다.

0131

또한 만에 하나 우리가 금번에 응분의 참여를 거부한 연후에 한반도에서 불행한 사태가 재연될 경우 그 어느나라도 우리를 도와주는데 선뜻 나서지 않을 것임은 불을 보듯 뻔한 것이다.

o 아울러 금년도에 유엔가입 신청을 할 예정인 우리나라가 유엔을 중심으로 한 현재의 국제적 노력에 보다 적극적인 지원을 거부하게 될 경우 국제평화와 안정 유지 기구인 유엔에 가입을 지향하는 우리의 입장에 배치됨은 물론, 한국 전쟁중 미군을 포함한 유엔군의 희생에 대한 도의적인 의무마저 저버리는 것이며, 금번 사태 해결후 새로운 국제 질서 속에 주역의 하나로서 국제문제에 당당한 발언권을 확보하는 것은 거의 불가능하게 될 것이다.

o 또한 우리의 경제적, 정치적 이해가 크게 걸려있는 사우디를 포함한 중동국가에 대해서도 자신들이 위기에 처해 있을때 가장 필요로 하는 분야에서 도움을 줌으로써 앞으로 이들 국가와 좋은 관계를 유지, 발전시켜 나가는 것은 물론 우리경제에 사활적 중요성을 갖고 있는 중동 원유의 안정적 확보에도 커다란 도움이 될 것이다. 지난번 오일 쇼크로 전세계가 고통을 받았을 때 우리나라가 사우디 등 중동 제국으로부터 호의적인 배려를 받을 수 있었던 것은 당시 우리의 중동 건설 적극 참여, 비동맹 제국에 대한 외교적 노력 덕분이었음을 감안한다면 이번 기회를 통하여 이들과의 우호관계를 더욱 심화시킬 수 있는 좋은 계기도 될 수 있다고 생각된다.

o 한편 미국은 현재 페르시아만 사태 해결에 총력을 기울이고 있으며 우방국들의 지원에 크게 의존하며 추가지원에 대한 기대를 갖고 있다. 만약 한국 전쟁시는 물론 그 이후로도 주한 미군을 통해 국가 안전보장에 커다란 도움을 받아온 우리가 미국이 절실히 필요로 하고 있는 도움을 거절할 경우 미국내에 한국은 자신의 이익만을 추구하는 존재라는 부정적 인식이 뿌리 깊이 그리고 광범위하게 확산될 것이며 이는 장기적으로 우리의 대외관계의 초석인 한.미 관계에 커다란 장애 요인으로 작용하게 될 것이다. 우리에게 있어 미국이 갖는 중요성을 감안할때 이러한 상황이 발생하는 것은 사전에 방지해야 한다.

0132

따라서 한.미 관계의 틀에서 보더라도 우리가 보다 적극적으로 미국의 노력을 지원함으로써 한국이 신뢰할 수 있는 우방이라는 연대의식을 확실히 심어줄 필요가 있는 것이다.

페만 사태 해결을 위한 우리의 지원이 미국의 압력에 굴복한 것이라는 주장은 현실을 도외시하고 우리 자신의 자주적 역량을 너무 비하시키는 것이다.

o 이러한 모든것을 고려하면 금번 사태 해결에 직접적인 참여를 위해 파병이라도 해야 하겠으나 우리가 처해 있는 안보여건 등을 고려할 때 이는 감당할 수 없으므로 다국적군을 도울 수 있는 효과적인 방안으로서의 의료 지원단 파견은 우리가 감수해야 할 최소한의 국제적 의무라고 판단된다.

이와관련 금번 의료지원단 파견이 월남전때처럼 전투병력의 파병으로 이어질 가능성은 별로 없다고 본다.

금번 의료지원단 파견은 어디까지나 사우디를 포함한 다국적군에 절대적으로 부족한 의료 분야에 대한 지원을 위한 것으로서 병력 파견과 연결시킬 아무런 이유가 없으며, 걸프지역 전투 병력 파견은 월남 파병때와 같은 경제적 명분도 없다. 또한 현실적으로 전투병력 파견은 우리의 안보상 감당하기 어렵다는 것이 정부의 입장이고, 미국도 이러한 우리의 입장과 한반도 안보상황을 잘 인식하고 있는 것으로 알고 있다.

o 우리나라는 우리들이 미처 느끼지 못하는 사이에 국제 사회의 주요한 책임있는 일원이 되었다.

우리의 89년도 GNP 규모는 2,119억불로 세계 제13위이며 우리의 89년도 교역량은 1,238억불로 세계 12위로 전세계 교역의 2%를 점하고 있다. 일본이 전세계 교역량의 7.7%를 차지하고 있는 것과 비교하여 보면 우리가 국제 사회에서 차지하고 있는 위상을 잘 말해준다.

우리는 이제 세계에서 일어나는 일이 우리와는 상관없는 일이 아니며 국제사회의 질서를 교란하는 행위가 남의 일이 아니라는 인식을 가지고 이의 해결에 적극 참여하여야 하는 것이다.

0133

아직도 자기 중심적이고 근시안적인 입장에서 국제사회에서 마땅히 부담해야 할 의무를 거부하는 것은 국제화되고 개방화 되어야만이 발전과 번영이 지속될 수 있는 우리로서는 이제는 버려야 할 태도인 것이다.

이러한 관점에서 경제적 지원에 이은 우리의 의료 지원단을 사우디에 파견하는 것은 국제적 상황과 우리의 안보, 그리고 한.미 관계는 물론 중동지역 국가와의 관계 등 모든 측면을 고려할 때 현상황에서 우리가 취할 수 있는 가장 최선의 방안인 것이다.

0134

# 외 무 부

종 별 :

번 호 : PDW-0874 일 시 : 90 1231 1200

수 신 : 장 관 (동구이, 정일, 기정동문)

발 신 : 주 폴란드 대사

제 목 : 폴란드 구조선 걸프만 향발(자료응신 제 90-147호)

연 : PDW-0852

1. 12.29 폴란드 구조선 'PIAST' 호와 구조및 대피선 'WODNIK' 이 걸프만으로 향발하였으며 1.14-15경 동지역 도착 예정이라고 함.

2. 동 선박들은 소방장비와 예인 및 선박수리 시설을 갖추고 있으며 'PIAST' 호는 잠수함 구조능력을 갖고 있다고 함.

3. 이와 별도로 내년 1월초 150명의 의사 및 간호원단이 사우디로 파견될 예정임.

끝

(대사 김경철-국장)

구주국 1차보 중아국 정문국 안기부

PAGE 1

90.12.31 22:09 DA

외신 1과 통제관

0135

| 정 리 보 존 문 서 목 록 | | | | | |
|---|---|---|---|---|---|
| 기록물종류 | 일반공문서철 | 등록번호 | 2020120225 | 등록일자 | 2020-12-29 |
| 분류번호 | 721.1 | 국가코드 | XF | 보존기간 | 영구 |
| 명 칭 | 걸프사태 : 의료지원단 및 수송단 파견, 1990-91. 전6권 | | | | |
| 생 산 과 | 중동1과/북미1과 | 생산년도 | 1990~1991 | 담당그룹 | |
| 권 차 명 | V2. 의료지원단 파견 협상대표단 사우디아라비아 방문, 1990.12.29-91.1.4 | | | | |
| 내용목차 | * 단장 : 이해순 외무부 중동.아프리카국장 | | | | |

0001

| 분류기호 문서번호 | 중근동 720- | 기 안 용 지 | 시 행 상 특별취급 | |
|---|---|---|---|---|
| 보존기간 | 영구.준영구 10. 5. 3. 1 | 차 관 | 장 관 | |
| 수 신 처 보존기간 | | | | |
| 시행일자 | 1990.12.26. | | | |

| 보조기관 | | 협조기관 | | 문 서 통 제 |
|---|---|---|---|---|
| 국 장 | | | 제1차관보 | |
| 심의관 | | | 제2차관보 | |
| 과 장 | | | 기획관리실장 | |
| | | | 미주국장 | |
| | | | 총무과장 | |
| 기안책임자 | 김 동 억 | | | 발 송 인 |

| 경 유 수 신 참 조 | 내부결재 | 발신명의 | | |
|---|---|---|---|---|

| 제 목 | 의료 지원단 사우디 파견 협상 대표단 출장 |
|---|---|

걸프사태 관련, 다국적군의 지원활동 일환으로 우리나라 의료 지원단 파견 문제를 사우디 아라비아 정부 및 사우디 주둔 미군측과 협의하기 위하여 12.24. 관계부처 국장급 대책회의를 거쳐 아래와 같이 협상 대표단을 파견코자 하오니 재가하여 주시기 바랍니다.

- 아 래 -

1. 대표단 구성(13명)

단장 : 외무부 중동아프리카국장

/ 계속 . . .

0002

단원 : 청와대 외교안보 이민재 대령

경기원 방위예산과 김춘선 사무관

국방부 7명

외무부 미주국 관계 과장

외무부 중근동과 담당 서기관

2. 파견기간 : 90.12. 말부터-10일간

항공편 사정 및 예산 조치되는 대로 조속 출발

3. 파견목적 : 지휘계통, 지위문제, 배치지역, 장비, 시설제공,

임무수행기간, 사전교섭

4. 소요예산 : 페만 지원금(정무활동 해외경상이전)중 행정비 잔액

(240,630불)중에서 지변

5. 12.24. 대책회의 참가부처 : 청와대, 외무부, 국방부, 보사부

첨 부 : 상기 대책회의 결과(상관보고사항). 끝.

예 고 : 1991.6.30. 일반

0003

# 大韓民國 憲法 제 60조

① 國會는 相互援助 또는 安全保障에 관한 條約, 중요한 國際組織에 관한 條約, 友好通商航海條約, 主權의 制約에 관한 條約, 講和條約, 國家나 國民에게 重大한 財政的 負擔을 지우는 條約 또는 立法事項에 관한 條約의 締結·批准에 대한 同意權을 가진다.

② 國會는 宣戰布告, 國軍의 外國에의 派遣 또는 外國軍隊의 大韓民國 領域안에서의 駐留에 대한 同意權을 가진다.

0004

# 農漁村 保健醫療를 위한 特別措置法上 公衆保健醫師의 服務限界

1. 上記法은 農漁村등 保健醫療 脆弱地域의 住民에게 保健醫療를 効率的으로 提供하게 함으로써 國民의 醫療均霑과 保健向上에 寄與함을 目的으로 한다 (同法 제 1조)

2. "公衆保健醫師"란 特例補充役에 編入된 醫師또는 齒科醫師로서 保健社會部長官으로부터 公衆保健業務에 從事할것을 命令받은 者를 말한다 (同法 제 2조 1항)

3. "公衆保健業務"란 接敵地域, 島嶼, 僻地 기타 大統領令으로 정하는 醫療脆弱地域 및 大統領令으로 정하는 醫療施設에서 행하는 保健醫療業務를 말한다(同法 제 2조 2항)

4. 大統領令으로 정하는 醫療脆弱地域이란 醫療施設과의 거리가 通常의 交通手段에 의하여 30분이상 所要되는 地域을 말하며(施行令 제 2조 1항), 大統領令으로 정하는 醫療施設이란 病院船, 齒科診療施設이 있는 郡地域내의 公共保健 醫療機關(齒科醫師에 한함), 郡地域 醫療施設로서 保健社會部長官이 정하는 醫療施設을 말한다(施行令 제 2조 2항)

5. 따라서 公衆保健醫師가 軍醫務團 資格으로 海外에 派遣되는 것은 同法의 目的에 비추어볼때 現行法上 不可能함.

0005

90/1709

# 기 안 용 지

| 분류기호 문서번호 | 중근동 720- | (전화 : ) | 시행상 특별취급 | |
|---|---|---|---|---|
| 보존기간 | 영구·준영구. 10. 5. 3. 1. | 장 | 관 | |
| 수신처 보존기간 | | | | |
| 시행일자 | 1990. 12. 27. | | | |

| 보조기관 | | 협조기관 | | 문서통제 |
|---|---|---|---|---|
| 국 장 | | | | 1990.12.27 |
| 심의관 | | | | |
| 과 장 | | | | |
| 기안책임자 | 김 동 억 | | | 발송인 1990 12 27 외무부 |

| 경 유 수 신 참 조 | 국방부장관 정책기획관 | 발신명의 | |
|---|---|---|---|
| 제 목 | 의료 지원단 파견 | | |

1. 걸프 사태 관련, 다국적군 지원활동의 일환으로 우리나라 의료 지원단 파견 문제를 협의하기 위하여 1990.12.24. 관계부처 국장급 대책회의를 개최 하였는바, 그 결과를 별첨 송부하오니 귀 소관사항에 대하여 필요한 조치를 취하여 주시기 바랍니다.

2. 이와 관련 당부는 상기 회의 결과에 따라 90.12.29-91.1.9.간 협상 대표단을 사우디에 파견코자 하오니 귀부 관계

/ 계 속 ....

0006

1505-25(2-1) 일(1)갑
85. 9. 9. 승인 "내가아낀 종이 한장 늘어나는 나라살림"
190mm×268mm 인쇄용지 2급 60g/㎡
가 40-41 1990. 5. 28

관이 동 대표단에 참여할 수 있도록 적극 협조하여 주시기 바랍니다.

첨 부 : 1. 회의결과 1부. 끝.

2. 청와대 122회 1부.

예 고 : 1991. 6. 30. 일반

0007

# 醫療 支援團 派遣 關聯 關係部處 實務 會議

1. 日 時 : 1990.12.24.(月) 12:00-14:30

2. 參席者 :

가. 青瓦臺, 外務部, 國防部, 保社部 關係局長 및 課長 13名 參席 (名單 別添)

나. 主 宰 : 外務部 中東阿局長

3. 會議 結果

가. 醫療 支援團 派遣

1) 必要性

○ 美國과의 通商 摩擦 및 我國의 페灣事態 分擔金 支援 實積이 未洽하다는 美側의 關心 表明을 감안하고 國際的인 平和 努力에 積極 參與한다는 뜻에서 可能한限 早速 醫療 支援團 派遣이 要望됨.

○ 특히 그동안 微溫的 態度를 취해온 사우디側이 1.15. 以前 派遣을 希望하는등 我側 提議에 積極的 反應을 보이고 있는 점을 감안함.

2) 民間 醫療陣 派遣 方案

○ 民間 醫療陣(公衆保健醫 包含) 派遣 問題는 選拔上 隘路, 現行法上 問題 등으로 現實的으로 不可能하다는 結論이었음.

○ 美國에 대한 誠意 表示로 國會 同意前 우선 小規模의 民間 醫療陣 派遣 可能性을 檢討하였으나 역시 上記와 같은 이유로 어렵다는 結論이었음.

3) 規 模 :

○ 通常 移動外科 病院의 規模인 100名 內外를 考慮하되 사우디側과의 協議 結果에 따라 行政, 警備 兵力을 包含 250名까지 될 수도 있음.

0008

4) 時 期 :

ㅇ 選拔 節次, 國會同意 獲得, 豫算問題 등으로 本隊 派遣은 91.1.30. 以後에나 可能할 것이라는 結論임.

5) 國會同意

ㅇ 軍 醫療 支援團 派遣은 憲法上 國會 同意를 얻어야 하며 이問題는 國防部와 外務部가 계속 協議하기로 함.

ㅇ 91.1.24. 開會되는 臨時國會 同意 要請

6) 所要經費(輸送費, 海外勤務手當等)

ㅇ 페灣 支援金에서 使用하는 方案은 當初 美側과의 約束에 비추어 適切치 않다는 結論이었음.(我國 페灣支援 發表時 醫療團 派遣을 追後 別途로 檢討할 것임을 밝힌바 있음)

ㅇ 政府 歲出 豫算 豫備費 使用이 不可避하다는 意見임.

7) 軍 醫療陣의 名稱 問題

ㅇ 移動外科 病院(MASH)은 性格上 最前方 配置가 不可避할 것이므로 人命被害 可能性과 經費 過多 所要等에 비추어 "醫療支援團 (Medical Support Group)"으로 呼稱키로 合議

나. 弘報 對策

1) 醫療 支援團 派遣을 可及的 빨리 公開하여 對內的으로는 支持 輿論을 造成하고 對外的으로도 美國等 友邦國에 我國의 積極的인 態度를 알리는 效果를 거두도록 함.

2) 國會 同意에 대비 與野 指導者에 事前 非公式 通報가 必要함.

3) 弘報 對策은 靑瓦臺 政策調整室에서 總括 調整함.

다. 協商 代表團 派遣 建議

1) 時 期 : 12月末경부터 約 10日間 사우디 派遣

2) 構 成 : 靑瓦臺, 經濟企劃院, 外務部, 國防部, 安企部 實務者로 構成 (團長 : 外務部 中東阿局長)

3) 目 的 : 사우디側과 指揮系統, 地位問題, 活動, 配置地域, 裝備, 施設 사용경비 問題等 協議. 끝.

0009

첨 부

# 회의 참석자 명단

(13명)

1. 청와대 외교안보 보좌관실
   정태익 비서관
   이민재 대령
2. 국방부 기획정책관실 차장
   박용옥 장군
   윤규식 대령
3. 보사부 병원행정과장 정상윤
   지역의료과장 오태규
4. 외무부 중동아국장
   중동아심의관
   중근동과장
   담당서기관
5. 외무부 미주국장
   북미과장
   안보과장

0010

필요한 협조 + 지원할 것

# 「페」灣事態 關聯 醫療支援團 派遣 推進

外交安保(國際安保)

1990.12.24

| 페르시아灣事態 關聯 我國의 醫療支援團 派遣問題에 관하여 外務部, 國防部, 保社部 등 關係部處 協議結果에 따라 아래와 같이 推進計劃임을 報告드립니다 |
|---|

1. 推進經緯

ㅇ 美國은 醫療團 派遣問題에 관하여 我國이 사우디側과 直接 協議를 갖길 希望

ㅇ 12.3 我國 醫療支援團 派遣에 관하여 사우디側 意見을 打診한 바, 사우디 國防部側은 12.19 我國의 支援을 歡迎하고 아래를 通報

- 91.1.15 以前 派遣 希望
- 사우디醫務司 指揮아래 東部地域 配置
- 食糧, 燃料, 醫藥品, 施設使用料, 警備는 사우디 負擔
- 實務協議를 위한 協商 代表團 訪問 要請

0011

2. 措置計劃

o 政府調査團 派遣

- 外務部, 國防部등 關係部處 實務者로 構成된 調査團을 今年中 派遣, 사우디側과 具體的 協議

o 上記 調査結果를 基礎로 關係部處 協議後 閣下께 最終計劃案 報告

- 閣下 裁可後, 軍醫官 選拔등 派遣準備

o 91.1中 開催豫定인 臨時國會에 國軍海外派兵同意案 上程 (憲法 第60條 2項에 따라 國會同意 必要)

※ 사우디側의 要請을 勘案, 國會同意에 앞서 軍醫療陣으로 構成된 支援調査團을 醫療支援團의 先發隊 形式으로 91.1.15前 派遣을 檢討

o 弘報對策 講究

- 與野 指導者 및 言論界에 事前 說明, 國民輿論의 支持 確保
- 事態解決後 이락 및 아랍圈과의 關係 考慮

0012

# 전 언 통 신 문

| | | |
|---|---|---|
| 문서번호 | : 중근동720 63566 | 1990. 12.27. |
| 수 신 | : 수신처 참조 | |
| 제 목 | : 관계부처 대책회의 | |
| 송 화 자 | : | |
| 수 화 자 | : | |

의료지원단 사우디 파견 협상 대표단의 출발전 대책회의를 다음과 같이 소집코자 하니 대표단은 전원 참석하여 주시기 바랍니다.

- 아 래 -

1. 일시및장소 : 90.12.28.(금) 14:30 외무부 817호실
2. 참석 범위 :

| | | | | | |
|---|---|---|---|---|---|
| 단 장 : | 외무부 | 중동아국장 | 이해순 | | 720-4480 |
| 단 원 : | 청와대 | 외교안보 | 이민재 | 대령 | 770-0092 59 |
| | [redacted] | | | | |
| | 국방부 | 기획정책관실 | 유진규 | 대령 | 792-7671 |
| | " | 군수국 | 이성우 | 대령 | " |
| | " | 의무관리관실 | 김춘일 | 대령 | " |
| | " | 수도통합병원 | 박동수 | 대령 | " |
| | " | 합참군사협력관 | 황진하 | 대령 | " |
| | 외무부 | 중근동과 | 김동억 | 서기관 | 720-2327 |
| | " | 북미과 | 홍석규 | 서기관 | 720-2321 |
| | 경기원 | 방위예산과 | 김춘선 | 사무관 | 503-9098 |

3. 준비사항 : 사우디 정부 및 미군측과 협의할 소관사항을 문서로 준비. 끝.

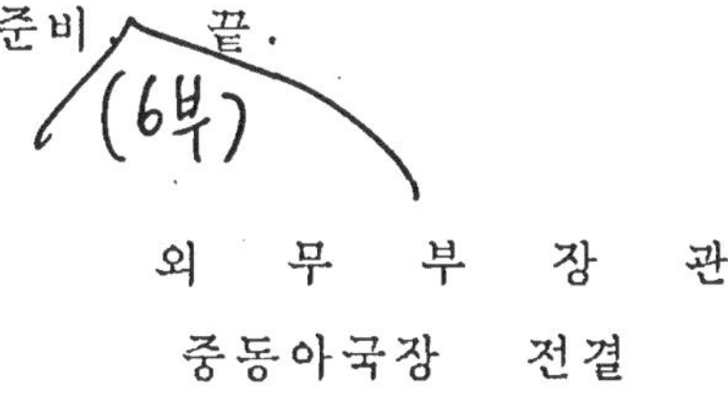

외 무 부 장 관

중동아국장 전결

수신처 : 청와대 외교안보, 안기부 중동아과, 국방부 기획정책관실, 경기원 방위예산과, 외무부 북미과

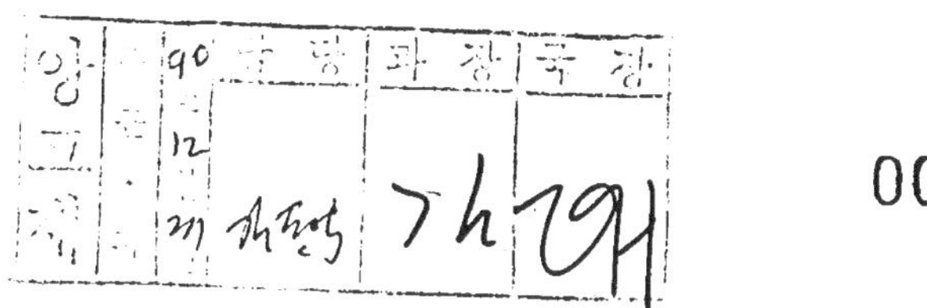

0013

90/1172=1

| 분류기호 문서번호 | 중근동 720-11722 | 협조문용지 ( ) | 결재 | 담당 | 과장 | 국장 |
|---|---|---|---|---|---|---|
| 시행일자 | 1990. 12. 27. | | | | | |
| 수 신 | 영사교민국장 | 발 신 | 중동아프리카국장 | | | (서명) |
| 제 목 | 사우디 협상 대표단 | | | | | |

걸프만 사태 관련, 아국의 의료 지원단 파견 문제에 관하여 사우디 측과 협의하기 위하여 관계부처 실무자로 구성된 협상 대표단을 별첨과 같이 파견키로 하였는 바, 여권 발급 및 출국 신고, 사우디 VISA NOTE등 필요한 조치를 취하여 주시기 바랍니다.

첨 부 : 1. 재가문서 사본 1부.

2. 대표단 명단 1부. 끝.

예 고 : 1991. 6. 30. 일반

0014

1505 - 8 일 (1) 190㎜×268㎜(인쇄용지 2급 60g/㎡)
85. 9. 9 승인 "내가아낀 종이 한장 늘어나는 나라살림" 가 40-41 1990. 7. 9.

# List of Delegation

1. Head of Delegation H.E. Lee, Hae Soon
   Director General of Middle East & African Affair's Bureau, MOFA

2. Government official Lee, Min Jae

3. Government of ficial Lee, Seok Ku

4. Chief, Combined Defence Policy Division Ryoo, Jin Kyu
   Policy and Plans office
   Ministry of National Defense

5. Chief, Medical Admininitration Division Kim, Choon Ii
   Medical Management Office M & N D

6. Chief, Wartime Host Nation Surport Lee, Sung Woo
   Branch, Logistics Bureau
   M & N D

7. Chief Military Cooperation Division Hwang, Jin Ha
   Strategic Planing Directorate
   Joint chief of staff

8. Director Professional Dept. Park, Dong Soo
   Capital Armed Forces General Hospital

9. First Seaetary
   Middle East Division Kim, Dong Eok
   M O F A

10. First Secretary
    North America Division Hong, Seok Kyu
    M O F A

11. Assistant Director Kim Choon Seon
    National Refense Division
    E & P B

0015

| 관리 번호 | 90/1702 |
|---|---|

| 분류번호 | 보존기간 |
|---|---|
| | |

# 발 신 전 보

번 호 : WSB-0598 901227 0914 FF 종별 : 지급

WUS -4260

수 신 : 주사우디 대사. 총영사 (사본: 주미대사 - 주이라크 ")

발 신 : 장 관 (중근동)

제 목 : 의료 지원단 사우디 파견 협상 대표단 파견

대: SBW 1195

1. 걸프사태 관련, 다국적군의 지원활동의 일환으로 아국 의료 지원단 파견 문제를 사우디아라비아 정부 및 사우디 주둔 미군측과 협의하기 위하여 협상 대표단을 아래와 같이 파견코자 하니 주재국 관계부처 및 귀지 미측과 교섭 대표단 귀지 방문시 협의 가능토록 준비 바라며 호텔 및 교통편 준비 바람.

가. 파견 시기 : 90.12. 말부터 약 7일간

나. 대표단 구성 : 청와대, 안기부, 국방부, 외무부, 고위 실무자 약 10인으로 구성 (단장 중동아국장)

다. 파견 목적 : 지휘계통, 지위문제, 배치지역, 장비, 시설제공, 임무수행기간등에 관한 사전 교섭

2. 대표단 명단, 도착일자 및 항공편은 확정되는대로 추후 통보 예정임. 끝.

(중동아국장 이 해 순)

예 고 : 91.6.30. 일반

미주국장 기윤

| 보 안 통 제 | |
|---|---|

| 앙 고 재 | 90년 12월 26일 | 중근동과 | 기안자 성 명 | | 과 장 | 심의관 | 국 장 | | 차 관 | 장 관 |
|---|---|---|---|---|---|---|---|---|---|---|
| | | | 가현 | | 가 | 영 | 전결 | | | 가 |

| 외신과통제 |
|---|
| |

0016

| 관리 번호 | 90/1710 |
|---|---|

| | 분류번호 | 보존기간 |
|---|---|---|
| | | |

# 발 신 전 보

번 호 : WSB-0599 901227 1423 DP 종별 :

수 신 : 주 사우디 대사 . 총영사 ////

발 신 : 장 관 (중근동)

제 목 : 협상 대표단 파견

연 : WSB-0598

연호 대표단 명단 및 항공편 아래와 같음.

1. 대표단(11명) :

| | | | | |
|---|---|---|---|---|
| 단 장 : | 외무부 | 중동아국장 | 이해순 | |
| 단 원 : | 청와대 | 외교안보 | 이민재 | 대령 |
| | [redacted] | | | |
| | 국방부 | 정책기획관실 | 유진규 | 대령 |
| | " | 군수국 | 이성우 | 대령 |
| | " | 의무관리관실 | 김춘일 | 대령 |
| | " | 수도통합병원 | 박동수 | 대령 |
| | " | 합참군사협력과 | 황진하 | 대령 |
| | 외무부 | 중근동과 | 김동억 | 서기관 |
| | " | 북미과 | 홍석규 | 서기관 |
| | 경기원 | 방위예산과 | 김춘선 | 사무관 |

2. 항공일정

| | | | |
|---|---|---|---|
| 12.29. (토) | 09:40 | KE 631 | 서울 출발 |
| | 23:40 | SV 377 | 리야드 도착 |
| 1.7. (월) | 22:15 | SV 1386 | 리야드 출발 . 끝. |

(중동아국장 이 해 순)

91. 6. 30 일반

| | | |
|---|---|---|
| | 보 안 통 제 | |

| 앙 고 재 | 90년 12월 27일 | 중근동과 | 기안자 성 명 | | 과 장 | 심대사 | 국 장 | 전결 | 차 관 | 장 관 |
|---|---|---|---|---|---|---|---|---|---|---|
| | | | 김동억 | | 7h | | | | | |

| 외신과통제 |
|---|
| |

0017

| 관리번호 | 90/1726 |
|---|---|

| | 분류번호 | 보존기간 |
|---|---|---|
| | | |

# 발 신 전 보

번 호 : WSB-0609 901228 1932 CG 종별 : 지급

수 신 : 주 사우디 대사. ~~총영사~~

발 신 : 장 관 (중근동)

제 목 : 대표단 직책

연 : WSB-0599

연호 대표단 직책 및 성명(영문)은 ~~아래와~~ 별첨과 같으니 ~~주재국과 교섭시~~ 참고 바람.

별첨 : LIST OF DELEGATION . 끝.

(중동아국장 이 해 순)

예 고 : 91.6.30. 일반

| 보안통제 | |
|---|---|

| 앙고재 | 90년 12월 28일 | 중근동과 | 기안자 성명 | | 과 장 | 심의관 | 국 장 | | 차 관 | 장 관 |
|---|---|---|---|---|---|---|---|---|---|---|
| | | | 최현 | | 7h | | 전결 | | | 2아 |

| 외신과통제 |
|---|
| |

0018

# List of Delegation

1. Head of Delegation H.E. Lee, Hae Soon
   Director General of Middle East & African Affair's Bureau, MOFA

2. Government Official   Lee, Min Jae

3. Government Official   Lee, Seok Ku

4. Chief, Combined Defence Policy Division   Ryoo, Jin Kyu
   Policy and Plans office
   Ministry of National Defense

5. Chief, Medical Adminintration Division   Kim, Choon Il
   Medical Management Office  M & N D

6. Chief, Wartime Host Nation Surport   Lee, Sung Woo
   Branch, Logistics Bureau
   M & N D

7. Chief Military Cooperation Division   Hwang, Jin Ha
   Strategic Planing Directorate
   Joint Chief of Staff

8. Director Professional Dept.   Park, Dong Soo
   Capital Armed Forces General Hospital

9. First Seaetary
   Middle East Division   Kim, Dong Eok
   M O F A

10. First Secretary
    North America Division Hong, Seok Kyu
    M O F A

11. Assistant Director   Kim Choon Seon
    National Defense Division
    E & P B

0019

| 관리 번호 | 90-2601 |
|---|---|

| 분류번호 | 보존기간 |
|---|---|
| | |

# 발 신 전 보

번 호 : WUS-4278 901228 1649 BX 종별 :

WSB -0606

수 신 : 주 미 대사. ~~총영사~~ (사본 : 주사우디 대사)

발 신 : 장 관 (미북)

제 목 : 의료 지원단 사우디 파견

1. 미주국장은 12.27(목) Hendrickson 주한 미 대사관 면담시 우리 정부가 의료 지원단 사우디 파견문제 협의를 위해 청와대, 안기부, 경기원, 외무부 및 국방부 고위 실무급 관계관으로 구성된 정부교섭단(단장 : 이해순 중동.아국장)을 12.29. 사우디에 파견 예정임을 통보하고, 사우디 정부와의 교섭에 미측의 협조를 요청 하였음.

2. 이에대해 Hendrickson 참사관은 주사우디 미국 대사에게 아측이 필요로 하는 협조를 제공토록 요청하겠다고 답변 하였음.

3. 한편, 동 면담시 미주국장은 실제 의료단 파견 시기와 관련, 사우디와의 교섭이 순조롭더라도 명년도 임시국회 일정(1.24. 개회) 및 의료 지원단 파견이 국회의 동의를 요하는 사항입을 감안할때 아무리 빨라도 91.1월말 이전에는 어려울 것이라는 견해를 밝혀 두었음을 참고바람. 끝.

(미주국장 반 기 문)

예 고 : 91.6.30.일반

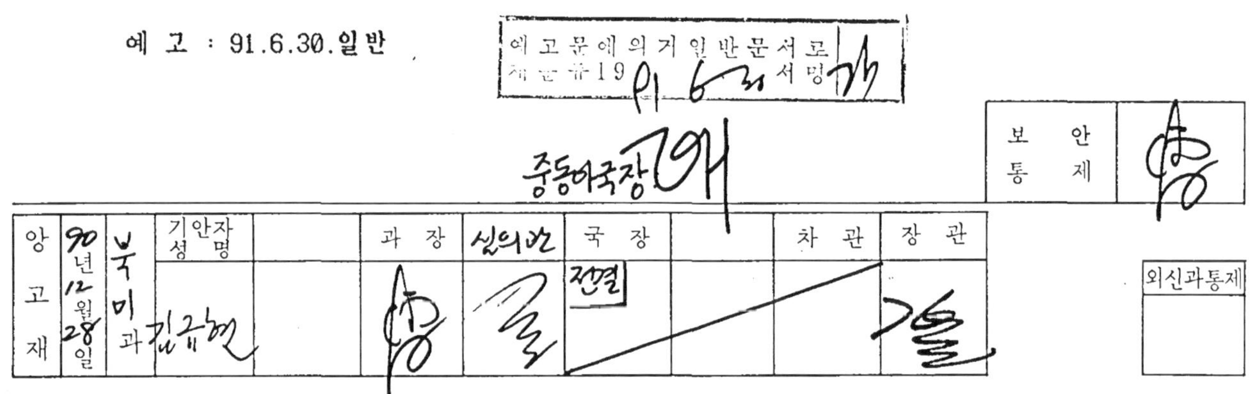


0020

경 제 기 획 원

예방 10222 - 1616 503-9098 1990. 12. 28.

수신 외무부장관

제목 공무 해외 출장

1. 중근동 720-63566('90. 12. 27)호와 관련임.

2. 상기대호에 의거 요청하신 당원 해외출장은 아래와 같이 귀부의 계획대로 추진하시기 바랍니다.

가. 출장계획서

| 소속 | 직위 (직급) | 성 명 (생년월일) | 여 행 목 적 | 여행국 | 여행기간 (일자) | 여행경비 ( $ ) |
|---|---|---|---|---|---|---|
| 예산실 | 행정사무관 | 김 춘 선 (55.3.15) | 페만사건에 따른 의료지원단 파견 협상차 | 사우디 | '90.12.29 -'91.1.9 (12일간) | $4,731 |

끝.

경 제 기 획 원 장

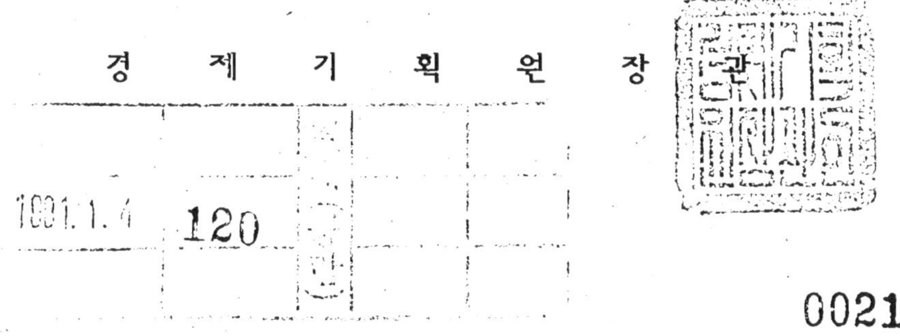

0021

| 관리 번호 | 90/1725 |
|---|---|

| | 분류번호 | 보존기간 |
|---|---|---|
| | | |

# 발 신 전 보

번 호 : WTH-1651 901228 1916 CG 종별 : 지급

WHK -1691

수 신 : 주 수신처 참조 대사, 총영사

발 신 : 장 관 (중근동)

제 목 : ~~사우디 파견 대표단~~ 경유 걸프사태 지원 조사단

중동아 국장을 단장으로 하는 ~~사우디 파견 대표단이~~ 표제 조사단이 아래 일정으로

귀지를 경유하니 홍콩 KAL 지사에서 예약한(하야트리전시) 호텔 확인 및 교통편의

협조 바람. 경유, 보안유지 바람.

1. 항공일정

| | | | |
|---|---|---|---|
| 12.29. | 09:40 | KE 631 | 서울 출발 |
| | 13:20 | | 방콕 도착 |
| | 19:55 | SV 377 | 방콕 출발 |
| 1.7. | 18:10 | SV 264 | 리야드 출발 |
| | 19:10 | | 바레인 도착 |
| | 21:35 | CX 200 | 바레인 출발 |
| 1.8. | 09:40 | | 홍콩 도착 |
| 1.9. | 10:00 | KE 608 | 홍콩 출발 |
| | 14:00 | | 서울 도착 |

2. 사절단 명단 : 별첨

예 고 : 91.6.30. 일반

(중동아국장 이 혜 순)

수신처 : 주 태국 대사, 홍콩 총영사

| 보안 통제 | |
|---|---|

| 앙 고 재 | 90년 12월 28일 | 중근동과 | 기안자 성명 | | 과 장 | 심의관 | 국 장 | | 차 관 | 장 관 |
|---|---|---|---|---|---|---|---|---|---|---|
| | | | | | | | 전결 | | | |

외신과통제

0022

## Ⅱ. 協商 代表團 構成 (11名)

가. 團長 : 外務部 中東阿局 이해순 局長

나. 團員 : 靑瓦臺 外交安保 이민재 大領

| | | | |
|---|---|---|---|
| 國防部 | 政策企劃官 | 유진규 | 大領 |
| 國防部 | 軍需局 | 이성우 | 大領 |
| 國防部 | 醫務管理官室 | 김준일 | 大領 |
| 國防部 | 首都統合病院 | 박동수 | 大領 |
| 國防部 | 合參軍事協力課 | 황진하 | 大領 |
| 外務部 | 中近東課 | 김동억 | 書記官 |
| 外務部 | 北美課 | 홍석규 | 書記官 |
| 經企院 | 防衛豫算課 | 김춘선 | 事務官 |

0023

# 關係部處 對策會議 資料

1990. 12. 28. 14:30

第1綜合廳舍 817號室

外 務 部
中東아프리카局

0024

## 1. 醫療 支援團 派遣 關聯 關係部處 實務 會議 結果

1. 日 時 : 1990.12.24.(月) 12:00-14:30

2. 參席者 :

青瓦臺, 外務部, 國防部, 保社部 關係局長 및 課長 13名 參席
(外務部 中東阿局長 主宰)

3. 會議 結果

가. 醫療 支援團 派遣

1) 必要性

o 美國과의 通商 摩擦 및 我國의 페灣事態 分擔金 支援 實積이 未洽하다는 美側의 關心 表明을 감안하고 國際的인 平和 努力에 積極 參與한다는 뜻에서 可能한限 早速 醫療 支援團 派遣이 要望됨.

o 특히 그동안 微溫的 態度를 취해온 사우디側이 1.15. 以前 派遣을 希望하는등 我側 提議에 積極的 反應을 보이고 있는 점을 감안함.

2) 早期 派遣 方案

o 民間 醫療陣(公衆保健醫 包含) 派遣 問題는 選拔上 隘路, 現行法上 問題 등으로 現實的으로 不可能하다는 結論이었음.

o 美國에 대한 誠意 表示로 國會 同意前 우선 小規模의 民間 醫療陣 派遣 可能性을 檢討하였으나 역시 上記와 같은 이유로 어렵다는 結論이었음.

3) 規 模 :

o 通常 移動外科 病院의 規模인 100名 內外를 考慮하되 사우디側과의 協議 結果에 따라 行政, 警備 兵力을 包含 250名까지 될 수도 있음.

0025

4) 時 期 :

o 選抜 節次, 國會同意 獲得, 豫算問題 등으로 本隊 派遣은 91.1.30. 以後에나 可能할 것이라는 結論임.

5) 國會同意

o 軍 醫療 支援團 派遣은 憲法上 國會 同意를 얻어야 하며 이問題는 國防部와 外務部가 계속 協議하기로 함.

o 91.1.24. 開會되는 臨時國會 同意 要請

6) 所要經費(輸送費, 海外勤務手當等)

o 페灣 支援金에서 使用하는 方案은 當初 美側과의 約束에 비추어 適切치 않다는 結論이었음. (我國 페灣支援 發表時 醫療團 派遣을 追後 別途로 檢討할 것임을 밝힌바 있음)

o 政府 歲出 豫算 豫備費 使用이 不可避하다는 意見임.

7) 軍 醫療陣의 名稱 問題

o 移動外科 病院(MASH)은 性格上 最前方 配置가 不可避할 것이므로 人命被害 可能性과 經費 過多 所要等에 비추어 "醫療支援團 (Medical Support Group)"으로 呼稱키로 合議

나. 弘報 對策

1) 醫療 支援團 派遣을 可及的 빨리 公開하여 對內的으로는 支持 輿論을 造成하고 對外的으로도 美國等 友邦國에 我國의 積極的인 態度를 알리는 效果를 거두도록 함.

2) 國會 同意에 대비 與野 指導者에 事前 非公式 通報가 必要함.

3) 弘報 對策은 青瓦臺 政策調整室에서 總括 調整함.

다. 協商 代表團 派遣 建議

1) 時 期 : 12月末경부터 約 10日間 사우디 派遣

2) 構 成 : 青瓦臺, 經濟企劃院, 外務部, 國防部, 安企部 實務者로 構成 (團長 : 外務部 中東阿局長).

3) 目 的 : 사우디側과 指揮系統, 地位問題, 活動, 配置地域, 裝備, 施設 使用經費 問題等 協議

0026

## Ⅳ. 사우디側과 協議 事項

| 區 分 | 사우디側 意見 | 對應方案 |
|---|---|---|
| 指揮系統 | 사우디 醫務司 | |
| 醫療支援團 地位 問題 | | |
| 配置地域 | 東部地域 또는 알바틴 | |
| 裝備 | | |
| 施設提供(具體事項) | | |
| 任務遂行期間 | | |
| 診療對象 | | |
| 所要經費 | 食糧, 燃料, 醫藥品 사우디負擔 | |
| 캠프 位置 | | |
| 警戒要員 配置 必要性 與否 | | |
| 사우디側 警戒 支援 提供 與否 | | |
| 診療要員 宿所 및 各種 普及支援 | | |
| 病院施設에 관한 事項 | | |
| 弘報對策 | | |
| | | |
| | | |
| | | |

0027

# 醫療 支援團 派遣 推進 計劃

1990. 12. 29.

外　　務　　部

0028

## 1. 사우디側과의 協議

가. 美國과의 協議를 거쳐 90.12.3. 我國 醫療支援團의 사우디 派遣에 대한 사우디側 意見을 打診

나. 12.19. 사우디 國防部側은 我國 醫療支援團의 派遣을 歡迎하고 아래의 條件을 提示함.

1) 91.1.15. 以前 派遣 希望

2) 사우디 醫務司令部 指揮 아래 東部 또는 알바틴 地域 配置

3) 食糧, 燃料, 醫藥品, 施設使用料, 警戒는 사우디 負擔

4) 實務協議위한 協商 代表團 사우디 訪問 希望

## 2. 派遣 準備 事項

가. 사우디側과 醫療支援團의 指揮系統, 地位問題, 活動, 配置地域, 裝備, 施設使用經費 問題等 協議를 위하여 靑瓦臺, 經濟企劃院, 外務部, 國防部, 安企部 實務者로 構成(團長 : 外務部 中東阿局長)되는 協商 代表團을 90.12.29-91.1.9. 사우디 派遣

나. 國防部는 150-200名 規模의 醫療支援團 本隊 派遣을 91.1.30. 以前 可能토록 準備中

다. 國防部는 本隊 派遣 以前 10-20名으로 構成되는 先發隊 派遣 必要에 對備, 先發隊 派遣도 準備中

## 3. 國內 派兵 同意 節次

가. 軍醫療支援團 派遣은 憲法上 國會 同意를 얻어야 하며 同意 問題는 十字星 部隊 派越時와 같이 國防部가 主務部署가 되고, 外務部는 弘報等 協調토록 함

나. 1月初 次官會議, 國務會議를 거쳐 1.24. 開會되는 臨時國會에 同意 要請

0029

## 4. 豫算 措置

가. 사우디側은 醫療 支援團의 食糧, 燃料, 醫藥品 施設 使用料等을 負擔 提議

나. 我側은 輸送, 海外手當, 醫療裝備等에 대한 經費가 所要되나 具體的인 豫算 規模는 協商 代表團의 交涉 結果 후에 들어날 것임

다. 所要經費는 時期의 急迫性으로 政府 歲出 豫算 豫備費에서 使用이 不可避 (걸프事態 支援金에서의 支出 方案은 當初 美側과의 約束에 비추어 적절치 않음)

## 5. 弘報 計劃

가. 國會 野黨 議員이 越南戰의 예를 들어 醫療部隊(非軍事要員) 派遣이 軍事 要員의 派遣으로 連結되었다고 憂慮(與野 共히)를 표하고 있기 때문에 事前에 치밀한 弘報計劃이 必要

나. 1月初 黨政協議會를 거쳐 與野 指導層에 事前 非公式 通報

다. 弘報對策은 靑瓦臺 政策調整室에서 總括 調整토록 建議

라. 對內的으로 支持 輿論을 造成하고 對外的으로 美國等 友邦國에 대한 我國의 積極的인 態度를 알리는 效果를 거두기 위하여 積極的인 弘報 計劃이 必要

## 6. 對美 通報

가. 美國과의 通商摩擦 및 我國의 걸프事態 分擔金 支援實積이 未洽하다는 美側의 關心 表明을 감안 我側의 醫療 支援團 派遣 努力을 美側에 適切히 通報

나. 外務部 美洲局長, 醫療支援團 派遣 準備 狀況을 駐韓 美國 大使館에 通報

다. 協商 代表團의 歸國後 사우디側과의 協商 結果를 美側에 通報

0030

# 사우디側 醫療團 配置 要請 地域
(알바틴 또는 東部地域)

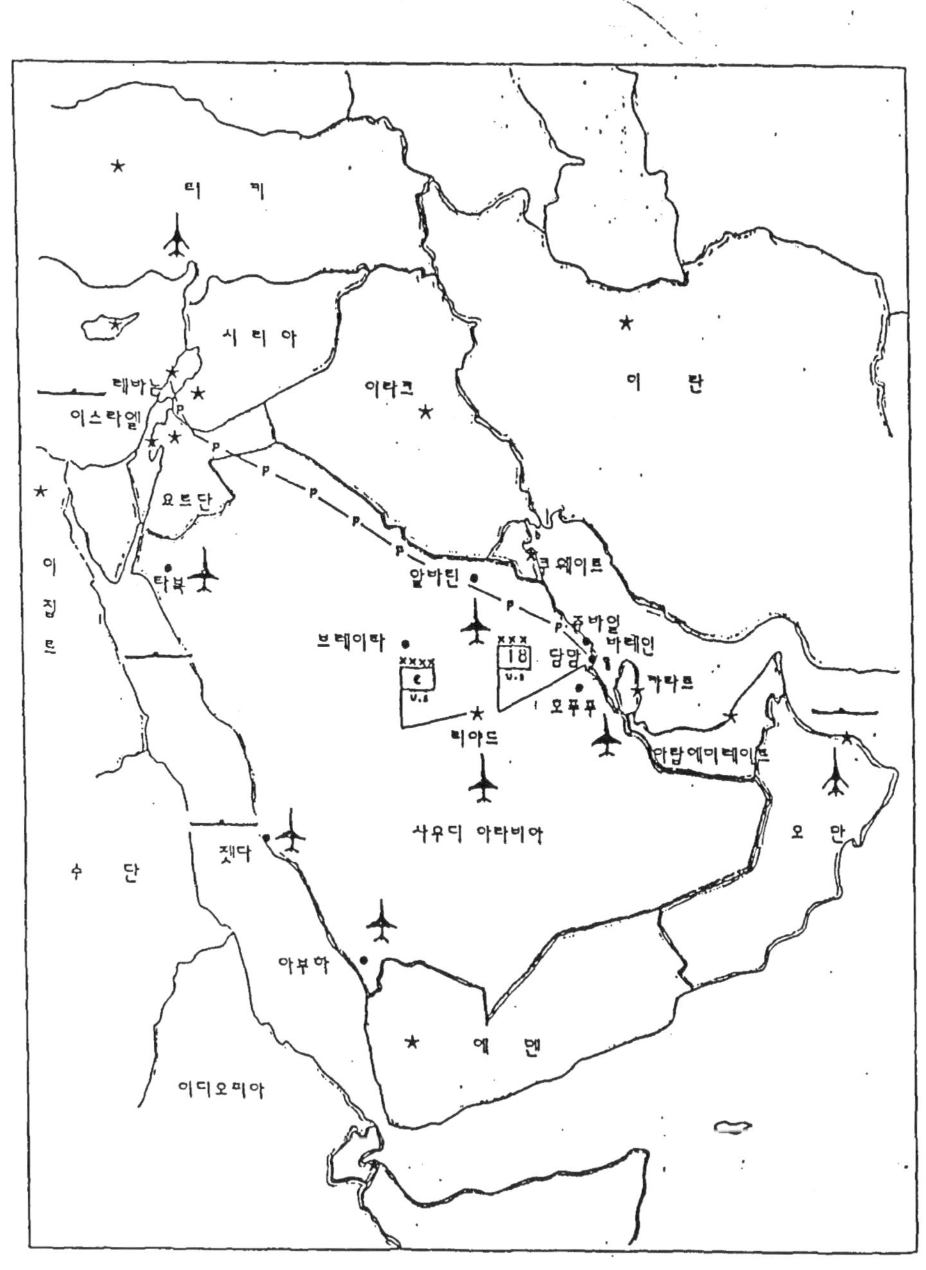


0031

# 현지조사 및 협의사항

국 방 부

0032

# 대외협력/군사실무약정 체결분야

| 항 목 | 주 요 내 용 |
|---|---|
| 협상창구 개설 | . 군사 실무협상 창구 개설(사우디 및 미군)<br>. 지원/협조체제 구성<br>. 주요인사 파악 및 접촉 |
| 주재국 요구사항 | . 파견요청 형식 및 시기<br>. 지원단 규모/파견시기/파견기간/요청분야<br>. 지원단 임무/치료대상 |
| 주둔위치 | . 주둔요구 위치 및 주둔지현황<br>- 전시 파견요원 안전고려, 위치 협상<br>. 현지정찰 및 조사 |
| 지휘/통제 | . 지원단 작전/군수/행정 지휘계통<br>. 지휘 및 협조체제/창구 개설<br>. 미군/사우디군에 연락장교 파견문제<br>. 본국과의 보고 연락 체제 |
| 편성/교육훈련 | . 지원단 편성 관련사항(현지 임무수행 고려)<br>. 교육훈련(적응) 소요 판단 |
| 부대이동 및 안전대책 | . 선발대 및 본대 출발시기/규모/도착/임무수행<br>. 출발/도착지, 이동방법, 이동간 안전대책 및 안내<br>. 경계대책 |
| 군사실무약정 체결 | . 체결형식, 체결당사자, 체결시기<br>. 실무약정서 내용 협의<br>- 임무, 지휘관계, 협조체제 구성 및 운용, 정보지원, 보급 지원, 근무지원, 인사근무, 통신지원, 경비분담, 통역관 및 일반 고용인 지원, 소송권, 권리/특권/면제/신분 및 지위 보장, 경계지원 등 |
| 경리사항 | . 급식, 출장, 여행, 현지구매/계약, 특별활동비, 휴가비, 현지민간인 고용비, 화폐지원, 재정관리 등 |
| 출입국/외환관리 | . 출입국 관리<br>. 통관 및 관세<br>. 외환관리 |

# 군 수 분 야

| 항 목 | 주 요 내 용 |
|---|---|
| 수 송 | . 도착지역 공항, 항만 확인 및 사용 협조<br><br>. 현지 수송대책<br>- 수송수단 및 소요, 수송책임, 현지수송계획, 이동간 경계 및 안내<br><br>. 현지활동 소요 차량지원 |
| 보 급 | . 급식대책<br>- 주부식 조달, 급수 지원<br>- 취사대책<br><br>. 제반 보급대책 |
| 시 설 | . 병원 및 숙영시설<br>- 시설소요, 지원/이용가능성, 시설관리 및 보수대책 |
| 장 비 | . 사우디 지원 여부<br><br>. 현지 특수장비 소요 및 장비 개조 필요성 |
| 정 비 | . 정비지원관계/수리부속 지원대책<br><br>. 사우디군 지원 능력 판단 |
| 군수협력 | . 군사실무약정(군수분야) 검토<br><br>. 군수지원 체계<br><br>. 한·미 상호 군수지원 관계<br><br>. 제3국군과의 군수협조 관계 |
| 기 타 | . 다국적군 보급지원 체제<br><br>. 환자 의약품/급식/피복 및 후송/영현 처리 등 |

2

0034

# 의 무 분 야

| 항 목 | 주 요 내 용 |
|---|---|
| 지원관련사항 | . 지원대상 및 범위<br>. 사우디측 요구 진료과목 및 수준 |
| 후송관련사항 | . 상급/인접/예하 의무시설<br>. 후송로, 후송지원 수단, 후송체계 |
| 병원시설 | . 사용시설 구비조건 충족 여부 및 소요판단<br>. 전기/급수/냉난방시설 등 |
| 보급/정비지원 | . 의약품, 위생재료 지원/사용<br>. 현 휴대장비/보유장비 소요<br>. 추가 소요장비 (기후 고려)<br>. 보급/정비 지원체제 |
| 교육훈련 | . 현지 적응에 필요한 교육/훈련사항 |
| 타국 의료지원 실태 | . 미군/사우디군/타 다국적군 의료시설<br>. 지원부대 의무시설 및 능력 |
| 기 타 | . 사상자 처리절차<br>. 사망자(영현) 처리문제<br>. 의료사고 처리문제<br>. 풍토병, 기후, 관습 등 |

## 기 타 분 야

| 항 목 | 주 요 내 용 |
|---|---|
| 미군과 협상할 사항 | . 한국정부의 사우디 지원계획 설명/미측 지원 협조<br>. 한·미군간 지원 협조체제<br>. 사우디측 지원불가 사항, 미측 지원가능 여부<br>. 미군/다국적군 활동 및 의료지원현황 등 정보 제공<br>. 경계 지원대책(이동/주둔) |
| 기타 정보수집 | . 중동전의 현지상황 및 전망<br>. 주재국 및 주둔예상지역의 지형, 기상, 기온, 전통, 풍속, 관습, 법률 등 파악<br>. 다국적군의 상황<br>- 지휘 및 협조체제<br>- 피지원국가의 지원사항<br>. 파견요원의 의식주에 관한 사항<br>. 기타 현지 임무수행에 필요한 사항 |

4

0036

# 걸 프 사 태  군 사 동 향

1990.12

주  사 우 디  무 관 부

-----------------------

0037

# 작 전 지 역 분 석

-------------------------

1. 지형

° 전선지역인 동부 및 동북부지역 95% 사막불모 지대로, 해안유전지대는 도로망 양호하나 그외는 사막으로 궤도차량은 대부분 통행 가능하나 일반차량은 부분적으로 가능

2. 기상

° 전선지역 현재 야간 최저 5°C 주간최고 20°C 내외이며 겨울철에는 가끔 가랑비가 오며 오후에 간헐적으로 사풍이 심함.

3. 사회

° 동북부지역은 주로 유전지대로 구성되어 쥬베일, 담맘, 다란등 주요항구가 위치하고 있으며 내륙쪽으로는 베드윈 및 일부 씨아파로 구성되어 있으며 특히 호포프 및 알카티프(씨아파 30만 거주)등에는 반정부 세력이 있어 일부지역 작전에 불리한 요소로 작용함.

4. 작전에 미치는 영향

° 현재 기후는 작전에 특별한 영향은 없으나 심한 일교차로 개인위생 문제 우려

° 간헐적인 오후의 사풍 작전방해(3월이후 심해짐)

0038

# 이 락 군 상 황

1. 배치 : 상황도 참조

2. 이락 군사력

ㅇ 아랍권의 군사력 비교

| 구 분 | 이 락 | GCC | 이 집 트 | 시 리 아 |
|---|---|---|---|---|
| 병 력 | 100만 | 16만5천 | 44만8천 | 40만4천 |
| 전 차 | 5,600 | 1,149 | 2,440 | 4,050 |
| 항공기 | 513 | 364 | 517 | 499 |

-아랍권의 GCC, 이집트, 시리아 병력과 대등

-쿠웨이트 병력의 49배, 전차의 20배

ㅇ 이락의 무기체계

| 구 분 | 종 류 | 특 징 |
|---|---|---|
| 전 차 | · T-54/55, T-59/69, T-72 | ㅇ 주로 소제 무기 (80% 이상)<br>ㅇ 구형 장비<br>ㅇ 일부 최신예 무기 보유(T-72, MIG-29, SU-24등) |
| 항공기 | MIG-21 23, MIG-29, 미라즈, SU-24 | |
| SAM | SA-2, -3, -6 | |
| SSM | FROG-7, SCUD-B, AI-HUSSAIN | |

0039

3. 편성

° 독립 기동부대 단위 : 여단

보병여단 편성

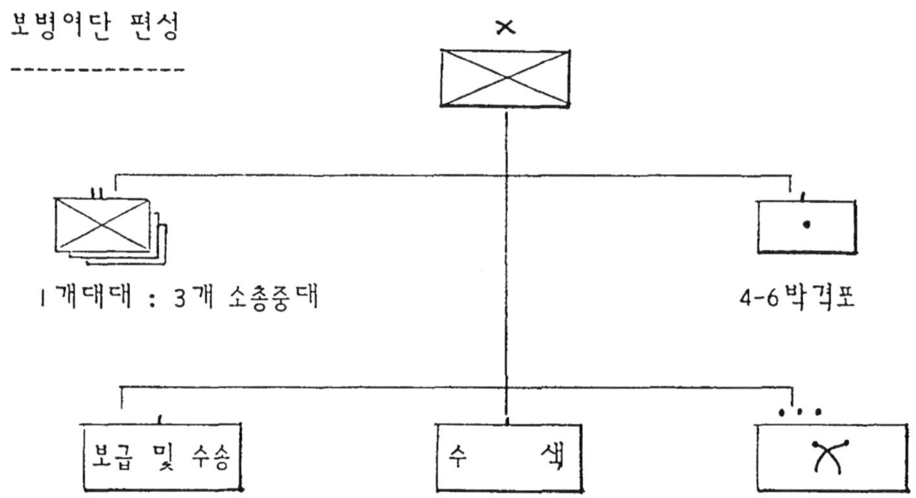


4. 특성 및 취약점

° 이란과의 8년간 전쟁으로 전투능력 강화(특히 공격전술 우수)

° 공화국 수비대의 전투능력 우수

° 취약점

-대부분 고위장교 싸담후세인 고향 출신으로 타출신 불만

-일반부대의 군기 및 사기 수준 저하

-보급선 신장과 물자부족으로 보급문제 심각

※ 6개월분 물자비축 1년간 현상유지 가능(주이락 독일무관 진술)

0040

## 다 국 적 군  상 황

1. 배치 : 상황도 참조

2. 편성

가. 사우디

| 정 규 군 | | | | | 방위군 | 내 무 성 | | | 계 |
|---|---|---|---|---|---|---|---|---|---|
| 지상군 | 공군 | 해군 | 방공 | 소계 | | 경찰 | 해안.국경수비대 | 소계 | |
| 38,000 | 16,500 | 7,800 | 3,000 | 65,300 | 32,500 | 16,000 | 15,000 | 31,000 | 128,800 |

나. 미군

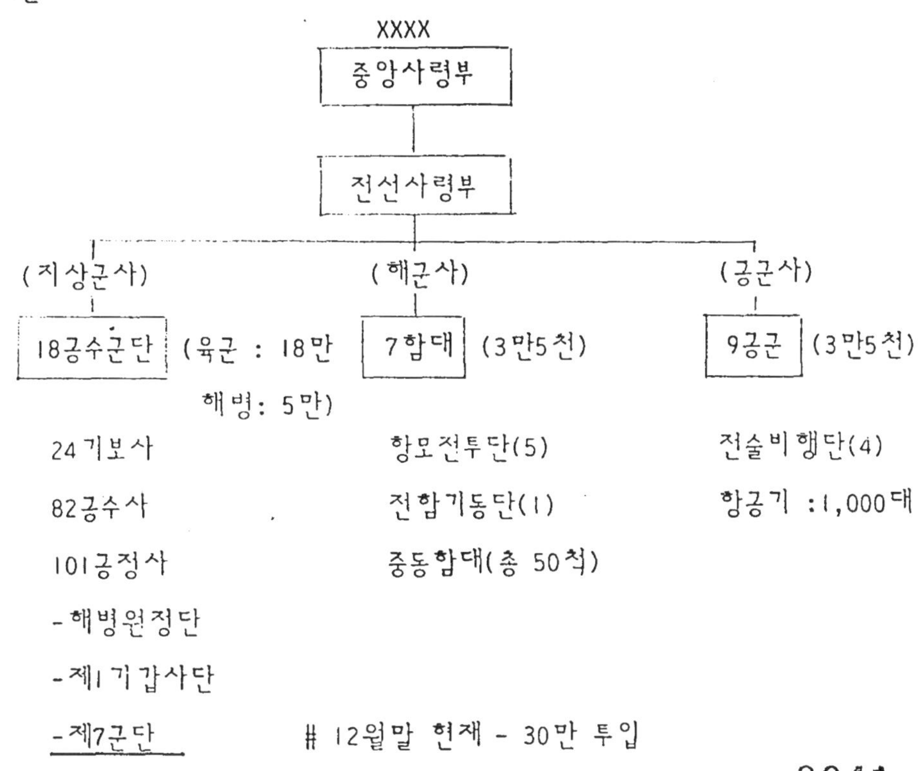


# 12월말 현재 - 30만 투입

0041

다. 다국적군 파견 현황(12월말 현재)

| 국 가 | 인 원 | 부대 및 장비 | 비 고 |
|---|---|---|---|
| 영국 | 17,000 | 탱크130(제7기갑여단)<br>함정 16척<br>전투기 50대 | 내년 1월중으로<br>14,000명 추가증원 |
| 불란서 | 15,000<br>(지상군:<br>5,500) | 전투기 30대<br>항모 1척<br>함정 14척 | |
| 스페인 | | 구축함 3척 | |
| 카나다 | 1,700 | 구축함 2척, 기타 1척<br>CF18-18대 | |
| 서독 | | 소해정 5, 경비정 2척 | |
| 이태리 | | 후리게이트 3척,<br>보급선 1척 | |
| 호주 | | 구축함 2척 | |
| 쏘련 | | 함정 2척 | |
| 이집트 | 20,000<br>(35,000) | 제4기갑사단 | 1만8천 증원중 |
| 시리아 | 20,000 | 탱크 100대 | |
| GCC<br>(쿠웨이트포함) | 10,000<br>(5,000) | | |
| 파키스탄 | 2,000<br>(7,000) | | 5,000명증파중 |
| 방글라데시 | 2,300 | 의무2개대대, 공병 1개대대, 보병1개대대, 보급정비 1개중대 | 3,000명증원 고려중 |

0042

| 모로코 | 1,200 | | |
|---|---|---|---|
| 니제르 | 500 | | 11.16 파견 |
| 세네갈 | 500 | | |
| 벨지움 | | 소해정 2척 | |
| 그리스 | | 구축함 1척 | |
| 베델란드 | | 구축함 2척 | |
| 체코 | 170 | 제독부대 | |
| 포르투칼, 노르웨이 | ? | ? | |

0043

라. 다국적군 특성 및 취약점

(1) 사우디

-훈련이 이락군에 비해 불충분하며 정밀장비 운용에 문제가 있음

-대부대 기동훈련 취약

-무기의 다양화로 통일된 전술 및 교리 적용곤란

-병력충원 곤란 및 보급정비 관련 외국군 및 민간의존

(2) 미국

-동부지역 밀집으로 대형공중공격에 취약

-장기간 사막생활로 인한 사기저하

-미첩보위성 추가요구(42개)

-동부기지 위주에서 중부기지 확보중

(3) 영국

-적극적으로 미군(미해병)과 합동작전 실시

(4) 프랑스

-작전협조는 사우디 및 미군과 하고있으나, 독립지휘 체계로 행동

(5) 기타 다국적군

-이집트, 시리아등 사단급이상 부대 파견국 이외는 상징적 의미

전반적인 문제점

- 통합작전 지휘체재 미흡(작전구역, 언어, 무기체계)
- 실상황시 각국의 이해관계로 각국의 실전투력 발휘 의문
- 보급문제(식량, 탄약등)
- 한정된 지역에 대규모 병력 투입으로 혼잡 야기(해군. 공군기지)
- 복지후생 지원

0044

# 미국의 군사 대응 방안

1. 해상봉쇄 작전

-석유.식량등 수출입 차단,대이락 "질식전략" 추구

-실질적 봉쇄조치 단행(8.19 최초 경고사격)

2. 공군 폭격작전

-후세인 및 화학무기 시설등 주요위협 제거

-산업.군수시설 파괴,경제봉쇄 성과 극대화

-이락 및 "쿠"영내 70개 목표 사전 선정

-5분내 방공망 파괴,36시간내 공군력 무력화

3. 지상군 작전

-"쿠"주둔 이락군 증원,연결 보급차단 및 고립

-절대우위 공중우세 전제,지상작전 개시

4. 기타 특수작전

-"쿠"해안 상륙작전

-특정목표 기습특공 작전

0045

## 국별 의무 지원 사항

| 순위 | 국 가 | 인 원 | 규 모 | 비 고 |
|---|---|---|---|---|
| 1 | 미국 | | -2개병원선(각1,000 베드, 12수술실 준비)<br>-이동외과 병원( )개 | 1개 이동외과병원 (60개베드, 2개 수술실) |
| 2 | 방글라데시 | 400명 | -2개 의무대대 | |
| 3 | 파키스탄 | 100명 | -1개 의무중대 | |
| 4 | 필리핀 | 200명 (민간인) | -민간의료 지원 | 3개지역 분산운용 |
| 5 | 영국 | 2000명 | -400베드 야전병원 자국 지원 | |
| | 검토중인 국가 | | | |
| 1 | 일본 | | | |
| 2 | 호주 | | -2개 의무팀 | |
| 3 | 체코 | | -야전병원 | |
| 4 | 폴란드 | | -1개 병원선 | |

0046

## 군의료지원 협조사항

1.부대예상 배치 지역

-알바틴

-동부지역

2.부대 경계문제

-사우디군 책임

3.기존시설 사용문제

-지역 및 부대규모에 따라 가변성이 있으나 사우디측 에서는 완전한 이동 외과병원 파견을 희망

4.지휘관계

-사우디군 통합사 예하 의무사령부

5.보급근무 지원관계

-식료품 제공(음수포함), 연료, 각종시설사용료 제공

6.본국 연락 및 업무협조

-대사관 무관부, 또는 별도 연락장교실

0047

## 페灣 事態 關聯

## 醫療 支援團 派遣 協商 代表團 參考資料

1991.1.

美 洲 局

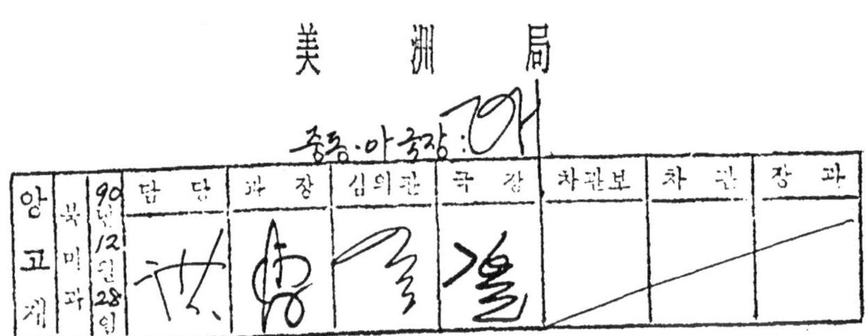


0048

걸프 事態 關聯

醫療 支援團 派遣 協商 代表團 參考資料

1991.1.

美 洲 局

0049

# 目 次



0050

I. 航空 日程

| 日 字 | 時 間 | 槪 要 | 航空便 | 飛行 時間 | 時差 |
|---|---|---|---|---|---|
| 12.29(土) | 09:40 | 서울 出發 | KE 631 | 5時間 40分 | - 2 |
| | 13:20 | 방콕 到着 | | | |
| | 19:55 | 방콕 出發 | SV 377 | 7時間 45分 | - 4 |
| | 23:40 | 리야드到着 | | | |
| 1. 7(월) | 18:10 | 리야드出發 | SV 264 | 1時間 | 0 |
| | 19:10 | 바레인到着 | | | |
| | 21:35 | 바레인出發 | CX 200 | 7時間05分 | + 5 |
| 1. 8(화) | 09:40 | 홍콩 到着 | | | |
| 1. 9(수) | 10:00 | 홍콩 出發 | KE 608 | 3時間 | + 1 |
| | 14:00 | 서울 到着 | | | |

0051

## Ⅱ. 代表團 構成

ㅇ 團　　長　이해순 外務部 中東.阿 局長

(靑瓦臺)

ㅇ 이민재 外交 安保 補佐官室 大領

(外務部)

ㅇ 김동억 中近東課 書記官

ㅇ 홍석규 北美課 書記官

(經企院)

ㅇ 김춘선 防衛豫算課 事務官

(國防部)

ㅇ 유진규 政策企劃官室 聯合防衛課長

ㅇ 이성우 軍需局 大領

ㅇ 김준일 醫務管理官室 大領

ㅇ 박동수 首都統合病院 大領

ㅇ 황진하 合參 軍事協力官室 大領

0052

## Ⅲ. 걸프事態 關聯 我國 支援內容

### 1. 槪 要

(單位 : 万弗 )

| 區分 / 年度 | 多國籍軍 支援 | 周邊國 經濟支援 | 小 計 |
|---|---|---|---|
| '90 | 9,500 | 7,500 | 17,000 |
| '91 | 2,500 | 2,500 | 5,000 |
| 계 | 12,000 | 10,000 | 22,000 |

o 90年度 支援 內譯

(單位 : 万弗)

| 支援內譯 / 國別 | 多國籍軍 活動 | | | 周邊國 및 國際機構 | | | | 計 | 비고 |
|---|---|---|---|---|---|---|---|---|---|
| | 現金 | 輸送 | 軍需物資 | EDCF | 生必品 | 쌀 | IOM | | |
| 美 國 | 5,000 | 3,000 | | | | | | 8,000 | |
| 이집트 | | | 700 | 1,500 | 800 | | | 3,000 | |
| 터 키 | | | | 1,500 | 500 | | | 2,000 | |
| 요르단 | | | | 1,000 | 500 | | | 1,500 | |
| 방글라데시 | | | | | | 500 | | 500 | |
| 시리아 | | | 600 | | 400 | | | 1,000 | |

0053

(單位 : 万弗)

| 支援內譯 / 國別 | 多國籍軍 活動 | | | 周邊國 및 國際機構 | | | | 計 | 비고 |
|---|---|---|---|---|---|---|---|---|---|
| | 現金 | 輸送 | 軍需物資 | EDCF | 生必品 | 쌀 | IOM | | |
| 모로코 | | | 200 | | | | | 200 | |
| I O M | | | | | | | 50 | 50 | |
| 其他(行政費) | | | | | 50 | | | 50 | |
| 豫備 | | | | | 200 | 500 | | 700 | |
| 小 計 | 5,000 | 3,000 | 1,500 | 4,000 | 2,450 | 1,000 | 50 | 17,000 | |
| 計 | 9,500 | | | 7,500 | | | | 17,000 | |

2. 對美 支援 現況

o 現金 支援 : 總5,000万弗

- 追更 豫算이 外務部 豫算으로 移管됨에 따라, 뉴욕 소재 美 聯邦 準備 銀行(Federal Reserve Bank)의 "防衛 協力 口座"(Defense Cooperation Account)에 12.26(水) 送金 措置

o 輸送 支援 : 總3,000万弗中 年末까지 1,750万弗 상당 支援 豫定

- 貨物 航空機 支援 : 年末까지 24回에 걸쳐 약1,100万弗 상당 支援豫定
- 貨物 船舶 支援 : 年末까지 3回에 걸쳐 約650万弗 상당 支援 豫定

0054

3. 기타 多國籍軍 活動 支援 및 周邊國 經濟 支援

ㅇ 多國籍軍 活動에 참여하고 있는 이집트, 시리아, 모로코등 國家에 대하여 1,500万弗 상당의 非殺傷用 軍需 物資 支援을 위해 受援國과 協議中

- 10.27-11.8 간 政府 調査團(團長 : 外務次官) 派遣 直接 協議

* 非殺傷用 軍需 物資 : 방독면, 침투 보호의, 해독제등 대 화생방전 장비

4. 周邊 被害國 支援 推進 現況

ㅇ 이집트, 터키, 요르단, 시리아등과 支援 品目 및 EDCF 借款 事業 計劃 協議中

- 10.27-11.8 間 政府 調査團 派遣 協議

- 支援 對象 品目에 대한 詳細 資料 受援國 送付 및 協議

5. 其 他

ㅇ 對 IOM 50万弗 支援

- 90.12.27. 送金 措置

ㅇ UNESCO 難民 子女教育 特別 資金 支援

- 總 189万弗中 約 5万弗 支援 豫定

0055

## Ⅳ. 醫療 支援團 派遣 推進計劃(案)

### 1. 醫療團 派遣 推進 現況

o 政府는 9.24. 페르시아灣 事態 關聯 支援計劃 發表時 2億 2千万弗의 支援에 追加하여 醫療團 派遣을 肯定的으로 檢討中임을 公表

o 政府는 9.25. 醫療團 派遣時 配置地域, 指揮體系, 診療對象 等 關聯 事項에 대해 美側과 協議 開始

o 美側은 11.1. 醫療團 派遣問題를 我國 政府가 직접 사우디 政府와 交涉, 推進할 것을 勸誘

o 政府는 美側立場 및 日-사우디間 醫療團 派遣交涉時 사우디側이 보인 微溫的인 態度를 考慮, 事態推移 觀望中

- 日本이 지난 9월, 17명의 제1차 선발 醫療團을 사우디 및 요르단에 派遣 協議時, 사우디側은 後方 支援을 위한 醫療團은 不要하다는 立場 表明 (다만, 前方에서 活動할 醫療團은 받아 들이겠다는 立場)
- 이에따라 日本은 제2차 선발 醫療團으로 醫師 2명만을 派遣키로 決定

0056

o 90.12.3.駐 사우디 大使로 하여금 사우디 政府에 我國의 醫療團 派遣 意思를 傳達하고 이에대한 사우디側 反應을 把握토록 指示

- 駐韓 사우디 大使館側에도 通報
- 12.5. 사우디側은 關係 機關과 協議後 사우디 立場 通報 豫定이라 언명

2. 向後 推進 計劃

o 사우디 政府가 우리의 提議를 歡迎함에 따라, 外務部,國防部 等의 關係官으로 構成된 協商團을 사우디에 派遣, 派遣條件, 時期 等 具體的인 事項에 관해 직접 協議토록 措置

- 美側과 側面 緊密 協議 竝行

* 사우디側과의 主要 協議 事項

o 派遣 時期
  - 對이라크 武力使用을 許容하는 11.29.자 유엔安保理 決議 內容을 감안, 對이라크 制裁措置에 대한 國際的인 努力에 同參 効果를 극대화하면서 美側의 追加 支援要請 可能性을 考慮할 必要
o 指揮體系 및 配置地域
o 補給支援 體制
o 현지 運營維持 支援
o 醫療施設 問題
o 警戒要員 必要性

0057

ㅇ 兩國間 合意 到達時 國會 同意 등 醫療團 派遣을 위한 國內節次 進行

- 國民與論 감안, 言論 및 國會에 대한 醫療團 派遣 必要性 및 名分 弘報 전개

- 憲法 제60조 제2항의 規定에 따른 國會 同意 節次 進行

* 憲法 第60條 第2項

② 國會는 宣戰布告, 國軍의 外國에의 派遣 또는 外國軍隊의 大韓民國 領域안에서의 駐留에 대한 同意權을 가진다.

3. 醫療 支援團 派遣 關聯 關係部處 實務 會議(12.24) 結果

가. 醫療 支援團 派遣

1) 必要性

ㅇ 美國과의 通商 摩擦 및 我國의 灣事態 分擔金 支援 實績이 未洽하다는 美側의 關心 表明을 감안하고 國際的인 平和 努力에 積極 參與한다는 뜻에서 가능한한 早速 醫療 支援團 派遣이 要望됨.

0058

o 특히 그동안 微溫的 態度를 취해온 사우디側이 1.15. 以前 派遣을 희망하는등 我側 提議에 積極的 反應을 보이고 있는 점을 감안함.

2) 早期 派遣 方案

o 民間 醫療陣(公衆保健醫 包含) 派遣 問題는 選拔上 隘路, 現行法上 問題等으로 現實的으로 不可能하다는 結論이었음.

o 美國에 대한 誠意 表示로 國會 同意前 우선 小規模의 民間 醫療陣 派遣 可能性을 檢討하였으나 역시 上記와 같은 이유로 어렵다는 結論이었음.

o 따라서 91.1.15. 以前 軍醫務要員으로 構成된 先發隊를 派遣하는 方案이 採擇됨.(이 境遇 實務 調査團이라는 名稱을 使用하여 海外出張 形式을 취함으로써 國會 同意 以前 派遣이 可能함.)

3) 規 模

o 通常 移動외과 病院의 規模인 100名 內外를 考慮하되 사우디側과의 協商 結果에 따라 行政, 警備 兵力을 包含 250名까지 될 수도 있음.

0059

4) 時 期

ㅇ 選拔 節次, 國會 同意 獲得, 豫算問題等으로 本隊 派遣은 91.1.30. 以後에나 可能할 것이라는 結論임.

5) 國會 同意

ㅇ 軍 醫療 支援團 派遣은 憲法上 國會 同意를 얻어야 하며 이 問題는 國防部와 外務部가 繼續 協議하기로 함.

ㅇ 91.1.24. 開會되는 臨時國會 同意 要請

6) 所要經費(輸送費, 海外勤務手當等)

ㅇ 미灣 支援金에서 使用하는 方案은 當初 美側과의 約束에 비추어 適切치 않다는 結論이었음.(我國 미灣支援 發表時 醫療團 派遣을 追後 別途로 檢討할 것임을 밝힌바 있음.)

ㅇ 政府 歲出 豫算 豫備費 使用이 不可避하다는 意見임.

7) 軍 醫療陣의 名稱 問題

ㅇ 移動外科 病院(MASH)은 性格上 最前方 配置가 不可避할 것이므로 人命被害 可能性과 經費 과다 所要等에 비추어 "醫療 支援團 (Medical Support Group)" 으로 呼稱키로 合意

0060

나. 弘報 對策

1) 醫療 支援團 派遣을 可及的 빨리 公開하여 對內的으로는 支持 與論을 造成하고 對外的으로도 美國等 友邦國에 我國의 積極的인 態度를 알리는 効果를 거두도록 함.

2) 國會 同意에 對備 與野 指導者에 事前 非公式 通報가 필요함.

3) 弘報 對策은 青瓦臺 政策 調査補佐官室에서 總括 調整함.

다. 協商 代表團 派遣

1) 時　期 : 12月末경부터 約 10日間 사우디 派遣

2) 構　成 : 青瓦臺, 經濟企劃院, 外務部, 國防部, 安企部 實務者로 構成(團長 : 外務部 中東.阿局長)

3) 目　的 : 사우디側과 指揮系統, 地位問題, 活動, 配置地域, 裝備, 施設使用 經費問題等 協議

0061

## V. 各國의 醫療團 派遣 現況

美 國

o 사우디 담만항에 病院船 2隻 派遣

- 受容 能力 : 1,000 beds

o 사우디 알바틴에 綜合 醫療團 運營

- 受容 能力 : 350 beds
- 醫 療 團 : 專門醫 35名

英 國

o 醫師 200名 및 400 病床 規模의 野戰 病院 派遣 豫定

(Arab News 紙 最近 報道)

방글라데시

o 사우디 政府가 正式 特使 派遣하여 要請

- 派遣前 2-3名의 實務팀 訪問

0062

- 適用 法律, 經費負擔 主體, 事故時 處理節次, 武器 및 彈藥 支給方法等 諒解覺書를 作成, 사우디 政府에 修交

o 2個 醫務中隊 300名 派遣

- 將校 16名, 士兵 84名

파키스탄

o 사우디 政府가 正式 特使 派遣하여 要請

o 1個 醫務中隊 100여명

필리핀

o 民間 醫療 支援팀 240名 사우디 派遣 (11.17. 駐 사우디 필리핀 大使 發表)

- 派遣에 따른 別途 協定 未締結

폴란드

o 病院船 1隻 派遣 檢討中

0063

濠 洲

o 2個 醫務팀 派遣 檢討中

체 코

o 野戰 病院 派遣 檢討中

泰 國

o 醫療陣 派遣 檢討中

日 本

o 民間 醫療陣 派遣 檢討를 위한 사우디 政府와의 交涉이 中斷狀態

0064

## Ⅵ. 醫療支援團 派遣 關聯 協議 必要事項

### 1. 重點 協議 事項

o 配置場所 및 派遣期間

o 指揮體系 및 診療對象

o Camp 位置 및 경계요원 必要性 與否

o 醫療 補給品(藥品, 醫療品) 支援 問題

o 駐屯軍 地位 問題

o 醫療團員의 衣.食.住 問題

o 病院 施設 問題

o 協調 窓口問題等

### 2. 韓.美 駐屯軍 地位協定 體制

前 文

第 1條 定 義(Definitions)

0065

第 2 條 施設과 區域-供與와 返還(Facilities and Areas-Grant and Return)

第 3 條 施設과 區域- 保安 措置(Facilities and Areas-Security Measures)

第 4 條 施設과 區域-施設의 返還(Facilities and Areas-Return of Facilities)

第 5 條 施設과 區域-經費와 維持(Facilities and Areas-Cost and Maintenance)

第 6 條 公益事業과 用役(Utilities and Services)

第 7 條 接受國 法令의 尊重(Respect for Local Law)

第 8 條 出入國(Entry and Exit)

第 9 條 通關과 關稅(Customs and Duties)

第 10 條 船舶과 航空機의 寄着(Access of Vessels and Aircraft)

第 11 條 氣象 業務(Meteorological Services)

第 12 條 航空 交通 管制 및 運航 補助 施設(Air Traffic Control and Navigational Aids)

0066

第 13 條 非歲出資金機關(Non-appropriated Fund Organizations)

第 14 條 課 稅(Taxation)

第 15 條 招請 契約者(Invited Contractors)

第 16 條 現地 調達(Local Procurement)

第 17 條 勞 務(Labor)

第 18 條 外換 管理(Foreign Exchange Controls)

第 19 條 軍 票(Military Payment Certificates)

第 20 條 軍事 郵遞局(Military Post Offices)

第 21 條 會計 節次(Accounting Procedures)

第 22 條 刑事 裁判權(Criminal Jurisdiction)

第 23 條 請求權(Claims)

第 24 條 車輛과 運轉免許(Vehicle and Driver's Licenses)

第 25 條 保安 措置(Security Measures)

0067

第 26 條 保健과 衛生(Health and Sanitation)

第 27 條 豫備役의 訓練(Enrollment and Training of Reservists)

第 28 條 合同 委員會(Joint Committee)

第 29 條 協定의 効力 發生(Entry into Force of Agreement)

第 30 條 協定의 改正(Revision of Agreement)

第 31 條 協定의 有效 期間(Duration of Agreement)

0068

## Ⅶ. 페르시아灣 事態 解決展望

### 1. 美國의 立場

o 美國은 이라크軍의 쿠웨이트로부터의 完全撤收等 美國의 基本目標에는 변화가 없음을 강조하며, 武力使用 可能性을 強力 暗示하는 등 "極限 政策"(Brinkmanship) 계속 추구

- 걸프 地域 駐屯美軍 增派
- 이라크가 91.1.15 까지 쿠웨이트로부터 撤收하지 않을 경우 對이라크 無力使用을 許容하는 유엔 安保理 決議 678호 採擇에 成功

o 한편, 11.30. 부쉬 大統領은 美-이라크 兩國 外務長官의 相互交換 訪問을 提議, 和戰 兩面 戰略 驅使

- 부쉬 大統領의 同 提案이 이라크측의 무성의로 실패할 경우, 無力(武) 使用 名分 제공
- 美側은 현재 베이커 國務長官이 91.1.3. 이전 이라크 訪問이 이뤄져야 된다는 점을 내세우며 이라크 外務 長官 訪美 保留 (부쉬 行政府의 事態의 部分的 解決 反對 立場 反映)

0069

2. 이라크의 立場

o 이라크는 美國의 兵力增派, 유엔 安保理 決議 678호 통과등 國際的 壓力 가중에도 불구, 人質 釋放外에 별다른 態度 變化 없음.

- 이라크, 베이커 長官의 바그다드 訪問 日字를 1.12로 제시하면서 일종의 遲延作戰 전개

- 또한 금번 事態와 팔레스타인 問題 解決과의 連繫 作戰도 전개

o 이라크는 시간끌기 作戰으로 美國內 輿論 分裂, 對이라크 封鎖 前線 瓦解等 기도

3. 展 望

| 이라크軍의 部分的 撤收 可能性 |
|---|

o 美軍等 多國籍軍의 攻擊 臨迫 직전, 이라크軍이 쿠웨이트로부터 부분적으로 電擊 撤收할 可能性

- Webster CIA 局長, 12.15 자 W.P.지와의 인터뷰시 동 가능성 언급

o 現在 美國은 베이커 長官의 NATO 外務長官 會議 參席 機會를 活用, 여사한 이라크軍의 부분 撤軍은 事態 解決 方法이 될 수 없다는 점을 對이라크 封鎖 前線 參與國에게 설득 노력중

0070

- 이라크측이 부분적으로 電擊 撤收時 美國의 全面 武力 使用은 사실상 不可能하게 되고 事態는 부분적 解決 상태의 固着化 可能性

美國의 對이라크 攻擊 可能性

o 91.1.15 까지 아라크측이 全面 撤收를 하지 않는 경우, 對이라크 攻擊을 開始한다는 것이 美國의 公式 立場
  - 武力을 사용하게 될 경우 이라크의 細菌武器 貯藏庫等 軍需施設, 後方 補給線 및 미사일 基地等을 先制 奇襲 空中 爆擊 예상
    · 人命 損失 최소화 및 이라크의 反擊 能力 消滅 목적

o Carl Ford 美 國防部 東亞.太 擔當 副次官補는 90.12.18. 武力 使用 가능성 強力 示唆

0071

# 대 표 단 일 정

| | 12.29(토) | 12.30(일) | 12.31(월) | 1. 1(화) | 1. 2(수) | 1. 3(목) | 1. 4(금) | 1. 5(토) | 1. 6(일) | 1. 7(월) |
|---|---|---|---|---|---|---|---|---|---|---|
| 오 전 | | 10:00<br>대사관방문 | 10:00<br>외무부 대사<br>OMAR MADANI | | 전방 방문 | 전방 방문 | 고위인사<br>예방 및<br>실무협의 | | 자 유 | 준 비 |
| 오찬 | | 11:40-12:40<br>비 원 | | | | | | | | |
| 오 후 | | 13:00<br>국방부 의무<br>국장 소장<br>FARAIJI | 미 중앙사<br>방문 예정 | | 14:00<br>통합군사령관<br>KHALID BIN<br>SULTAN | | | | | 22:15 출발<br>SV 386 |
| 만찬 | | 18:30<br>대사관저 | 18:30<br>무관관사 | | | | | | | |
| 비 고 | 하이야트호텔 | # 1. 2 이후 | 일정은 잠정 | | | | | | | |

0072

# Expedition of Korean Military Medical Support Group
# to the
# Kingdom of Saudi Arabia

January 1991

Ministry of Foreign Affairs

0073

1. Composition of Korean Military Medical Support Group

A. Organization

| | |
|---|---|
| Headquaters | : 36 Persons |
| Administration | : 37 " |
| Clinic | : 49 " (includes 26 Doctors) |
| Nursing | : 32 " |
| Total | : 154 Persons |

B. Doctors : 26 Persons

| | |
|---|---|
| - Orthopedics | : 5 Persons |
| - General Surgery | : 4 " |
| - Anesthesia | : 3 " |
| - Neurological Surgery | : 2 " |
| - Radiology | : 2 " |
| - Family Medicine | : 2 " |
| - Internal Medicine | : 1 " |
| - Pathology | : 1 " |

0074

2. Site

o Location : Saudi Field Hospital at Al-Nuairia
(120 Km South from Kuwait-Saudi Border, 180 Km NW from Dharan, 500Km NE from Ryadh)

o Hospital Building and Medical Equipments will be provided by Saudi Government.

3. Schedule

A. Advance Team

o Departure : January 15, 1991

o Composition(Total : 26 Persons)

- Medical Team : 17 Persons
- Support Personnel : 3 "
- Local Liaison Personnel : 6 "

B. Main Team

o Departure : First week of February, 1991, just after the authorization by the National Assembly

0075

4. Budget(FY 91)

o Total : ₩9,820 Million
(equivalent to US $ 13.75 Million)

5. SOFA

o To be negotiated with Saudi Government

6. Support From U.S. Government

A. Emergency coordination in the field of Logistics, Communication, Evacuation

B. Access to U.S. recreation and other facilities

7. Schedule for the authorization by the National Assembly

A. Consultation with ruling party : January 14-15

B. Approval by the Cabinet Meeting : January 17

C. Approval by the President and submittance to the National Assembly : January 18-21

0076

ARRANGEMENT

between

THE MINISTRY OF DEFENSE AND AVIATION

OF THE KINGDOM OF SAUDI ARABIA

AND

THE MINISTRY OF NATIONAL DEFENSE

OF THE REPUBLIC OF KOREA

ABOUT

THE CONDITION OF STAY OF THE KOREAN MEDICAL TEAM

ON THE TERRITORY OF THE KINGDOM OF SAUDI ARABAI.

In accordance with agreement signed between the Government of Kingdom of Saudi Arabia and the Government of the Republic of Korea to send Korean Medical team consisting of medical component and their aids, to the lands of the Kingdom of Saudi Arabia, hereinafter referred to as the first Party, the Ministry of Defense and Aviation and Inspector General in the Kingdom of Saudi Arabia and the Mnisitry of National Defense of the Republic of Korea, hereinafter referred to as the second Party, have agreed on the following:

ARTICLE I

1. The Koean medical component will consis of minimum of 100 highly qualified persons of the following specializations:

- Doctors 30
- Technicians 30
- Nurses 30
- Assistants 8
- Liaison officers 2

2. The personnel is to work in the military hospitals.
3. The personnel will be used according to the declared profess-ional qualifications.

4. The personnel will be subordinated to the Hospitals' General Managers through a Senior Korean Doctor appointed for each hospital. The Senior Doctor will be responsible for the conduct of his sub-ordinate personnel.

0077

ARTICLE 2

1. The personnel will be provided with cloths and shoes as well as food, accomodation, laundry and recreation free of charge.

2. The hospitals will provide medical care free of charge for the Korean personnel.

ARTICLE 3

1. The Senior Doctor will be superior to the Korean Medical team and employees deployed on the Saudi Arabia territory.

2. The Senior Doctor will be informed about any Medical team accident and about the results of the investigation. The nearest located Korean officer should be called to witness the accident.

ARTICLE 4

1. After the Medical team entry to the territory of the Kingdom of Saudi Arabia, the official representatie will inform them of the rules, regulations, customs and traditions which should be followed and respected on its territory.

2. They will be informed also about any other local regulations and restrictions introduced on the area of their deployment.

3. All Medical team members will be provieded with ID cards.

4. The first Party will inform the Korean Senior Doctor about any behaviour of the Medical team members which is contrary to the legal order of the first Party as far as it knows about it.

0078

(3)

ARTICLE 5

1. The first Party will provide, after consultations and agreement with the Senior Doctor, the necessary dress to enable members of the Medical team to stand the climate conditions in the first Party free of charge.

2. The members of the Korean Medical team will bear the emblems with the national symbols acording to the Korean Army regulations.

ARTICLE 6

1. The first Party will provvide the medicine and medical items for the Medical team free of charge.

2. The first Party will take the responsibility of provviding means of transport to the members of the Medical team who wuffer aute health conditions in case their conditions need to be treated in specialized hospitals when asked by the Senior or Doctor.

3. Regarding the firm situation, both parties will agree on the antiepideiological measures to safegurad the members health.

ARTICLE 7

1. The first Party will provide communication for Korea the Medical team from its location to its own communication facilities.

2. The first Party will carry out all necessary measures to ensure the flow of mail deliery transported from Korea to the Medical team and back to its origin, including the mail of individual packages.

0079

(4)

ARTICLE 8

Both Parties will ensure the security of all information which are made secret by any of the Parties and that they will not be passed on any other State. All secret information will not used against any of the Contracting Parties.

ARTICLE 9

1. The Joint Committee will settle all current problems resulted from fulfillment of the Agreement as well as all urgent matters resulted from the Medical tea.

2. The Committee has the right to suggest any amandments to the Arrangment.

3. The Committee will consist of the equal number of representatives from the Korean Medical team and the Saudi Arabian Authorities.

4. The Committee has the right - after evaluation of the situation - to suggest the Ministries of Defense of both Parties settling and finishing all matters concerning activities of the Korean Medical team.

ARTICLE 10

1. The Arrangement will enter into force from the date of its signing.

2. Either Party has the right to suggest any changes to this Arrangement. The agreed changes will be in force in the manner and in accordance with implementation of this Arrangement.

0080

Done in Riyadh on ____th January 1991, corresponding to ____ th Jumada II, 1411 H, in three originals, each of them is made in English, Arabic, and Korean language. In case of any dispute concerning interpretation of this Arrangement, the English text will prevail.

FOR THE MINISTRY
ON NATIONAL DEFENSE
OF THE REPUBLIC OF KOREA

FOR THE MINISTRY
OF DEFENSE AND AVIATION
AND INSPECTOR GENERAL
OF THE KINGDOM
OF SAUDI ARABIA

Lt. General
Khalid Bin Sultan
Bin Abdulaziz
Commander
of the Joint Forces
and Theatre of Operations

AGREEMENT
between
THE GOVERNMENT OF KINGDOM OF SAUDI ARABIA
AND
THE GOVERNMENT OF THE REPUBLIC OF KOREA
ON THE ACTIVITIES OF THE KOREAN MEDICAL TEAM
ON THE THE TERRITORY OF THE KINGDOM OF SAUDI ARABIA

The Government of the Kingdom of Saudi Arabia and the Government of Republic of Korea, pursuant to close and longstanding ties and as a result of the present unsettled conditions in the Gulf area, which threaten the security and safety of Saudi Arabia, and in recognition of the grave breach of the peace of the region and of the United Nations Security Council Resolutions have reached the following Agreement.

ARTICLE I

The Government of Republic of Korea in request of the Government of the Kingdom of Saudi Arabia and in exercise of the rights for collective and individual self defense according to ARTICLE 51 of the U.N. Charter, will send Medical team to the Kingdom of Saudi Arabia hereinafter referred to as Medical team.

ARTICLE II

The purpose of using the Medical team in the Kingdom of Saudi Arabia, in accordance with this Agreement is for providing the medical support in form of the medical specialized personnel for treatment of wounded and sick persons.

ARTICLE III

The Medical team will depart the Kingdom of Saudi Arabia on the basis of the decision of the Government of the Kingdom of Saudi Arabia. The Govvernment of the Republic of Korea likewise reseres the right, after consulation with Government of Kingdom of Saudi Arabia, to withdraw its Medical team from the Kingdom of Saudi Arabia but confirms that it will not do so on less than 30 days notice except in case of emergency.

0082

ARTICLE IV

The Medical team will follow the strategic quidance of supreme commander of the Saudi Armed Forces through the Head of the Medical team without prejudice to the laws and regulations of the Republic of Korea.

ARTICLE V

An engagement of the Medical team out of the territory of the Kingdom of Saudi Arabia is subject of a decision of both Contracting Parties.

ARTICLE VI

The Medical team which is on the territory of the Kingdom of Saudi Arabia will abide by and respect the laws and regulations, customs and traditions of the Kingdom of Saudi Arabia and will have a duty not to interfere in the internal affairs of Saudi Arabia.

ARTICLE VII

The members of the Medical team including civvilian employed or engaged of the Government of the Republic of Korea and sent to the Kingdom of Saudi Arabia will enjoy the same immunities of the Kingdom of Saudi Arabia as are enjoyed by members of the administrative and technical staff of a Diplomatic Mission.

ARTICLE VIII

The personnel of the Medical team including the ciilians sent by the Government of the Republic of Korea to the Kingdom of Saudi Arabia has the right to import to the Kingdom of Saudi Arabia equipment and materials which the Medical team needs to make the mission possible in the Kingdom of Saudi Arabia without any permission. They will be exempted from all customs and taxes and the equipment and materials will not be confiscated or taken over. This will include all personnel belongings and materials necessary for personal use and consumption by the personne of the Medical team. All belongings, what-so-ever, which are imported without customs and exempted from taxes and customs according to this Agreement, will be taxed and subject to customs if sold in the Kingdom of Saudi Arabia to any persons, apart from those who are exempted from paying taxes and customs.

## ARTICLE IX

The Contracting Parties will not make any claims against each other for compensation for damages or injuries caused to the Armed Forces personnel or personnel employed by their acts or omissions in the course of their duties and in their official erea. Each Contracting Party will be responsible for dealing with claims raised by its own citizens.

## ARTICLE X

The Contracting Parties will establish a Joint Consultative Committee to ensure the implementation of this Agreement.

## ARTICLE XI

- This Agreement is subject to approval in accordance with the internal regulations of each Contracting Party and enters into force from the date of exchange of notes confirming such approval.

- This Agreement will be preliminary fulfilled from the date of its signature.

- In case of the withdrawal of the Medical team according to the Article III of the this Agreement, the Agreement will terminate with the exception of Article IX on the day of departure of the last item of the Support Force.

0084

## ARTICLE XII

The Govvernment of the Kingdom of Saudi Arabia will facilitate and provide all necessary services and materials for activities whicl will be executed by the Medical team. The details of payment will settled in an Arrangement which will be concluded by the competent authorities of both Contracting Parties.

Done in ____ January 1991, corresponding to ____th Jumada II, 1411H. in three original, each in Korean, Arabic and English languages. In case of disputes the English text prevails.

| For the Government of the Republic of Korea | For the Government of the Kingdom of Saudi Arabia |
| --- | --- |
| | Lt. General<br>Khalid Bin Sultan Bin Abdelaziz<br>Commander of the Joint Forces<br>and Theatre of Operations. |

영·아 한국어로 작성

0085

| 관리 번호 | 90/17729 |
|---|---|

원 본

# 외 무 부

종 별 :

번 호 : SBW-1224 일 시 : 90 1230 1500

수 신 : 장 관(중근동,미북,국방부)

발 신 : 주 사우디 대사

제 목 : 협상대표단 도착

대:WSB-599

대호관련, 사우디 의료지원 협상대표단 일행 예정대로 작 12.29 리야드에 도착했음

(대사 주병국-국장)

예고:91.6.30 일반)

김세관 (과장)

중아국 미주국 국방부

PAGE 1

90.12.31 00:17

외신 2과 통제관 CW

0086

| 관리번호 | 90/1728 |
|---|---|

원 본

# 외 무 부

종 별 : 지 급

번 호 : SBW-1225 일 시 : 90 1230 1900

수 신 : 장관(중근동,미북,기정,청와대,경기원,국방부,합참의장)

발 신 : 주 사우디 대사

제 목 : 의료지원단 파견협상단 활동보고(1)

연:SBW-1224

협상대표단 단장은 금 12.30(일) 13:20-14:30 간 주재국 국방부 의무감 HAMEED 소장을 면담한바, 동요지 아래보고함 (아측은 당관 박공사, 무관 및 협상단전원, 사우디측은 AL-TURKI 소장, KHALAF 의무감 보좌관, AL-OGAYIL 대외협력과장 배석)

1. 아국 의료지원단 파견 환영

0 HAMEED 소장은 아국이 걸프사태와 관련, 의료지원단을 파견키로 결정한데대해 환영의사를 재차 표명하고 구체사항 협의를 위한 협상단의 사우디 방문을환영함

0 이에 대해 이국장은 유엔결의 존중 및 양국 우호관계를 바탕으로한 우리정부의 확고한 대사우디 지원의사를 강조하고, 금번 협상단 방문기간중 의료지원단 파견관련 상세사항 모두가 충분히 합의되어 원만히 타결되기를 희망함

2. 의료지원단 규모 및 파견가능 시기

0 HAMEED 소장은 사우디군의 의료지원 체제가 현재 우방국들의 지원으로 점차개선되어 가고있으나, 다국적군등에대한 의료지원 체제를 아직 부족한점이 많다는 점을 지적하면서 아국이 파견을검토중인 의료지원단 규모와 파견 가능 시기에 대해 문의함

0 이에 대해 아국은 15 명의 각분야별 군의관과 간호원 및 의무병등 지원요원 100 여명 내외(여타 인원은 명일 토의예정)로 구성된 의료지원단 파견을 검토중임을 밝히고 구체적 구성은 사우디측 소요를 감안, 유연성있게 대처할것이라고밝혀음, 또한 파견 가능 시기는 헌법상 국회동의가 필요하므로 빨라야 2 월 첫주쯤 파견이 가능할것으로 보이며, 장비를 사우디측이 제공해줄경우 파견가능 시기가 다소 앞당겨 질수도 있음을 밝힘

3. 아국 의료지원단 배치지역

| 중아국 | 장관 | 차관 | 1차보 | 2차보 | 미주국 | 청와대 | 안기부 | 국방부 |
|---|---|---|---|---|---|---|---|---|
| 경기원 | | | | | | | | |

PAGE 1

90.12.31 07:20

외신 2과 통제관 BT

0087

0 HAMEED 소장은 우리 의료지원단 배치지역으로 사우디 북부 또는 동부지역을 고려중이며 우리 의료지원단 전원이 한지역에서 근무하길 희망하는지 여부를 문의함

0 이에 대해 이국장은 언어장애, 문화적 및 취사등 생활습관의 차이를등을 고려 한지역에서 의료단 전원이 근무하는것이 바람직하며, 배치지역으로는 동부지역(다란)을 선호함을 분명히함

0 HAMEED 소장은 현재 상황이 계속 변하고 있어 실제 2 월중 파견이 가능한한국의료지원단 배치지역을 현시점에서 확정하는 것이 무의미할것이나 한국의료지원단 배치지역으로 일단은 동부지역으로 고려할것이라고 밝힘

4. 향후 협상추진방향

0 이국장은 양국간 향후 협상의 효율적 추진을 위해 분야별 협상진행을 제의한바, HAMEED 소장은 동제의에 동의를 표시함

0 이에따라 명 12.31(월) 면담시는 소관 분야별로 아마르대사(국방부파견 외무부 대사, 지위 협정 담당)및 후세인 준장(군사, 보급, 운송, 지휘통제등 담당)면담을 별도주선 예정임을 첨언함

5. 관찰 및 평가

0 금일 면담시 사우디측은 우리 의료지원단의 장비휴대여부 보다는 의료단 규모 및 구성, 특히 방사선과, 마취과등 각분야 전문의 포함될 것인지에 많은 관심을 보였음

0 HAMEED 소장은 협상단원중 전문가들이 현재 사우디측이 제공할수있는 장비를 실제로 시찰할수도 있도록 주선하겠다는 반응을 보임

0 그리고 파견시기와 관련, 당초 12.19 통보시에는 91.1.15 이전 파견을 강력히 희망하였으나, 금일 면담시 2 월 초순 파견 가능 언급에 대해 크게 다른반응을 보이지 않았던 점이 주목됨. 끝

(대사 주병국-장관)

예고:91.6.30. 일반



0088

# 면 담 요 록

1. 일　　시 : 90.12.31(월) 10:30-11:50

2. 장　　소 : 사우디 국방부내 통합군사령부 지원국장 집무실

3. 면 담 자 :

| 아　　측 | 사 우 디 측 |
|---|---|
| 이해순 중동.아 국장 | Al-Hussein 사우디 통합사 지원국장(준장) |
| 박명준 주사우디 대사관 공사 | Al-Ogayil 사우디 통합사 대외협력과장(중령) |
| 백기문 주사우디 대사관 참사관 | |
| 주사우디 대사관 무관 | |
| 협상단 전원 | |

4. 면담 내용

(인사말)

Al-Hussein 준장 : 협상단의 사우디 방문을 환영하며 한국 정부의 금번 사우디 의료 지원 결정과 협상단 파견을 감사히 생각함.

이 국장 : 바쁜 가운데 우리 협상단 전원을 접견해 주고 환영해 준데 대해 감사함.

한.사우디 양국 관계가 각 분야에서 급속히 진전되고 있는 가운데 한국 정부가 사우디 방위 노력의 일환으로 의료 지원을 하게 되어 기쁘게 생각함. 한국 정부는 금번 사태가 조기에 평화적으로 해결되기를 희망하고 있음.

| 앙고개 | 북미과 | 91년 1월 8일 | 담 당 | 과 장 | 심의관 | 국 장 | 차관보 | 차 관 | 장 관 |
|---|---|---|---|---|---|---|---|---|---|
| | | | (서명) | (서명) | | (서명) | | | |

0089

우리 정부가 금번 사태에 지대한 관심을 가지게 되는 것은 1950년 한국전시 국제 지원으로 침략을 격퇴할 수 있었던 과거 경험 때문임.

우리 정부는 사태 초기 이후 필요시 한국 의료지원단의 파견을 검토해 오다 지난 12월초 동 파견을 결정하고 12.19. 사우디측 긍정 반응을 접수한 즉시 협상단을 파견케 된 것임.

금일 장군과의 협의를 통해 의료단 파견과 관련한 제반 상세 사항들이 합의되기를 희망함.

Al-Hussein 준장 : 단장께서 대사우디 의료 지원 결정시 여러 고려사항 및 상세 경위를 설명해 주어 감사함. 사우디 정부도 금번 사태가 평화적으로 해결되기를 희망하나, 필요하다면 전쟁을 치룰 용의가 있음. 많은 우방국들이 전투 병력 및 의료등 각종 지원 병력을 파견해 주고 있어 커다란 도움이 되고 있음.

금일 오후 13:00에는 외무부에서 국방부로 파견된 Omar Madani 대사와의 면담이 주선되어 있어 지위 협정 문제등 다른 분야의 상세 협조 사항들도 토의할 수 있을 것임.

(한국 의료진 규모 구성)

이 국 장 : 어제 Hameed 소장 면담시 한국 의료진 규모를 100여명으로 언급하였으나, 15-20여명의 군의관, 15-20여명의 간호 장교, 80여명의 의무 하사관 및 위생병에 기타 지원 병력을 포함하면 100-200여명 수준이 될 것이며, 사우디측 의료 수요 및 주둔 예정지 등을 감안, 규모를 확정예정임.

0090

Al-Hussein : 사우디측이 필요로 하는 군의관, 의무 하사관 및 간호 장교의
준장
전문 분야별 숫자는 의무감실과 협조, 귀측에 제시하겠음.

(배석한 Ogayil 과장과 협의후) 사우디측 희망은 군의관의 경우 마취과 3명, 방사선과 3명, 병리과 1명, 일반외과 5-6명, 정형외과 5명으로, 의무 하사관(Technicians)의 경우 방사선과, 마취과, 병리과, 수술기사 각 6명으로, 간호 장교의 경우는 중환자실 20명 및 기타는 일반 간호원으로 고려하여 주기 바람. 기타 지원 병력의 의미는 ?

이 국 장 : 이들은 순수 의료 요원들을 지원키 위한 행정병, 취사병, 운전병 및 경계병들을 지칭하는 것임.

Al-Hussein : 한국 의료 지원단이 사우디에 파견되면 사우디 통합군사령부
준장
편제하에 배속되어 다른 우방국 의료진들과 함께 다국적군의 일원으로서 근무하게 되며 이들에 대한 각종 지원은 사우디측이 부담케 되므로 지원 병력의 포함은 필요치 않을 것으로 생각함.

이 국 장 : 이는 한국 의료 지원단의 배치 장소가 아직 미정이므로 어떤 근무 환경에서 근무할 것인지에 따라 각종 지원 계획 수립 필요 여부를 결정해야 할 것임.

Al-Hussein : 한국 의료 지원단이 근무하게 될 가능성이 많은 지역을
준장
현지 답사하면 잘 알게 되겠지만, 배치 예정 장소가 안전 지대(secured place)로서 경계 병력은 필요치 않을 것임.

그렇다면 한국 의료 지원단이

(1) 우방 여러나라 의료 지원 요원과 함께 사우디군 야전 병원에 배속 활동하는 방안과

0091

(2) 사우디군 통합사 편제하에 들어가되 독립 단위 부대 (Self-sufficient military hospital)로 활동하는 방안이 있을 수 있음. 상기 어느 경우에나 모든 보급 및 지원은 사우디측에서 제공될 것임.

이 국 장 : 협상 단원중 전문가들로 하여금 근무 예정 장소 현지 답사후 상기 두 방안을 검토, 결정하는 것이 좋겠음.

Al-Hussein 준장 : 한국 의료진의 현지 도착이 2월초로 예상되며 그 당시까지 사태가 어떻게 진전될지 예측키가 어려운 현 시점에서 정확한 근무 예정지를 확정하는 것은 비 현실적일 수 있음.

협상단 전문가들이 현지 사정을 잘 이해할 수 있는 지역을 현지 답사할 수 있도록 주선하겠음.

많은 한국 근로자들에 친근감을 갖고 있는 사우디 국민들은 한국인의 기호에 대해서도 잘알고 있으므로, 보급과 관련 해서는 안락하고 안전한 근무 여건 조성을 위해 노력할 것이며 의료진에 대한 대우는 세계 수준일 것임.

(도착 가능시기)

Al-Hussein 준장 : 한국 의료진이 의료 장비를 휴대케 될 경우, 동 장비의 수송등으로 의료진의 현지 도착이 늦어질 가능성에 대해 우려함.

사우디측으로서는 내일이라도 당장 한국 의료진이 왔으면 좋겠으며 2월 도착은 매우 늦은감이 있음.

0092

이 국 장 : 귀하도 잘 알다시피, 한국군의 해외 파병을 위해서는 사전 국회 동의가 필요하며 향후 첫 임시국회가 1.24.에나 예정되어 있으므로 필요 국내 절차가 끝나는 대로 가능한 한 빠른 시일안에 현지 도착토록 노력할 예정이며, 국회 승인 절차 이전에는 인원 선발, 편성등 제반 준비에 만전을 기하고 있음.

Al-Hussein 준장 : Khalid 통합군 사령관도 한국 의료진의 도착 가능 시기에 지대한 관심을 가지고 있음.

이 국 장 : 한국 정부는 12월초 대사우디 의료 지원 방침을 결정하고 귀정부 의견을 타진한 바 있으나 12.19.에나 귀정부의 긍정적 반응을 접수하고 협상단을 파견한 것이며, 협상단 도착 다음날인 12.30.에나 외무성 정식 공한이 도착한 바 있음.

(장비 제공 여부)

이 국 장 : 상기 두가지 방안중 제2방안의 경우에도 사우디측이 장비를 제공하는지 ?

Al-Hussein 준장 : 한국 의료 지원단의 사우디 파견은 사우디에 대한 효율적 의료 지원이 첫째 목적이므로 상기 두경우 모두 제반 보급 지원은 사우디측이 부담 예정임. 그러나 두번째 경우 사우디측 보유 의료 장비는 이미 기존 병원에 배치 완료 되어 한국측이 의료 장비를 휴대해야 할 것임. 사우디측으로서는 당장 급한 것이 의료 요원의 확보와 조기 배치인 만큼 첫번째 방안을 선호함.

0093

(현지 답사)

이 국 장 : 현지 답사후 사우디측 의료 수요와 현지 사정을 파악한 후 상기 두가지중 현실적 방안을 검토하겠으나 사우디측이 현재 보유하고 있는 의료 장비의 현황과 한국 의료 지원단의 배치 지역등의 문제가 상기 두가지 방안 선택에 있어 주요 고려 사항이 될 것임.

또한 사우디측은 사우디내 의료 수요에 따라 한국 의료진을 분리 배치키를 희망할 수도 있으나 한국 의료진은 한 장소에서 전원이 그룹으로 일하기를 희망하고 있음.

Hl-Hussein 준장 : 잘 알겠음.

명 1.1(화) 10:00 동부 지역 소재 야전 병원 및 이동 병원 각 1개소씩을 현지 답사토록 주선하겠으며, 항공기 사정상 귀측에서 7명만이 현지 답사에 참가할 수 밖에 없음을 이해해 주기 바람.

곧이어 통합군 사령부 참모장 Talal 소장 예방이 주선되어 있음. 기도 시간이 시작되어 인근 회의실에서 대기해 주시면 감사하겠음.

이 국 장 : 장시간 진지한 토의와 Talal 참모장 예방 주선에 감사함. 끝.

0094

# 면 담 요 록

1. 일 시 : 90.12.31(월) 13:10-14:00

   90. 1.22(수) 11:10-12:00

2. 장 소 : 사우디 국방부내 외무부 파견대사 집무실(90.12.31)

   사우디 외무부 Madani 대사 집무실(91.1.2)

3. 면 담 자 :

| 아 측 | 사 우 디 측 |
|---|---|
| 이해순 중동.아 국장 | Omar Madani 대사 |
| 백기문 주사우디 대사관 참사관 | |
| 이민재 청와대 외교.안보 보좌관실 대령 | |
| 홍석규 북미과 서기관 | |
| 김동억 중근동과 서기관 | |
| [redacted] | |

4. 면담 내용

(인사말)

이 국장 : 바쁜 가운데 시간을 할애하여 주어 감사함.

양국간 전통 우호관계는 발전되고 있으며, 한국 대통령으로서 첫 이 지역 방문인 지난 80년 최대통령의 사우디 방문이후 여러분야에서의 양국 우호 관계가 계속 발전되고 있어 기쁘게 생각함.

| 앙고재 | 북미과 | 91년 1월 8일 | 담 당 | 과 장 | 심의관 | 국 장 | 차관보 | 차 관 | 장 관 |
|---|---|---|---|---|---|---|---|---|---|
| | | | (서명) | (서명) | | (서명) | | | |

0095

Madani 대사 : 본인도 89.7. 사우디 외교관 수련 과정자를 인솔, 방한한 바 있으며 당시 즐거웠던 기억을 아직 간직하고 있음.

(파견 가능시기)

이 국장 : 한국 헌법상 군의 해외 파병을 위해서는 국회의 사전 동의가 필요하며, 향후 첫 국회가 1.24. 개원키로 되어 있어 필요 국내 절차가 끝난 직후 의료 지원단이 하루라도 빨리 현지 도착토록 노력중에 있음.

그렇다고 국회 승인까지 아무일도 안하는 것이 아니며 인원 선발, 편성등 파견에 필요한 조치를 계속하고 있음.

또한 국민 대다수 즉 국민 여론의 지지와 야당에 대한 설득도 병행해 나갈 예정임.

Madani 대사 : 한국 정부의 금번 대 사우디 의료지원 결정은 침략은 용인되어서는 안된다는 국제 정의의 원칙과 UN 결의를 바탕으로 한 지원인만큼 대국민, 국회 설득에는 문제점이 없을 것으로 봄.

또한 사우디 및 쿠웨이트와의 우호 관계는 물론 한국은 한국전시 국제 지원을 받은 경험이 있는 국가이므로 이점을 부각시키면 될 것이라 생각함.

(지위협정 문제)

Madani 대사 : 사우디 정부는 금번 사태와 관련, 병력을 지원하거나 기타 지원을 제공한 미.영.불.뉴질랜드.체코.폴랜드등 우방국 27개국과 비슷한 문안의(almost standard one) 지위 협정을 체결한 바 있음.

0096

지위 협정에는 일반적 지위, 특권.면제를 규정한 General Agreement 와 보급.시설.장비 제공등 상세 협조 사항을 규정한 Arrangement Agreement 가 있음.
이미 여러 우방국들과 체결한 협정의 기본이된 표준 협정 문안을 기초로한 사우디측 초안을 2-3일내로 아측에 제시하겠음. 가급적 대표단 출발전 동 사우디측 초안에 대한 한국측 의견 제시를 희망함.

이 국장 : 사우디측 초안 접수 즉시 본부에 보고 청훈하겠음.

(의료 지원단 편성 문제)

이 국장 : 오전 Al-Hussein 준장 면담시 한국 의료 지원단 파견에는
(1) 한국 의료 지원단이 우방 여러나라 의료 지원 요원과 함께 사우디군 야전 병원에 배속 활동하는 방안과
(2) 사우디군 통합사 편제하에 들어가되 독립 단위 부대로 활동하는 방안이 있을 수 있음에 의견을 같이하고, 한국 의료 지원단이 배치될 지역에 대한 현지 답사후 결정키로 하였음을 참고바람.
또한 Al-Hussein 준장은 명 1.1(화) 협상단내 전문가 6명의 현지 답사를 주선해 준 바 있음.

Madani 대사 : 현재 고려중인 협정 문안에는 첫번째 방안 선택을 전제로 하고 있으나 상세문안 합의시 변경할 수 있으니 별 문제가 되지 않을 것임.

(의료부대 파견국 문의)

이 국장 : 의료 지원만을 제공한 국가들은 ?

0097

Madani 대사 : 필리핀 민간 의료진 200여명이 현지 도착 활동중에 있으며 폴랜드가 병원선을 파견키로 결정하고 금명간 현지로 출발 예정이라 함.

체코는 의료단과 화학 처리 부대도 함께 파견키로 하였다 함.

(1.2(수) 사우디측 초안 접수후 면담시)

이 국장 : 작 1.1(화) 귀측에서 수교한 사우디측 초안은 이미 본부로 송부 검토토록 조치 했음.

(이후 면담 내용은 General Agreement 및 Arrangement Agreement 상 의문 사항에 대한 질의.응답 이었으며 양측간 협의 결과는 아래와 같음.)

- o 기본 협정 11조 사우디측 국내절차는 서명권자인 Khalid 사령관 서명 이외에는 별도 필요절차 없음.
- o 동 9조중 Missions 는 Omissions의 오기임.
- o 동 10조의 JCC는 타국 예에 비추어 사우디측 병원장과 아측 의료지원 단장을 위원장으로 구성 가능할 것임.
- o Arrangement Agreement 끝에 기본협정 12조에 해당하는 조항이 누락 되었는 바, 사우디측은 문안을 추후 제시하겠음.
- o 이 협정도 역시 사우디측 서명권자는 Khalid 사령관임.
- o 동 협정 1조, 3조, 9조의 부제는 삭제키로 합.
- o 동 협정 1조 1항에 의료요원 분류에 Medical Assistants 및 Other Support Personnel 2개항을 추가하고 개략적인 숫자를 명기키로함.

0098

ㅇ 2조 1항중 Protecting 은 삭제함.

ㅇ 3조 2항 Car는 삭제함.

(의료 지원단 조기 파견 희망 표시)

Madani 대사 : 한국 의료진의 파견을 위한 귀측 국내 필요 절차에 대해서는 충분히 이해함.
그러나 1.15. UN 설정 시한이 다가오고 있고, 금일 오후 면담할 Khalid 사령관도 한국 의료진의 사우디 도착 가능 시기에 지대한 관심을 갖고 있으므로 한국 의료진의 도착 예상 시기를 말해 주기 바람.

이 국장 : 구랍 31일 면담시 설명한 대로 빨라야 2월 첫째주에나 한국 의료진은 도착이 가능할 것임.

Madani 대사 : 1.15. 이전 한국 의료 지원단이 현지에 도착치 못하면 무의미(meaningless) 할 것임.

이 국장 : 설명한 국내 필요 절차상 1.15. 이전 한국 의료 지원단의 현지 도착은 불가능하며, 현지 실정 답사를 위한 선발대의 파견은 가능할 것이므로 적극 검토해 보겠음.

(지위협정 체결 가능시기)

Madani 대사 : 본인은 1.4(금)-1.8(화)간 Cairo에서 개최될 예정인 세미나에 참석키로 예정되어 있는 바, 협정 문안에 대한 한국 정부 검토 결과는 언제 회보 접수 가능하며, 1.15.이전 협정 체결이 가능할 것인지 ?

0099

이 국장 : 아시다시피 1.1-1.2 은 신정 연휴로 한국 정부 기관이 휴무이므로, 1.3. 이후 검토 작업을 개시할 수 있을 것이며 1월 두째주쯤에나 본부 입장이 주 사우디 대사관에 전달될 것이므로, 협상단 귀국후라도 주 사우디 대사관이 귀하와 상세 문안을 협의 확정후 주 사우디 대사가 서명할 수 있을 것임.

(인사말)

이 국장 : 협정 문안의 조속한 수고 및 2차례의 면담 할애등에 감사함.

Madani 대사 : 이곳 사정을 정확히 본부에 보고하여 줄 것을 기대함. 끝.

0100

| 관리번호 | 91-1 |
|---|---|

# 외 무 부

종 별 : 지급

번 호 : SBW-0001 일 시 : 91 0101 0001

수 신 : 장 관(중근동,미북,기정,청와대,경기원,국방부,합참의장)

발 신 : 주 사우디 대사

제 목 : 의료지원단 파견 협상단 활동보고(2)

연:SBW-1225(90.12.30)

협상단장은 90.12.31(월) 10:30-11:50 간 연호 알 후세인 준장(주한 미대사관이 12 월초 사우디 측 접촉창구로 추천한이사),12:30-12:50 간 TALAL 사우디 통합사 참모장(소장),13:10-14:00 간 국방부 파견 정치보좌관 OMAR MADANI 대사를 각각 면담하였는바, 동요지 아래 보고함.(아측은 당관에서 박공사, 백참사관,무관 및 협상단 전원이 사우디측에서는 관계관 배석)

1. 의료지원단 구성

0 알후세인 준장 면담 초반에 국방부측 대표단원과의 협의를 거쳐 이국장은연호 보고대로 우리 의료지원단규모를 15-20 명의 군의관,15-20 명의 간호원,80여명의 위생병 및경계, 취사, 행정 및 운전요원등 지원병력을 포함하면 모두100 명에서 200 명까지로 될수있을것임을 밝힘.

0 이에대해 사우디측은 아국의료단중 순수 의료요원이 100 여명일경우 자국이 희망하는 편성을 제시하였는바, 군의관은 마취과 3 명, 방사선과 3 명, 병리과 1 명, 일반외과 5-6 명, 정형외과 5 명으로, 의무하사관(TECHNICIANS)은 방사선과, 마취과, 병리과, 수술기사 각 6 명으로, 간호장교의 경우는 중환자실 20 명 및 기타는 일반간호원으로 고려하여 줄것을 희망함.

2. 아국의료단 편제

0 알후세인 준장은,(1)한국의료지원단이 다른나라 의료지원 요원과 함께 사우디군 야전병원에 배속, 활동하는 방안과,(2)사우디 의무사 편제하에 들어가되 독립단위부대로 활동하는 방안이 있을수 있음을 설명하면서 어느 경우에나 모든 보급 및 지원은 사우디측에서 제공할것임을 확실히함, 다만 후자의경우 사우디측보유 의료장비는 이미 기존병원에 배치완료되어 아측이 의료장비를 휴대해야 할것임을

| 중아국 | 장관 | 차관 | 1차보 | 2차보 | 미주국 | 청와대 | 안기부 | 국방부 |
|---|---|---|---|---|---|---|---|---|
| 경기원 | | | | | | | | |

PAGE 1

91.01.01 08:56

외신 2과 통제관 CA

0101

지적하고 사우디측이 당장 급한것은 의료요원의 확보와 조기배치 이므로 첫번째 방안을 선호한다고 말함.

0 이에대해 아측은 상기 두방안이 다검토될수 있겠으나 사우디측이 현재 보유하고 있는 장비의 현황과 한국의료지원단이 어디에 배치될것인지등 문제가 선택에있어 주요 고려사항이 될것임과 의료장비 휴대의 경우 파견시기가 다소 지연될것임을 밝힘.

0 이에따라 사우디측은 명 1.1(화)아측이 희망하는 지역인 동부지역 소재 야전병원 및 이동병원 각 1 개소를 대표단이 답사토록 주선키로 합의한바, 아측은 대표단중 국방부 및 합참대표 5 명 및 당관 무관과 김동억 서기관이 답사에 참가키로함, 동답사후 대표단 의견은 추보예정임.

(SBW-0002 계속)

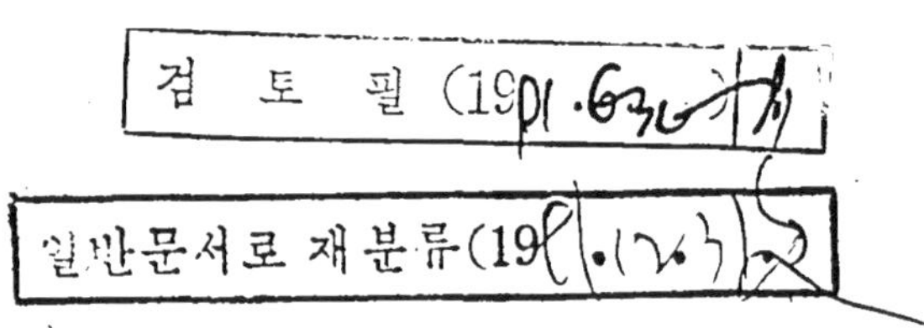
검 토 필 (1991.6.30.)
일반문서로 재분류(1991.12.31.)

| 관리번호 | 91/2 |
|---|---|

# 외 무 부

종 별 :

번 호 : SBW-0002　　　　　　　　일 시 : 91 0101 0010

수 신 : 장 관(중근동,미북,기정,청와대,경기원,국방부,합참의장)

발 신 : 주 사우디 대사

제 목 : SBW-0001계속(의료지원단 파견 협상단 활동보고(2)

3. 지위협정 문제

0. 이국장은 OMAR MADANI 대사 면담시 아국의료지원단 사우디 파견의경우지위 협정체결의 필요성을 지적함.

0. 이에대해 MADANI 대사는 사우디정부가 현재 미, 영, 불, 뉴질랜드, 체코및 폴란드등 27 개국 다국적군 파견국과 지위협정을 체결하였음을 밝힘.또한 지위협정에는 일반적 지위, 특권 면제를 규정한 GENAERAL AGREEMENT 와 보급, 시설, 장비제공등 상세사항을 규정한 ARRANGEMENT AGREEMENT 가 있는바, 이미 여러국가들과 체결한 협정의 기본이 된 표준협정문을 기초로한 사우디측 초안을 2-3 일내로 아측에 제시하겠다고 말하고 가급적이면, 대표단 출발전 이에대한 아측의견 제시를 희망하였는바, 사우디 초안 접수하는데로 추보하겠음

4. 의료지원단 파견시기

0 금일 접촉인사 모두는 공히 우리정부가 의료지원단을 사우디에 파견키로 결정한데대해 사의를 표사하면서도 통합군사령관 KHALID 왕자가 한국의료지원단의 사우디 파견가능 시기에 특히 관심이 크다는점 을 지적함.

0 이에대해 이국장은 아측으로서도 최선의 노력을 다하고 있으나 의료 지원단 파견을 위해서는 헌법상 국회의 사전동의가 필수적이므로 2 월초에나 도착이 가능할것이라 설명함, 또한 우리정부는 12 월초 사우디 정부의 의견을 문의하였으나,12.19 사우디측 첫 긍정반응 이후 협상대표단 도착 다음일인 작 12.30 에나사우디 외무성 공한을접수한 사실을 지적한바, 사우디측도 저간의 사정을 충분히 이해하겠다는 반응이 있었음.

5. 관찰 및 평가

0 사우디측은 걸프사태 긴박화에 따라 우리 의료지원단의 조기파견에 지대한

| 중아국 | 장관 | 차관 | 1차보 | 2차보 | 미주국 | 청와대 | 안기부 | 국방부 |
|---|---|---|---|---|---|---|---|---|
| 경기원 | | | | | | | | |

PAGE 1　　　　　　　　91.01.01 08:58

외신 2과 통제관 CA

0103

관심을 표명하고 동파견 가능시기를 앞당길수 있는 방안으로 상기 두가지 OPTION 중 첫째방안에 대한 선호입장을 분명히 함.

0 금일 면담시 사우디 국방부내 주요인사 모두는 우리 의료지원단 파견 조속화를 위해 협상단의 KHALID 통합군사령관 면담을 주선하겠다고 자진해서 제의하는등 대단한 열의와 적극성을 보였던점이 주목됨.

0 지위 협정문제와 관련, 사우디측은 타국과 기체결한 협정문안은 제 3 국에 주지않을 것이라는 인상이었는바, 본부에서 우방국들을 통해 입수하면 참고가될것임.끝

(대사 주병국-장관)

예고:

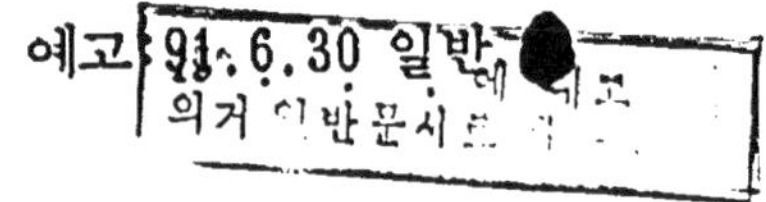

PAGE 2

0104

| 관리 번호 | 91/3 |
|---|---|

원 본

# 외 무 부

종 별 : 지 급

번 호 : SBW-0007 일 시 : 91 0101 1800

수 신 : 장관(중근동,미북,미안,조약,기정,청와대,국방부,합참의장)

발 신 : 주 사우디 대사

제 목 : 의료지원단 지위협정 문안 송부

연:SBW-0003

1. OMAR MADANI 대사는 금 1.1(화) 오전 당관 백기문 참사관을 외무부로 초치, 연호 별첨 사우디측 지위협정문안(GENERAL AGREEMENT 및 ARRANGMEN AGREEMENT)을 수교하였는바, 검토후 본부 입장 회시바람.

2. MADANI 대사는 동사우디측 문안을 기초로 한 협의를 1.2(수) 중 제의한바, 동협의결과는 추보하겠음

첨부:상기 사우디측 지위협정 문안 각 1 부(아랍어 본 송부 생략). 끝

(대사 주병국-장관)

예고:91.12.31. 일반

검 토 필(1991. 6. 30.)

| 중아국 | 장관 | 차관 | 1차보 | 2차보 | 미주국 | 미주국 | 국기국 | 청와대 |
|---|---|---|---|---|---|---|---|---|
| 안기부 | 국방부 | 국방부 | | | | | | |

PAGE 1

91.01.02 06:53

외신 2과 통제관 DO

0105

| 관리번호 | 91-4 |
|---|---|

원 본

# 외 무 부

종 별 : 지 급

번 호 : XQSBW-0007 일 시 : 91 0101 1810

수 신 : 장관

발 신 : 주 사우디 대사

제 목 : SBW-0007 의 첨부(1)

% AGREEMENT %

BETWEEN

THE GOVERNMENT OF KINGDOM OF SADUI ARABIA

AND

THE GOVERNMENT OF THE REPUBLIC OF KOREA

ON THE ACTIVITIES OF THE KOREAN MEDICAL TEAM

ON THE TERRITORY OF THE KINGOM OF SAUDI ARABIA

THE GOVERMENT OF THE KINGDOM OF SAUDI ARABIA AND THE GOVERNMENT OF REPUBLIC OF KOREA, PURSUANT TO CLOSE AND LONGSTANDING TIES AND AS A RESULT OF THE PRESENT UNSETTLED CONDITIONS IN THE GULF AREA, WHICH THREATEN THE SECURITY AND SAFETY OF SAUDI ARABIA, AND IN RECOGNITION OF THE GRAVE BREACH OF THE PEACE OF THE REGION AND OF THE UNITED NATIONS SECURITY COUNCIL RESOLUTIONS HAVE REACHED THE FOLLOWING AGREEMENT.

- ARTICLE I

THE GOVERNMENT OF REPUBLIC OF KOREA IN REQUEST OF THE GOVERNMENT OF THE KINGDOM OF SAUDI ARABIA AND ON EXERCISE OF THE RIGHTS FOR COLLECTIVE AND INDIVIDUAL SELF DEFENSE ACCORDING TO ARTICLE 51 OF THE U.N. CHRTER, WILL SEND MEDICAL TEAM TO THE KINGDOM OF SAUDI ARABIA HEREINAFTER REFERRED TO AS MEDICAL TEAM.

- ARTICLE II

THE PURPOSE OF USING THE MEDICAL TEAM IN THE KINGDOM OF SAUDI ARABIA, IN ACCORDANCE WITH THIS AGREEMENT IS FOR PROVIDING THE MEDICAL SUPPORT IN FORM OF

| 중아국 | 장관 | 차관 | 1차보 | 2차보 | 미주국 | 미주국 | 국기국 | 청와대 |
|---|---|---|---|---|---|---|---|---|
| 안기부 | 국방부 | 국방부 | | | | | | |

PAGE 1

91.01.02 06:58

외신 2과 통제관 DO

0106

THE MEDICAL SPECIALIZED PERSONNEL FOR TREATMENT OF WOUNDED AND SICK PERSOND.

- ARTICLE III

THE MEDICAL TEAM WILL DEPART THE KINGDOM OF SAUDI ARABIA ON THE BASIS OF THE DECISION OF THE GOVERNMENT OF THE KINGDOM OF SADI ARABIA. THE GOVERNMENT OF THE REPUBLIC OF KOREA LIKEWISE RESERES THE RIGHT, AFTER CONSULATION WITH GOVERNMENT OF KINGDOM OF SAUDI ARABIA, TO WITHDRAW ITS MEDICAL TEAM FROM THE KINGDOM OF SAUDI ARABIA BUT CONFIRMS THAT IT WILL NOT DO SO ON LESS THAN 30 DAYS NOTICE EXCEPT IN CASE OF EMERGENCY.

- ARTICLE IV

THE MEDICAL TEAM WILL FOLLOW THE STRATEGIC GUIDANCE OF SUPREME COMMANDER OF THE SAUDI ARMED FORCES THROUGH THE HEAD OF THE MEDICAL TEAM WITHOUT PREJUDICE TO THE LAWS AND REGULATIONS OF THE REPUBLIC OF KOREA.

- ARTICLE V

AN ENGAGEMENT OF THE MEDICAL TEAM OUT OF THE TERRITORY OF THE KINGDOM OF SAUDI ARABIA IS SUBJECT OF A DECISION OF BOTHE CONTRACTING PARTIES.

- ARTICLE VI

THE MEDICAL TEAM WHICH IS ON THE TERRITORY OF THE KINGDOM OF SAUDI ARABIA WILL ABIDE BY AND RESPECT THE LAWS AND REGULATIONS, CUSTOMS AND TRADITIONS OF THE KINGDOM OF SAUDI ARABIA AND WILL HAVE A DUTY NOT TO INTERFERE IN THE INTERNAL AFFAIRS OF SAUDI ARABIA.

- ARTICLE VII

THE MEMBERS OF THE MEDICAL TEAM INCLUDING CIVILIAN EMPLOYED OR ENGAGED OF THE GOVERNMENT OF THE REPUBLIC OF KOREA AND SENT TO THE KINGDOM OF SAUDI ARABIA WILL ENJOY THE SAME IMMUNITIES OF THE KINGDOM OF SAUDI ARABIA AS ARE ENJOYED BY MEMBERS OF THE ADMINISTRATIVE AND TECHNICAL STAFF OF A DIPLOMATIC MISSION.

(XQSBW-0008 계속)

| 관리 번호 | 91 -5 |
| --- | --- |

원 본

# 외 무 부

종 별 : 지 급

번 호 : XQSBW-0008 일 시 : 91 0101 1820

수 신 : 장관

발 신 : 주 사우디 대사

제 목 : SBW-0007의 첨부(2P)(XQSBW-0007의 계속)

- ARTICLE VIII

THE PERSONNEL OF THE MEDICAL TEAM INCLUDING THE CIVILIANS SENT BYTHE GOVERNMENT OF THE REPUBLIC OF KOREA TO THE KINGDOM OF SAUDI ARABIAHAS THE RIGHT TO IMPORT TO THE KINGDOM OF SAUDI ARABIA EQUIPMENT ANDMATERIALS WHICH THE MEDICAL TEAM NEEDS TO MAKE THE MISSION POSSIBLE INTHE KINGDOM OF SAUDI ARABIA WITHOUT ANY PERMISSION. THEY WILL BEEXEMPTED FROM ALL CUSTOMS AND TAXES AND THE EQUIPMENT AND MATERIALSWILL NOT BE CONFISCATED OR TAKEN OVER, THIS WILL INCLUDE ALL PERSONNELBELONGINGS AND MATERIALS MECESSARY FOR PERSONAL USE AND CONSUMPTION BYTHE PERSONNEL OF THE MEDICAL TEAM. ALL BELONGINGS, WHAT-SO-EVER, WHICHARE IMPORTED WITHOUT CUSTOMS AND EXEMPTED FROM TAXES AND CUSTOMSACCORDING TO THIS AGREEMENT, WILL BE TAXED AND SUBJECT TO CUSTOMS IFSOLD IN THE KINGDOM OF SAUDI ARABIA TO ANY PERSONS, APART FROM THOSEWHO ARE EXEMPTED FROM PAYING TAXES AND CUSTOMS.

- ARTICLE IX

THE CONTRACTING PARTIES WILL NOT MAKE ANY CLAIMS AGAINST EACHOTHER FOR COMPENSATION FOR DAMAGES OR INJURIES CAUSED TO THE ARMEDFORCES PERSONNEL OR PERSONNEL EMPLOYED BY THEIR ACTS OR OMISSIONS INTHE COURSE OF THEIR DUTIES AND IN THEIR OFFICIAL EREA, EACH CONTRACTINGPARTY WILL BE RESPONSIBLE FOR DEALING WITH CLAIMS RAISED BY ITS OWNCITIZENS.

- ARTICLE X

THE CONTRACTING PARTIES WILL ESTABLISH A JOINT CONSULTATIVECOMMITTEE TO ENSURE THE IMPLEMENTATION OF THIS AGREEMENT.

중아국 장관 차관 1차보 2차보 미주국 미주국 국기국 청와대
안기부 국방부 국방부

PAGE 1

91.01.02 07:06

외신 2과 통제관 DO

0108

- ARTICLE XI

THIS AGREEMENT IS SUBJECT TO APPROVAL IN ACCORDANCE WITH THEINTERNAL REGULATIONS OF EACH CONTRACTING PARTY AND ENTERS INTO FORCEFROM THE DATE OF EXCHANGE OF NOTES CONFIRMING SUCH APPROVAL.

THIS AGREEMENT WILL BE PERLIMINARY FULFILLED FROM THE DATE OF ITSSIGNATURE.

IN CASE OF THE WITHDRAWAL OF THE MEDICAL TEAM ACCORDING TO THEARTICLE III OF THE THIS AGREEMENT, THE AGREEMENT WILL TERMINATE WITHTHE EXCEPTION OF ARTICLE IX ON THE DAY OF DEPARTURE OF THE LAST ITEMOF THE SUPPORT FORCE.

- ARTICLE XII

THE GOVERNMENT OF THE KINGDOM OF SAUDI ARABIA WILL FACILITATE ANDPROVIDE ALL NECESSARY SERVICES AND MATERIALS FOR ACTIVITIES WHICH WILLBE EXECUTED BY THE MEDICAL TEAM, THE DETAILS OF PAYMENT WILL SETTLED INAN ARRANGEMEN WHICH WILL BE CONCLUDED BY THE COMPETENT AUTHORITIES OFBOTH CONTRACTING PARTIES.

DON IN ( ) JAN. 1991, CORRESPONDING TO ( TH) JUMADA II, 1411H.IN THREE ORIGINAL, EACH IN KOREAN, ARABIC AND ENGLISH LANGUAGES, INCASE OF DISPUTES THE ENGLISH TEXT PREVAILS.

FOR THE GOVERNMENT OF FOR THE GOVERNMENT OF THE

THE REPUBLIC OF KOREA KINGDOM OF SAUDI ARABIA

LT. GENERAL

KHALID BIN SULTAN BIN ABDELAZIZ COMMANDER OF THE JOINT FORCES AND THEATRE OF OPERATIONS.

(XQSBW-0009 계속)

PAGE 2

0109

| 관리 번호 | 91-6 |
|---|---|

원 본

# 외 무 부

종 별 : 지 급

번 호 : XQSBW-0009 일 시 : 91 0101 1830

수 신 : 장 관

발 신 : 주 사우디 대사

제 목 : SBW-0007의 첨부(3P)(XQSBW-0008의 계속)

% ARRANGEMENT %

BETWEEN

THE MINISTRY OF DEFFENSE AND AVIATION

OF THE KINGDOM OF SAUDI ARABIA

AND

THE MINISTRY OF NATIONAL DEFENSE

OF THE REPUBLIC OF KOREA

ABOUT

THE CONDITION OF STAY OF THE KOREAN MEDICAL TEAM

ON THE TERRITORY OF THE KINGDOM OF SAUDI ARABIA

IN ACCORDANCE WITH AGREEMENT SIGNED BETWEEM THE GOVERNMENT OF KINGDOM OF SAUDI ARABIA AND THE GOVERNMENT OF THE REPUBLIC OF KOREA TO SEND KOREAN MEDICAL TEAM CONSISTING OF MEDICAL COMPNENT AND TEHIR AIDS, TO THE LANDS OF THE KINGDOM OF SAUDI ARABIA, HEREINAFTER REFERRED TO AS THE FIRST PARTY, THE MINSTRY OF DEFENSE AND AVIATION AND INSPECTOR GENERAL IN THE KINGDOM OF SAYDU ARABIA AND THE MINISITRY OF NATIONAL DEFENSE OF THE REPUBLIC OF KOREA, HEREINAFTER REFERRED TO AS THE SECOND PARTY, HAVE AGREED ON THE FOLLOWING:

- ARTICLE I

LAND-BASED MEDICAL COMPONET

1. THE KOREAN MEDICAL COMPONENT WILL CONSIST OF MINIMUM OF(본항은 SBW-0001 2 항 방안선택에 관계없이 분산배치는 안하기로 이미 양해가 있었으므로 1.2 일 협의시 조정하겠음)

중아국 장관 차관 1차보 2차보 미주국 미주국 국기국 청와대
안기부 국방부 국방부

PAGE 1

91.01.02 07:11
외신 2과 통제관 DO

0110

PERSONS OF THE FOLLOWING SPECIALIZATIONS:

0 DOCTORS

0 TECHNICIANS

0 NURSES

0 LIAISON OFFICERS

2. THE PERSONNEL IS TO WORK IN THE MILITARY HOSPITALS.

3. THE PERSONNEL WILL BE USED ACCORDING TO THE DECLARED PROFESSIONAL QUALIFICATIONS

4. THE PERSONNEL WILL BE SUBORDINATED TO THE HOSPITALS' GENERAL MANAGERS THROUGH A SENIOR KOREAN DOCTOR APPIONTED FOR EACH HOSPITAL THE SENIOR DOCTOR WILL BE RESPONSIBLE FOR THE CONDUCT OF HIS SUB ORDINATE PERSONNEL.

- ARTICLE 2

1. THE PERSONNEL WILL BE PEOVIDED WITH PROTECTING CLOTHS AND SHOES AS WELL AS FOOD, ACCOMODATION, LAUNDRY AND RECREATION FREE OF CHARGE.

2. THE HOSPITALS WILL PROVIDE MEDICAL CARE FREE OF CHARGE FOR THE KOREAN PERSONNEL.

- ARTICLE 3

GENERAL REGUALTIONS

1. THE SENIOR DOCTOR WILL BE SUPERIOR TO THE KOREAN MEDICAL TEAM AND EMPLOYEES DEPLOYED ON THE SAUDI ARABIA TERRITORY.

2. THE SENIOR DOCTOR WILL BE INFORMED ABOUT ANY MEDICAL TEAM CAR ACCIDENT AND ABOUT THE RESULTS OF THE INVESTIGATION. THE NEATEST LOCATED KOREAN OFFICER IN THE MEDICAL TEAM SHOULD BE CALLED TO WITNESS THE ACCIDENT.

- ARTICLE 4

1. AFTER THE MEDICAL TEAM ENTRY TO THE TERRITORY OF THE KINGDOM OF SAUDI ARABIA, THE OFFICIAL REPERSENTATIVE WILL INFORM THEM OF THE RULES, REGULATIONS, CUSTOMS AND TRADITIONS WHICH SHOULD BE FOLLOWED AND RESPECTED ON ITS TERRITORY.

2. THEY WILL BE INFORMED ALSO ABOUT ANY OTHER LOCAL REGULATIONS AND RESTRICTIONS INTRODUCED ON THE AREA OF THEIR DEPLOYMENT.

3. ALL MEDICAL TEAM MEMBERS WILL BE PROVIDED WITH ID CARDS.

4. THE FIRST PARTY WILL INFORM THE KOREAN SENIOR DOCTOR ABOUT ANY BEHAVIOUR OF THE MEDICAL TEAM MEMBERS WHICH IS CONTRARY TO THE LEGAL ORDER OF THE FIRST PARTY AS FAR AS IT KNOWS ABOUT IT.

(XQSBW-0010 에 계속)

| 관리 번호 | 91-7 |
|---|---|

원 본

# 외 무 부

종 별 : 지 급

번 호 : XQSBW-0010　　　　일 시 : 91 0101 1840

수 신 : 장관

발 신 : 주 사우디 대사

제 목 : SBW-0007의 첨부(4P)(XQSBW-0009의 계속)

1. THE FIRST PARTY WILL PROVIDE, AFTER CONSULTAATIONS AND AGREEMENT WITH THE SENIOR DOCTOR, THE NECESSARY DRESS TO ENABLE MEMBERSOF THE MEDICAL TEAM TO STAND THE CLIMATE CONDITIONS IN THE FIRST PARTYFREE OF CHARGE.

2. THE MEMBERS OF THE KOREAN MEDICAL TEAM WILL BEAR THE EMBLEMS WITH THE NATIONAL SYMBOLS ACCORDING TO THE KOREAN ARMY REGULATIONS.

- ARTICLE 6

1. THE FIRST PARTY WILL PROVIDE THE MEDICINE AND MEDICAL ITEMS FOR THE MEDICAL TEAM FREE OF CHARGE.

2. THE FIRST PARTY WILL TAKE THE RESPONSILITY OF PROVIDING MEANS OF TRANSPORT TO THE MEMBERS OF THE MEDICAL TEAM WHO SUFFER ACUTE HEALTH CONDITIONS IN CASE THEIR CONDITIONS NEED TO BE TREATED IN SPECIALIZED HOSPITALS WHEN ASKED BY THE SENIOR DOCTOR.

3. REGARDING THE FIRM SITUATION, BOTH PARTIES WILL AGREE ON THE ANTIEPID EMIOLOGICAL MEASURES TO SAFEGURAD THE MEMBERS HEALTH.

- ARTICLE 7

1. THE FIRST PARTY WILL PROVIDE COMMUNICATION FOR KOREA THE MEDICAL TEAM FROM ITS LOCATION TO ITS OWN COMMUNICATION FACILITIES.

2. THE FIRST PARTY WILL CARRY OUT ALL NECESSARY MEASURES TO ENSURE THE FLOW OF MAIL DELIVERY TRANSPORTED FROM KOREA TO THE MEDICAL TEAM AND BACK TO ITS ORIGIN, INCLUDING THE MAIL OF INDIVIDUAL PACKAGES.

- ARTICLE 8

BOTH PARTIES WILL ENSURE THE SECURITY OF ALL INFORMATION WHICH ARE MADE

중아국　장관　차관　1차보　2차보　미주국　미주국　국기국　청와대
안기부　국방부　국방부

PAGE 1　　　　91.01.02　07:14
외신 2과　통제관 DO

0113

SECRET BY ANY OF THE PARTIES AND THAT THEY WILL NOT BE PASSED ON ANY OTHER STATE. ALL SECRET INFORMATION WILL NOT USED AGAINST ANY OF THE CNTRACTIONG PARTIES.

- ARTICLE 9

JOINT COMMITTEE

1. THE JOINT COMMITTEE WILL SETTLE ALL CURRENT PROBLEMS RESULTED FROM FULFILLMENT OF THE AGREEMENT AS WELL AS ALL URGENT MATTERS RESULTED FROM THE MEDICAL TEAM.

2. THE COMMITTEE HAS THE RIGHT TO SUGGEST ANY AMENDMENTS TO THE ARRANGEMENT.

(본 ARRANGEMENT AGREEMENT 의 서명자는 확인후 추보하겠음)

PAGE 2

0114

| 관리번호 | 91-14 |
|---|---|

원 본

# 외 무 부

종 별 : 지 급

번 호 : BQSBW-008 일 시 : 98 10102 1400

수 신 : 장 관

발 신 : 주 사우디 대사

제 목 : SBW-0007의 첨부

대:SBW-0001

-ARTICLE X1

.THIS AGREEMENT IS SUBJECT TO APPROVAL IN ACCORDANCE WITH THE INTERNALREGULATIONS OF EACH CONTRACTING PARTY AND ENTERS INTO FORCE FROM THE DATEOF EXCHANGE OF NOTES CONFIRMING SUCH APPROVAL.

.THIS AGREEMENT WILL BE PRELIMINARY FULFILLED FROM THE DATE OF ITS SIGNATURE.

,,.IN CASE OF THE WITHDAWAL OF THE MEDICAL TEAM ACCORDING TO THE ARTICLE III OF THIS AGREEMENT, THE AGREEMENT WILL TERMINATE WITH THE EXCEPTION OF ARTICLE IX ON THE DAY OF DEPARTURE OF THE LAST ITEM OF THE SUPPORT FORCE.

-ARTICLE XII

THE GOVERNMENT OF THE KINGDOM OF SAUDI ARABIA WILL FACILITATE AND PROVIDE ALL NECESSARY SERVICES AND MATERIALS FOR ACTIVITIES WHICH WILL BE EXECUTED BY THE MEDICAL TEAM. THE DETAILS OF PAYMENT WILL SETTLED IN AN ARRANGEMENT WHICH WILL BE CONCLUDED BY THE COMPETENT AUTHORITIES OF BOTH CONTRACTING PARTIES.

,, DONE IN -- JANUARY 1991, CORRESPONDING TO --TH JUMADA II, 1411H. INTHREE ORIGINAL, EACH IN KOREAN, ARABIC AND ENGLISH LANGUAGES. IN CASE OF DISPUTES THE ENGLISH TEXT PREVAILS.

,, ,, FOR THE GOVERNMENT OF FOR THE GOVERNEMNT OF THE

THE REPUBLIC OF KOREA KINGDOM OF SAUDI ARABIA

,, ,, LT. GENERAL

KHALID BIN SULTAN BIN ABDELAZIZCOMMANDER OF THE JOINT FORCES

| 중아국 | 장관 | 차관 | 1차보 | 2차보 | 미주국 | 국기국 | 청와대 | 안기부 |
|---|---|---|---|---|---|---|---|---|
| 국방부 | | | | | | | | |

PAGE 1 91.01.02 22:41

외신 2과 통제관 CH

0115

AND THEATRE OF OPERATIONS.

PAGE 2

0116

길

| 관리번호 | 91-7 |
|---|---|

# 외 무 부

종 별 :

번 호 : SBW-0008 일 시 : 91 0102 1900

수 신 : 장 관(중근동,미북,기정,청와대,국방부,합참의장,경기원)

발 신 : 주 사우디 대사

제 목 : 의료지원단 파견 협상단 활동보고 (3)

연:SBW-0007

연호보고 대로 국방부 대표단 5 명, 김동억서기관, 당관 무관등 7 명은 91.1.1(화) 10:00 주재국 국방부에서 제공한 특별기편으로 동부지역 (리야드에서 약 500KM)으로 이동, 동부지역 의무사령관 AHMAD SHERBINI 준장의 안내로 현지 이동외과 병원 및 야전병원(지역병원)을 답사하고 동병원 책임자들과 면담 하였는바, 요지 아래보고함

1. 이동외과 병원

가. 사우디 동부 쿠웨이트 국경으로부터 약 100KM 남쪽 민가가 없는 사막 한가운데에 대형 이동병원차량 11 대, 앰불런스 14 대, 병상 70 개를 수용한 대형천막 1 동 외 소형천막 30 동으로 구성된 병원임

나. 수술실.중환자실.검사실등의 차량에 붙은 의료시설은 완벽하나 의료요원의주거시설은 소형야전 천막으로 빈약 하였으며 특히 냉.난방 시설은 없었음

다. 동병원은 T/O 184 명이나 현원은 60 명이라고 하며, 사우디, UAE, 이집트인으로구성, 특히 의사는 3 명뿐이었으며 사우디인 1 명은 민간인 이었음

2. 야전병원

가. 상기 이동외과 병원에서 약 50KM 남방 NUARIAH 지역(2 만여명 인구의 기존도시)에 위치하며 담맘시로 부터는 약 200KM 북서쪽에 위치함

나. 동병원은 2 층 현대식 콘크리트 건물로 최근 보건성에서 신축한 병원이었으나국방부가 3 주전에 인수하여 군야전병원으로 개조중이며 동개조작업은 앞으로 보름정도 기간이 더소요될 예정이라함

다. 동병원은 T/O 200 명이나 현재 의료요원은 장교 4 명(1 명중령은 병원장)과기타 의료기술하사관, 병 등으로 구성되어 있었으며 필리핀 자원민간 의료진10 명을 포함 30 명이 근무중임

중아국 차관 1차보 2차보 미주국 청와대 안기부 국방부 국방부
경기원

PAGE 1 91.01.03 08:06
외신 2과 통제관 FE

0117

라. 장비는 미.영. 독.일본등으로부터 최근 도입된 최첨단의 것으로서 일부는 설치가 진행중이나 100BAD 용 병원장비 로서는 아군보유 의료장비에 비해 매우우수한 편이었음

마. 또한 병원건물은 최근 신축되어 쾌적하며 중앙 자동 냉.난방시설 및 전기. 급수 시설등도 완벽하였으며 의료요원용 주거용 건물(중형 아파트식)에는 현재 신품의 가구, 집기류등을 배치중에 있었음

바. 동병원옆에는 2 개의 헬기장도 보유하고 있었음

3. 관찰 및 평가

가. 상기 양병원 답사결과 의료시설과 장비는 거의 완벽하고 우수하나 의료요원만이 절대적으로 부족한 상태임을 확인할수 있었음. 사우디측은 금일 현장답사시에도 한국측이 장비지참 보다는 최소한 영어로 의사소통이 가능한 의료진을 빨리 보내는 것이 더 요망됨을 강조하였음. 또한 사우디측은 한국에서 필요하다면 연락장교. 취사병등을 의료진에 포함시켜도 좋겠다는 의견이 었음

나. 한편 현지답사팀은 국내에서 검토중이었던 방안을 시종 염두에 두고 관찰 하였으나 답사결과 우리 의료단이 독립단위된 자체적인 병원운영 보다는 기존병원에 의료진만 배치하여 진료분야에서 주도적으로 임무를 수행하는 방안이 현지사정에 더 적합할 것같다는것이 공통된 의견이었음. 즉 이동외과병원 보다는 상기규모의 야전병원에 배속되어 행정, 보급, 시설, 장비지원은 사우디측이 담당토록하고, 아측은 치료업무만 담당하는 방안이 좋을것 같다는것임

다. 금일 사우디측이 안내한 지역은 안전, 교통, 근무여건상 으로도 아국인이 적응 가능시되는 적절한 위치로 관찰되었음

4. 명 1.2(수) 양측군수 및 의무분야 실무자간 협의가 예정되어 있는바 협의결과 추보하겠음. 끝

(대사 주병국-장관)

예고:91.12.31. 일반

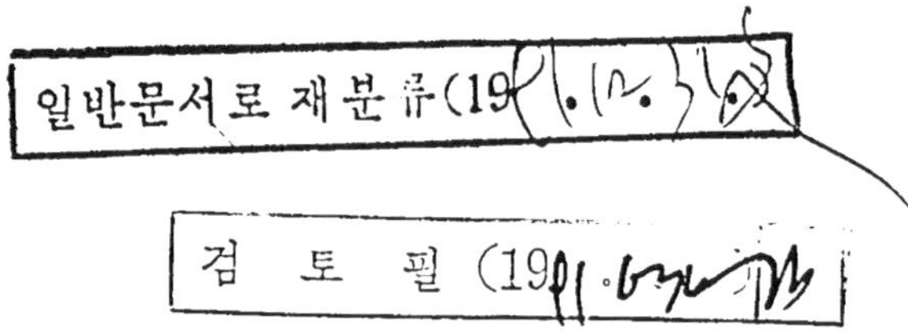

PAGE 2

0118

김

| 관리 번호 | 91-6 |
|---|---|

# 외 무 부

종 별 :

번 호 : SBW-0011 일 시 : 91 0102 2300

수 신 : 장관(중근동,미북,기정,청와대,국방부,합참의장,경기원)

발 신 : 주 사우디 대사

제 목 : 의료지원단 파견 협상단 활동보고 (4)

연:SBW-0007

지위협정과 관련, 협상단장은 OMAR MADANI 대사를 금 1. 2(수)11:20-12:00 간 재차 면담한바, 동결과 아래 보고함(당관 백참사관, 청와대 이대령, 국방부 황대령, 유대령 및 김서기관, 홍서기관, 이서기관 배석)

1. 의료지원단 조기파견 희망 표시

-이국장이 1. 1 사우디측이 수교한 협정문안의 본부보고 및 청훈사실을 밝히자 MADANI 대사는 우리의 필요 국내절차에 대해 충분한 이해를 표시 하면서도 1.15 이전 한국 의료지원단이 현지도착치 못하면 한국정부의 지원 자체가 무의미할수 있다고 말하는등 의료지원단의 조기파견 필요성을 강조함.

2. 협정문안에 대한 양측간의 예비협의 결과는 아래와같음

가. 기본협정 11 조 사우디측 국내절차는 서명권자인 KHALID 사령관 서명 이외에는 별도 필요절차 없다함.

나. 동 9 조중 MISSIONS 는 OMISSIONS 의 오기임.

다. 동 10 조의 JCC 는 타국예에 비추어 사우디측 병원장과 아측 의료지원 단장을 위원장으로 구성 가능할것임을 시사함.

라.ARRANGEMENT AGREEMENT 끝에 기본협정 12 조에 해당하는 조항이 누락되었는바, 사우디측은 문안을 추후 제시하겠다함.

마. 이협정도 역시 사우디측 서명권자는 KHALID 사령관이라함.

바. 동협정 1 조,3 조,9 조의 부제는 삭제키로함.

사. 동협정 1 조 1 항에 의료요원 분류에 MEDICAL ASSISTANTS 및 OTHER SUPPORT PERSONNEL 2 개항을 추가하고 개략적인 숫자를 명기키로함.

아.2 조 1 항중 PROTECTING 은 삭제함.

| 중아국 | 장관 | 차관 | 1차보 | 2차보 | 미주국 | 청와대 | 안기부 | 국방부 |
|---|---|---|---|---|---|---|---|---|
| 국방부 | 경기원 | | | | | | | |

PAGE 1

91.01.03 08:36

외신 2과 통제관 FE

0119

자.3 조 2 항 CAR 는 삭제함.

3. 서명시기 관련, 사우디측은 1.15 이전 파견을 가정할때,1 월 제 2 주중 서명이 되었으면 좋겠다는 희망을 피력하고 다른나라의 예에 준해서 주사우디대사가 양협정 모두를 서명할수 있을것이라 말함.

4. 협정문안을 협의하는 과정에서 감지된바, 영문텍스트는 아랍어본의 번역이므로 사우디측 문안을 기초로 아측이 FULL TEXT 를 작성하여 조속한 시일내에 당관으로 송부하여 교섭 확정토록 함이 좋겠음. 다만 사우디측 행정상의 비효율성을 감안, 큰문제점이 없다면 가급적 사우디측안을 수용하는 방향으로 검토 바람.

(대사 주병국 - 장관)

예고:91.12.31 일반

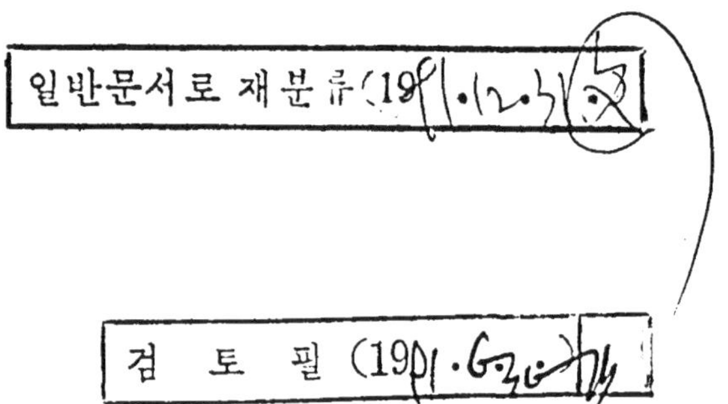


PAGE 2

0120

길

| 관리번호 | 91-5 |
|---|---|

# 외 무 부

종 별 :

번 호 : SBW-0012　　　　일 시 : 91 0102 2300

수 신 : 장관(중근동.미북.기정.청와대.국방부장관.합참의장.경기원)

발 신 : 주 사우디 대사

제 목 : 의료지원단 파견협상단 활동보고(5)

연 : SBW-0011

협상단장은 금 1.2(수)14:30-15:20 간 주재국 통합군사령관 KHALID BIN SULTAN 왕자를 면담한바, 동요지 아래 보고함(아측에서는 당관 무관 및 협상단 전원이 사우디측에서는 OMAR MADANI 대사, AL-HUSSEIN 준장등 관계관 배석)

1. 아국의 의료지원단 파견에 대한 사의표명

가.KHALID 사령관은 금번 걸프사태와 관련, 한국정부가 외교적 지원뿐만 아니라 사우디가 절실히 필요로 하고있는 의료분야에 지원을 제공키로 결정하여 준데 대해 사의를 표시하고 특히 사우디가 1.15 시한을 앞두고 전쟁과 평화의 갈림길 에서 어려움을 겪고있는 시점에서의 한국정부의 지원결정에 더욱 감사함을 느낀다고 밝힘.

나. 이에대해 이국장은 전통우방인 사우디가 필요로 하는 의료 분야에서의 기여를 제공할수 있게된것을 기쁘게 생각한다고 말함.

2. 파견가능 시기

가.KHALID 사령관은 배석한 MADANI 대사로 부터 향후 첫 임시국회가 1.24 에나 개최될 예정이며, 군의료진 파견을 위해서는 사전 국회동의 절차가 필요함을 보고받았다고 말하고 1.25 이라도 한국의료 지원단이 도착 가능하면 좋겠다고말하는등 우리 의료지원단의 조기파견 희망을 강력 표시함.

나. 이에대해 이국장은 국내필요절차가 끝난직후 가능한한 빠른시일안에 우리 의료지원단이 현지 도착할수 있도록 현재 최선의 노력을 경주중임을 설명함.

3. 걸프사태 전망 문의

가. 이국장은 KHALID 사령관에게 금번사태 전망을 문의한바, KHALID 사령관은 사담후세인이 1.15 이전 이라크군을 철수시킬 가능성도 있음을 시사하였음.

또한 KHALID 사령관은 이라크측이 서방 및 사우디정부의 확고한 의지를 잘

중아국　장관　차관　1차보　2차보　미주국　청와대　안기부　국방부
국방부　경기원



91.01.03　08:53
외신 2과　통제관 FE

0121

알고있으며, 후세인 자신도 1.15 까지의 시한이 마지막 기회임을 잘인식하고 있는것으로 알고있다 답변하고 사우디측은 이라크의 쿠웨이트로 부터의 완전 철수만이 해결방안임을 분명히 하였음.

나. 경제제재 조치의 유효여부에 관한 문의에 대해서 KHALID 사령관은 다소(20-30%정도)유효키는 하나 후세인의 마음을 돌리기에는 1-2 년 이상이 더 소요될것이며, 현재의 경제 재제조치가 계속된다 하더라도 이라크측은 최소 1 년은불편없이 지탱할수 있을것이라 말함.

다. 무력사용 가능시기에 대한 문의에 대해서는, 그어느누구도 예측할수 없는 문제라고 답변하고 자신을 포함한 모든사람들이 전쟁을 원치 않으나 국왕의 명령만 있으면 아무때라도 전쟁을 개시할수 있으며 라마단 기간이라도 전쟁을 수행할수 있고 실제 과거 역사를 보면 라마단 기간에 전쟁을 치룬예가 많이 있다고첨언함.

라. 소위 아랍권내 해결방안(ARAB SOLUTION)의 가능성에 대한 문의에 대해서는 지금까지의 노력이 실패하였다고 말함.

4. 관찰 및 평가

가.KHALID 사령관은 우리의 국회동의 절차상 의료진의 파견시기가 1.15 이후가 될수밖에 없다는것에 대해 일단 이해를 표시하면서도,1.15 이전 파견이 가능 하면 좋겠다는 사우디측 희망을 강력히 시사하였음.

나. 개전시기에 대해서는 1.15 이후에는 하시라도 가능하며 라마단에 구애받지 않을것임을 확실히 언명함.

다. 다만 KHALID 사령관도 (139)금까지 면담한 군.민인사들과 마찬가지로 1.15 이전 사담 후세인이 철수결정할 가능성에 대해 많은 기대를 하고 있었던것이 주목됨.

라. 아랍권내 해결에 대해서는 큰기대를 하지않는 것으로 감지되었음. 끝.

(대사 주병국 - 장관)

예고 : 91.12.31 일반

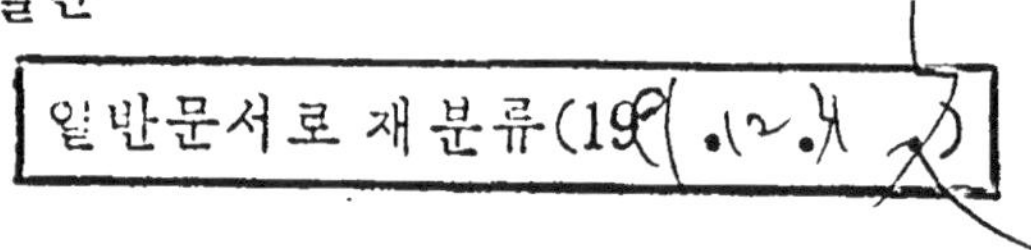


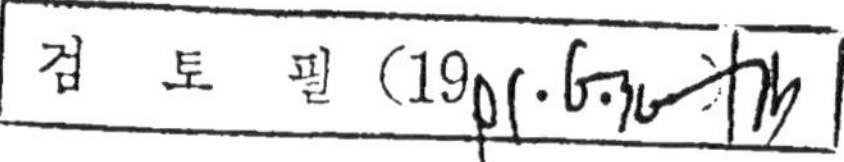

# 면 담 요 록

1. 일 시 : 91.1.2(수) 14:30-15:20

2. 장 소 : 사우디 국방부내 통합군 사령관 집무실

3. 면 담 자 :

| 아 측 | 사 우 디 측 |
|---|---|
| 이해순 중동.아국장 | Khalid Bin Sultan 사우디 통합군 사령관 |
| 주사우디 대사관 무관 | Omar Madani 대사 |
| 의료지원 협상단원 전원 | Al-Hussein 준장 |

4. 면담내용

(인사말)

Khalid 사령관 : 한국 정부가 걸프사태 관련, 각종 외교적 지원뿐만 아니라 사우디가 절실히 필요로하는 의료지원을 제공키로 결정해 준데 대해 감사함.

특히 사우디 정부로서는 1.15. 유엔 설정 시한을 앞두고 전쟁과 평화의 갈림길에서 어려움을 겪고 있는 시점에서의 한국 정부의 지원 결정에 더욱 감사함을 느끼고 있음.

| 공람 | 중동과 | 91.1.8 | 담당 | 과장 | 심의관 | 국장 | 차관보 | 차관 | 장관 |
|---|---|---|---|---|---|---|---|---|---|
| 고재 | | | (서명) | (서명) | | (서명) | | | |

0123

이 국장 : 전쟁을 위한 최대의 준비가 전쟁을 피하는 최선의 방안 이며, 한국 정부가 전통 우방국인 사우디가 필요로하는 의료 분야에서의 기여를 제공할 수 있게된 것을 기쁘게 생각함.

(양국관계 전반)

이 국장 : 80년 당시 최규하 대통령의 사우디 공식 방문은 중동 지역 국가에 대한 한국 대통령의 첫 방문으로서 양국 우호관계의 증좌이며 동 정상방문 이후 여러분야에서의 양국 관계 발전을 기쁘게 생각함.

Khalid 사령관 : 제반 분야에서의 양국관계 발전을 기쁘게 생각하며 금번 걸프사태 관련 한국 정부의 군의료 지원으로 군사 분야 에서의 교류도 증대될 것으로 기대함.
또한 한국 정부의 금번 지원 결정은 장기적인 중동지역 안정에 크게 기여할 것임.

(의료 지원단 파견 가능시기)

Khalid 사령관 : Madani 대사로 부터 향후 첫 임시국회가 1.24.에나 개최 될 예정이며 한국 헌법 절차상 한국군의 해외 파병을 위해 서는 사전 국회 동의 절차가 필요함을 보고 받았음.
한국 임시국회 개원 다음날인 1.25.에라도 한국 의료단이 사우디에 도착 가능하면 좋겠음.

이 국장 : 국내 헌법 절차상 사전 국회동의 절차가 필요하다 하더라도 한국 정부가 현재 아무것도 안하고 있는 것은 아님. 필요 국내 절차가 끝난 직후 가능한한 빠른 시일내에 현지 도착이 가능하도록 한국 정부는 사전 준비등을 철저히 진행시키고 있음.

0124

(걸프사태 전망)

이 국장 : 최근 중동지역 전문가들은 사담 후세인이 1.15. 시한 직전 일방 철수를 결정할 가능성에 대해 언급하고 있는 바, 동 가능성에 대한 귀하의 견해는 ?

Khalid 사령관 : 모두가 전쟁이 가져다 줄 결과를 잘 알고 있고 전쟁을 원하는 사람은 없으므로, 미국 및 서방 우방국들은 현재 사담 후세인의 철수 결정 유도를 위한 최선의 외교적 노력을 경주중에 있음. 후세인은 직언을 감행하는 측근 보좌관을 사살해 버리는등 그의 만행은 천인공노할 정도이므로 그와 이라크군의 부분 철수를 조건으로한, 즉 사태의 부분적 해결을 위해 협상할 여지는 전혀 없음. 그러나 그도 1.15. 시한이 마지막 기회임을 잘 알고 있으므로 일방적인 철수 결정을 할 가능성도 배제할 수는 없음.

이 국장 : 이러한 서방측의 결연한 의지가 사담 후세인에게 적절히 전달되었는지 여부에 관한 귀하의 견해는 ?

Khalid 사령관 : 상기와 같은 서방측 의사는 주요인사들의 후세인 면담시 적절히 전달되었다고 보며, 후세인도 CNN을 24시간 시청하고 있으므로 서방측 의지는 돌이킬 여지가 없다는 것과 서방측 제반 동향도 매우 잘 알고 있을 것임.

(경제제재 조치의 유효성 여부)

이 국장 : 현재 시행중인 대이라크 경제 제재조치의 효과에 대한 귀하의 견해는 ?

0125

Khalid 사령관 : 다소(20-30%정도) 유효키는 하나 후세인의 마음을 돌릴 정도는 아님. 후세인의 마음을 돌리기에는 1-2년 이상이 더 소요될 것임.

현재의 경제 제재조치가 계속된다 하더라도 이라크측은 이를 우회적으로 회피해 나갈 수 있어 최소 1년 이상은 불편없이 지탱할 수 있을 것임.

(무력 사용시기)

이 국장 : 이라크에 대한 무력 사용 가능시기에 대한 귀하의 견해는 ?

Khalid 사령관 : 그 문제는 동전 던지기와 같이 그 어느 누구도 예측할 수 없는 문제로서, 자신을 포함한 모든 사람들이 전쟁을 원치 않고 있으나 국왕의 명령만 있으면 아무때라도 전쟁을 수행할 만반의 준비가 완료되어 있음.

이 국장 : 라마단 기간중에도 무력 사용이 가능한지 ?

Khalid 사령관 : 라마단 기간이라도 전쟁은 가능하며 실제 과거 역사를 보면 라마단 기간중에도 치열한 전쟁을 치른 예가 많이 있음.

(아랍권내 해결방안)

이 국장 : 아랍권내 해결 방안(Arab Solution) 성공에 관한 귀하의 견해는 ?

Khalid 사령관 : 지금까지의 아랍권내 해결을 위한 노력은 실패할 수 밖에 없었음. 이는 아랍내 대부분의 국가들은 이라크군의 쿠웨이트로 부터의 조건없는 완전 철수가 선행되어야 하며 이를 위한 교섭의 여지는 없음을 분명히 하고 있기 때문이며 최종 결정은 이라크측에 달려 있다 하겠음.

0126

(인사말)

이 국장 : 바쁘신 가운데 협상단 전원의 면담 허용과 장시간 시간을 할애해 주신데 대해 협상단을 대표해 감사드림.

Khalid 사령관 : 다시한번 한국 정부의 결정에 대해 감사하며 아무쪼록 즐거운 사우디 방문이 되길 기원함. 끝.

0127

긴

| 관리 번호 | 91-9 |
|---|---|

# 외 무 부

종 별 : 지급

번 호 : SBW-0017 일 시 : 91 0103 2300

수 신 : 장관(중근동,미북,기정,청와대,국방부,경기원,합참의장)

발 신 : 주 사우디 대사

제 목 : 의료지원단 파견 협상단 활동보고 (6)

연:SBW-0012

협상단장은 금 1.3(목) 10:30-11:30 간 CHARLES W.FREEMAN 주 사우디 미국대사를 면담한바, 동면담 요지 아래보고함.(아측에서는 박명준공사, 국방부 황대령, 홍서기관, 이서기관이, 미측에서는 ROBERTA NEWELL 정치.군사담당 1 등서기관 배석)

1. 협상단 활동 결과 설명

0 이국장이 12.29-1.3 간 연호 사우디 측 군.민 인사와의 협의 결과를 간단히 설명해준데 대해 FREEMAN 대사는 사의를 표명하고 금번 한국정부의 대사우디 의료지원 결정은 한국정부가 국제적 노력에 동참함으로서 국제 사회의 책임있는 일원임을 증명하는 정치적 의미도 있는 일이라고 말함

2. 의료지원단 파견 가능시기 및 쿠웨이트 이동가능성

0 이국장은 의료지원단 파견을 위해서는 국회의 사전 동의 절차가 필요하며임시국회가 1.24 개최 예정으로 빨라야 2 월초에나 현지도착이 가능할것임과 협상단 리야드 체재시 감지된 사우디측의 조기파견 희망을 설명함

0 이에 대해 FREENAM 대사는 1.15 시한이 지났다 해서 바로 전재쟁이 일어난다고 볼수없기 때문에 한국이 국회동의 이후 의료단을 파견해도 너무 늦다고는생각하지 않음, 기실 미군 배치는 1.15 까지 완료될수 없고 1.24 전후해서도 배치가 계속될 것으로 본다고 하면서 다만 조기도착을 위해 의료단의 공수는 요망될것이라는 의견을 제시하였음

0 또한 개전의 경우와 일방적 철수의 경우나간에 현재 쿠웨이트내 의료시설이 거의 폐허화된 점을 고려할때 한국 의료 지원단은 도착이 다소 늦어진다 해도계속 기여가 가능할것으로 본다고 말함

0 이에대해 이국장은 한국 지원단의 쿠웨이트 배치 가능성을 뜻하는 것인지를

중아국 장관 차관 1차보 2차보 미주국 청와대 안기부 국방부
국방부 경기원

PAGE 1 91.01.04 07:24

외신 2과 통제관 BT

0128

묻자, FREEMAM 대사는 사우디 동부지역 주둔 다국적군이 쿠웨이트로 진입하게되면 한국지원단도 함께 이동 군.민 환자치료를 위해 활동해야할 상황이 생길수 있다고 말함.

이 경우 쿠웨이트 정부도 한국 의료지원단에 감사히 생각하게될것이라 말함

3. 자체 보급체제 및 비상시 계획 수립 필요성 지적

0 이국장은 사우디측이 한국 의료지원단의 의료장비 휴대 보다는 조기파견에더욱 관심이 많아 협상단원들도 당초 계획인 독자운영 단위병원 파견 방안 보다는 의료진만을 충원하는 방안이 현실적으로 판단, 그 방향으로 검토중임을 밝힘

0 이에 대해 FREEMAN 대사는 사우디측이 제공할 의료장비는 최첨단 장비임에틀림없으나 유사시 사우디 보급체제는 정상가동치 않을 수 있으므로 자체보급 체제가 필요할것 같다는 의견을 피력함

0 FREEMAN 대사는 이국장 요청에 따라 미 중앙사령부내 보급 전문가와 협상단원중 보급 담당자와의 면담주선을 약속하였음

4. 이라크의 일방철수 가능성

0 이국장은 사우디측 인사들이 1.15 시한 직전 후세인의 철군결정 가능성에대해 많은 기대표명이 있었다고 한바, FREEMAN 대사는 물론 그 가능성을 전혀 배제할수는 없겠으나, 현재 쿠웨이트 인근 지역에 34 개사단 53 만명의 병력을 투입하고 쿠웨이트 서방에 방어선을 구축하고 있는것과 특히 미사일 부대가 최대의 전투태세를 유지하고 있는점등으로 미루어 볼때 정책을 돌변할 조짐은 보이지않고 있다고 말함

그러나 사담 후세인은 8 년간의 이.이전 성과를 한순간에 포기한 것처럼 마치 북한의 김일성과 같이 아무런 사전예고 없이 마음을 바꿀 가능성도 있는 인물이라고 말함

5. 개전 예상시기

0 이국장이 작일 KHALID 왕자의 언급을 염두에 두고 라마단 기간중 전쟁수행 가능성에 대해 문의한 바, FREENAM 대사는 미국이 무력을 사용케될 경우 라마단 이전 이미 상황이 종료될것이라는 의견을 개진함

6. 관찰 및 평가

0 아국 의료지원단의 쿠웨이트 이동가능성을 미측은 충분히 예상하고 있는것으로 감지되었는바, 사전 계획 수립시 검토가 필요시됨

0 사우디측 보급체제 및 아랍통합군의 전투수행 능력에 대해 미측은 전혀 신뢰를

하고있지 않다는 것을 노골적으로 표시한점이 주목됨. 끝

(대사 주병국-국장)

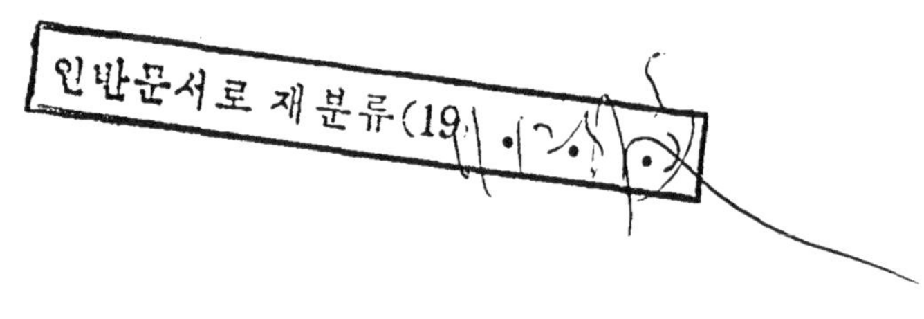


PAGE 3

0130

# 면 담 요 록

1. 일 시 : 91.1.3(목) 10:30-11:30

2. 장 소 : 주사우디 미국 대사관, 대사실

3. 면 담 자 :

| 아 측 | 미 측 |
|---|---|
| 이해순 중동아 국장 | Charles W. Freeman, Jr.<br>주 사우디 미국 대사 |
| 박명준 주사우디 대사관 공사 | Roberta Newell 정치.군사 담당<br>1등 서기관 |
| 황진하 합참 대령 | |
| 홍석규 북미과 서기관 | |

4. 면담내용

(의료 지원단 파견을 위한 대사우디 교섭 결과 설명)

이 국장 : 만나게 되서 반가움.
Quayle 부통령의 사우디 방문으로 분주한 가운데 주말임에도 불구 면담 시간을 할애해 주어 고맙게 생각함.

Freeman 대사 : 걸프 사태 발발 이후 주말도 없이 일을 계속하고 있음.
지난 1주일간 한국 군 의료단 파견을 위해 사우디 정부와 협상을 계속한 것으로 아는데 동 협상 결과는 ?

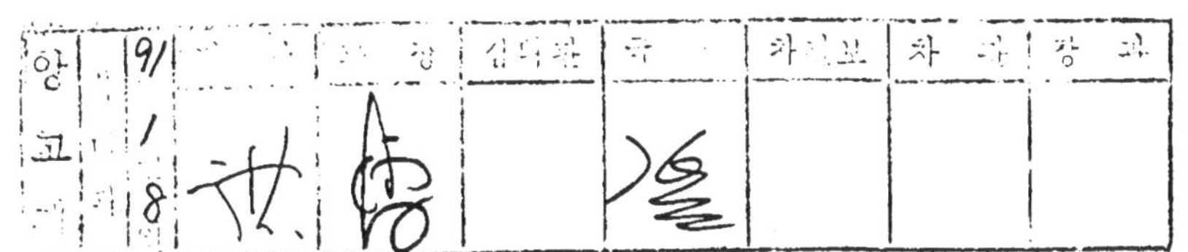

0131

이 국장 : 한국 정부는 미국 정부와의 사전 협의를 거쳐 지난해 12월초 사우디 정부와 아국 군 의료지원단 파견을 위한 협의를 개시하였으며 12.19. 사우디측으로 부터의 긍정 반응을 접수하고 금번 협상단을 파견케 된 것임.

Freeman 대사 : 사우디측은 물론 미국 정부도 한국 정부의 의료 지원단 파견 협상단 파견 결정에 대해 감사히 생각하고 있음. 1.15. 유엔 설정 시한이 다가옴에 따라 의료 요원을 비롯한 해외 근로자들이 모두 철수하므로써 사우디내 제반 사회 시설이 제기능을 발휘하지 못하는 현상하에서 한국의 의료진 파견 결정은 매우 시의적절한 것이며 전시 상황이 벌어질 경우 커다란 기여를 할 수 있을 것임.

이 국장 : 구랍 29일 현지 도착이후 HAMEED 장군, AL-Hussein 장군, Talal 참모장 및 Khalid 사령관과 Madani 대사등을 면담하고 아국 군 의료진 파견과 관련한 제반 사항들을 토의한 바 있음. 또한 협상단 단원중 6명의 전문가들이 사우디 정부 주선으로 지난 1.1. 동부지역을 방문, 사우디 야전 병원과 이동 병원 (MASH) 각1개소를 답사하고 현지 실정을 파악한 바도 있음.

(아국 의료단 파견 가능 시기)

Freeman 대사 : 군 의료진 파견과 관련한 구체적 결정이 이루어진 것이 있는지 ?

이 국장 : 상기 면담과 현지 답사시 사우디측 희망과 소요를 청취하였음. 한편, 한국 헌법 절차상 군의 해외 파견을 위해서는 국회의 사전 동의가 필요한 바, 올 첫 임시국회가 1.24. 개최될 예정이므로, 군 의료진 파견에 필요한 국내 절차를 마치는 대로 최대한 빨리 사우디에 도착할 수 있도록 노력중에 있음.

0132

이러한 우리측 설명에 대해 지난 수일간 면담한 사우디측 인사 대부분들은 한국의 의료진 파견이 다소 늦다는 반응을 보이고 하루라도 빨리 한국 군 의료진의 도착을 기대하고 있는 것으로 느꼈음. 한국내 상황에 비추어 볼때 군의료진 해외 파견의 국회 승인 절차도 쉬운 일이 아니며 특히 야당 설득에는 더 큰 어려움이 있을 것으로 전망됨. 또한 국민 대다수의 지지 확보가 매우 중요하나 또한 전 보다는 매우 어려움.

Freeman 대사 : 한국 국내 정치 상황에 관한 주한 미 대사관의 보고에 따르면 한국 정부는 6공 출범이후 민주화 진전에 따라 국론 통일 및 국민여론 지지 확보에 어려움을 겪고 있는 것으로 알고 있음. 그런 국내의 다양한 여론의 존재에도 불구, 한국 정부가 금번에 의료진 파견키로한 결정에 다시한번 감사 드림.

한국내 민주화 진전과 관련 국회가 의료진 파견 동의안을 전처럼 신속하게 (on a expeditious basis) 처리할 것이 기대키 어려운 만큼 국회 승인 절차가 끝난 직후 의료진을 공수 (airlift)하면 사우디 정부에 대해 한국 정부의 성의를 알리는 좋은 제스쳐가 될 것으로 봄.

UN 설정 시한인 1.15.에 당장 이라크에 대한 무력 제재가 개시될 것으로는 보지 않으며 군사 제재가 이루어진다 해도 이라크군이 1-2일만에 붕괴 되지는 않을 것이므로 한국 국내 절차가 끝난 직후 의료진을 바로 공수하면 될 것임.

주 사우디 미 군사력도 1.15. 이후에도 계속 증강될 것임.

이 국장 : 본인이 출발 직전 느낀바로는 빨라야 2월 첫주쯤에나 파견이 가능할 것 같았으나 선발대등은 사전 도착할 수 있을 것임. 하여간 우리는 의료 지원단의 조속 파견을 위해 최선을 다하고 있음.

0133

Freeman 대사 : 본인은 과거 3차례정도 한국 관리들과 같이 일한 경험이 있었는 바, 당시 경험에 비추어볼때 대한민국 행정부는 전세계 정부들 중 가장 효율적인 정부라 말할 수 있을 것이므로 금번에도 국회측을 설득, 잘 처리하리라 확신하고 있음.

1.15. 이후에도 미군의 증강은 계속될 것이므로 한국 정부가 국내 필요 절차가 끝나는 데로 의료단을 공수하면 사우디측 인식과 같이 너무 늦지는 않다고 생각함.
또한 3월까지는 황사 현상과 비슷한 모래 바람도 있으나 사우디 기후도 한국의 봄철 기후와 비슷하여 기후는 문제가 안될 것이나 한가지 문제로는 전투가 개시될 경우 공항이 매우 혼잡할 것이라는 점임.
금번 한국 정부의 대사우디 의료 지원 결정은 한국 정부가 국제 노력에 동참함으로써 국제 사회의 책임있는 일원임을 보여주는 정치적 의미도 큰 것으로 평가할 수 있을 것임.

(라마단 기간중 전쟁 발발 가능성)

이 국장 : 어제 면담한 Khalid 왕자는 본인의 라마단 기간중 전쟁 발발 가능성에 대한 질문에 대해, 동 가능성을 배제치 않았으며 역사상 치열한 전쟁들이 라마단 기간중 일어난 예가 많음을 지적하였는 바, 대사의 견해는 ?

Freeman 대사 : 전쟁 수행 가능 시기와 라마단과를 연계시킬 필요는 없을 것으로 봄. 3월 부터 더워지기 시작하나 뜨거운 날씨는 아니므로 전쟁을 수행하는 기후로서는 문제가 되지 않을 것임. 그러나 금식과 금연으로 아랍인 전부가 심리적으로 가라 앉아 있는 상태(bad mood)이므로 통념상 적절한 전쟁 수행시기는 아님.

0134

그러나 군사적 측면에서는 군사적 요구에 따라 전쟁이 가능하므로 어제 군인인 Khalid 왕자의 언급은 올바른 답변으로 생각함.

현재 미국 정부는 EC 등 유럽 우방국들과 협조하에 사태의 평화적 해결을 위한 마지막 외교 노력을 경주하고 있으나 현재로서는 확정적으로 사태를 전망할 수는 없을 것임.

본인이 낙관적으로만 생각치는 않고 있으나 무력 사용이 있다 하더라도 라마단 기간 시작 훨씬 이전 사태는 이미 종결되고 라마단 기간에는 새로운 사태를 맞게 될 것이라는 것이 본인의 예상임.

(이라크측의 일방 철군 결정 가능성)

이 국장 : 지난 수일간 면담한 사우디측 군.민 인사와의 대화에서 본인이 감지한 바에 따르면, 이라크군의 1.15. 시한 직전 일방적 철군 결정 가능성에 대해 기대가 높은것 같았는 바, 동 가능성에 대한 귀하의 견해는 ?

Freeman 대사 : 물론 그 가능성을 전혀 배제할 수는 없음.

사담 후세인은 현재 쿠웨이트 인근 전선 지역에 34개 사단 53만명의 병력을 투입하고 쿠웨이트 서방에 방어선을 구축하고 있으며, 특히 미사일 부대들은 최대의 전투 태세를 유지하고 있는점 등으로 미루어 볼때 기존 정책을 돌변할 조짐은 아직 보이지 않고 있음. 그러나 사담 후세인은 8년간의 이.이전 성과를 순식간에 포기한 것처럼 마치 북한의 김일성과 같이 아무런 사전 예고없이(without any notice at all) 마음을 바꿀 가능성도 있는 인물임.

0135

(한국 의료 지원단의 쿠웨이트 이동 가능성)

Freeman 대사 : 또한 개전의 경우나 일방적 철수 결정의 경우나 간에 현재 쿠웨이트내 의료 시설이 거의 폐허화 되었으므로 쿠웨이트내에서 발생한 많은 군.민 사상자 치료를 위해 한국 의료 지원단의 활동은 많은 기여를 하게 될 것임.

이 국장 : 지금 귀하의 언급은 한국 의료 지원단의 쿠웨이트 이동 배치 가능성을 의미하는지 ?

Freeman : 상기 두가지 경우 모두 일정 기간은 사우디 동부 지역 주둔 다국적군이 쿠웨이트로 진입, 민간 정부의 재건시까지 주둔해야 할 것임. 동 경우 한국 지원단도 쿠웨이트로 함께 이동, 군.민 환자 치료를 위해 활동해야 할 상황이 생길 수도 있으므로 한국 정부가 의료 지원단 파견 계획 수립시 이러한 가능성을 고려해야 할 것임.
상기 경우, 쿠웨이트 정부도 한국 정부에 대해 진실로 감사히 생각할 것임.

(한국 의료 지원단 구성 및 자체 보급 체제 수립 필요성)

이 국장 : 사우디측 의무 담당자들은 한국 의료 지원단원 구성과 관련, 방사선과, 마취과, 정형외과 및 일반 외과 의사와 중환자실 간호 장교, 방사선과 및 정형외과 의무 하사관 포함 여부에 지대한 관심 표명이 있었음.

Freeman 대사 : 한국 의료 지원단 구성 계획은 ?

0136

이 국장 : 상기 사우디측 희망을 최대로 수용 군의관 15-20여명, 간호 장교, 의무 하사관, 의무병등 80여명등 총100여명으로 의료 지원단을 구성할 방침임.

Freeman 대사 : 한국 육군에서 차출 예정인지 ?

이 국장 : 그럴 예정임.
사우디측은 우리의 의료 장비 휴대보다는 하루라도 빨리 우리 의료 지원단이 도착하기를 간절히 희망하고 있어, 금번 협상 단원들도 당초 계획인 독자 운영 단위 병원 파견 방안보다는 의료진만을 기존 사우디 군병원에 충원하는 방안이 더 현실적으로 판단, 그 방향으로 검토중에 있음.

Freeman 대사 : 귀하도 잘 알다시피 사우디군 보유 장비는 21세기 최첨단 장비이나 사우디군 및 사람들은 14세기적이고 한국 육군은 세계 정상의 현대 육군이므로 사우디에 너무 의존하기 보다는 완전한 자체 보급 체제를 갖추는 것이 바람직할 것임.
사우디군 보급 체제는 유사시 정상가동치 않는 유격대 성격의 군대이므로 자체 지원 체제 수립이 요구됨.
(You should prepare your own back-up system because Saudi Land Forces are centrally garrison army)
이는 과장이 아니며 사실을 이야기하는 것임.

이 국장 : 대사의 충고에 감사드림. 우리 협상단중 보급 전문가가 양국 합참간 협조를 통해 통보 받은 미군 중앙사(CENTCOM) 보급 담당자와 접촉을 시도한 바, 동인은 주사우디 미국 대사관의 지시가 전제 조건이라는 반응을 보였는 바, 대사께서 적절히 지시하여 줄 것을 부탁드림.

0137

Freeman 대사 : 대사관내 담당자가 배석한 Roberta Newell 서기관이므로 양국 전문가들 협의가 주선되도록 하겠으며, 다란 소재 미군 의료 시설 현지 답사도 필요하면 주선하겠음.

양국 우호 관계를 기초로한 보급 지원 체제 협의는 어디까지나 비공식 채널을 통한 협조이며, 사우디군 통합 사령부와의 협조가 정식 채널입을 분명히 해야 할 것임.

그러나 한국 의료 지원단 파견과 관련한 제반 협조는 제공 하겠음.

(의료 지원단 지위 협정)

이 국장 : 마지막으로 사우디측은 지원 제공 우방국들과 체결한 지위 협정문을 기초로해 Madani 대사가 작성한 지위 협정(안)을 아측에 수교하여, 본국 정부에 송부, 현재 아측 입장을 검토중임.

Freeman 대사 : 사우디 주둔 미군은 지위 협정상 대사관내 준 외교관 (technical staff)에 준하는 특권과 면제를 향유케되어 있어 주사우디 미국 대사는 전세계 미국 공관중 최대 공관원을 갖게 되었으며, (박공사에게) 주사우디 한국 대사관도 가까운 장래에 수많은 대사관원이 보충될 것임.

이 국장 : 바쁜 가운데에서도 긴 면담 시간을 할애해 주어 감사합.

Freeman 대사 : 본인에게 금번 사우디측과의 협의 결과를 상세히 설명해 주어 감사합. 끝.

0138

길

| 관리번호 | 91-12 |
|---|---|

# 외 무 부

종 별 :

번 호 : CZW-0003 일 시 : 91 0103 2100

수 신 : 장관(중근동,동구이,기정)

발 신 : 주 체코대사 미주

제 목 : 의료단

대:CZW-2

1. 최승호 참사관이 1.3 FISER 중동국 부국장 면담, 대호관련 타진한바, 동국장 발언요지 아래보고함.

가. 사우디 요청에 따라 200 명 규모 화학무기 대응전문가단을 12.14 파견함.

나. 이단은 화학전 대비 전문가들로서 전원 군에서 선발됨.

다. 체류비용 사우디 부담등 양국 국방 당국간의 약정이 있으나 구체 내용은 모름. 체코측 입장이 반영되지 못한것도 있으나, 다수국으로 부터 군대.군사요원을 받아 들여야 하는 사우디 입장에서 불가피한 사정도 있을것임.

라. 의료단 파견 계획은 없음.

2. 현금 외상이 사우디 방문중으로서, 당초 외교관계 수립 의정서 서명을 계획하였으나 현재 실현되지못할 전망이라 하면서 동 구체적 사유는 대표단이 귀국해야 알수 있을 것이라 하였음

(대사-국장)

91.12.31. 일반

검 토 필 (1991.6.30.)

일반문서로 재분류(1991.12.31.)

중아국 구주국 안기부 미주국

PAGE 1 91.01.04 07:59

외신 2과 통제관 BT

0139

| 관리번호 | 91-31 |
|---|---|

원 본

# 외 무 부

종 별 :

번 호 : SBW-0019 일 시 : 91 0104 1200

수 신 : 장관(중근동,미안,미북,조약,기정,청와대,국방부,합참의장)

발 신 : 주 사우디 대사

제 목 : 의료지원단 지위협정 문안 누락부분 송부

연:SBW-0007

연호 사우디측 지위협정문안중 ARRANGEMENT AGREEMEN 의 제 9 조 3 항 이하부분이 누락되었는바, 동누락부분을 아래와 같이 추가송부함

3.THE COMMITTEE WILL CONSIST OF THE EQUAL NUMBER OF REPRESENTATIVES FROM THE KOREAN MEDICAL TEAM AND THE SAUDI ARABIAN AUTHORITIES.

4.THE COMMITTEE HAS RIGHT - AFTER EVALUATION OF THE SITUATION - TO SUGGEST THE MINISTRIES OF DEFENSE OF BOTH PARTIES SETTLING AND FINISHING ALL MATTERS CONCERNING ACTIVITIES OF THE KOREAN MEDICAL TEAM.

-ARTICLE 10

1.THE ARRANGEMENT WILL ENTER INTO FORCE FROM THE DATE OF ITS SIGNING.

2.EITHER PARTY HAS THE RIGHT TO SUGGEST ANY CHANGES TO THIS ARRANGEMENT. THE AGREED CHANGES WILL BE IN FORCE IN THE MANNER AND IN ACCORDANCE WITH IMPLEMENTATION OF THIS ARRANGEMENT.

,, DONE IN RIYADH ON --TH JANUARY 1991, CORRESPONDING TO --TH JUMADA II, 1411H, IN THREE ORIGINALS, EACH OF THEM IS MADE IN ENGLISH, ARABIC, ANDKOREAN LANGUAGE. IN CASE OF ANY DISPUTE CONCERNING INTERPRETATION OF THISARRANGEMENT, THE ENGLISH TEXT WILL PREVAIL.

,,

FOR THE MINISTRY FOR THE MINISTRY
ON NATIONAL DEFENSE OF DEFENSE AND AVIATION
OF THE REPUBLIC OF KOREA AND INSPECTOR GENERAL
. OF THE KINGDOM

중아국 장관 차관 1차보 2차보 미주국 미주국 국기국 청와대
안기부 국방부

PAGE 1

91.01.04 21:14
외신 2과 통제관 FE

0140

. OF SAUDI ARABIA

, ,

. LT.GENERAL

KHALID BIN SULTAN

BIN ABDULAZIZ

. COMMANDER

. OF THE JOINT FORCES

. AND THEATRE OF OPERATIONS

(대사 주병국-장관)

예고:91.12.31 일반

| 검 토 필 (1991 . 6 . 30.) | 서명 |
|---|---|

PAGE 2

0141

| 관리 번호 | 91/912 |
|---|---|

| | 분류번호 | 보존기간 |
|---|---|---|
| | | |

# 발 신 전 보

번 호 : WSB-0017 910105 2049 DN 종별 :

수 신 : 주 사우디 대사. 총영사 (친전)

발 신 : 장 관 (중동아국장)

제 목 : 업 연

1. 작 1.4. 밤 예정대로 귀국하여 금일 새벽 정부 대책회의에 참석하시는 장관께 현지 감각을 전할 수 있어서 다행이었습니다.

2. 연말연시에 많은 인원이 가서 번거롭게 해드려 송구한 마음 그지없으며, 기꺼이 환영해 주시고 후의를 베풀어 주신데 대해 재삼 감사드립니다. 새해아침 관저에서 떡국 먹은것 오래 기억할 것 같습니다.

3. 의료단은 선발대 약20명을 1.15. 전후 도착토록(형식은 사전 조사단), 본대는 모두 200명을 여의도 동의후 1월말 또는 2월초 보낼 예정으로 삼각지에서 추진중이니 우선 대사님 참고로만 하십시요.

4. 공관장 회의는 1)유사시 체류자 및 공관원 철수 시기 및 대책 2)전쟁 발발시 이락의 미국 및 다국적군 참가국에 대한 테러 가능성(아국 포함) 3)걸프사태 전망 4)사태 평정후 중동의 새질서에 대한 전망에 대해 의견을 나눠주시면 좋겠습니다.

5. 건승을 기원합니다. 끝.

예 고 : 독후 파기 (91.12.31. 일반문서로 재분류)

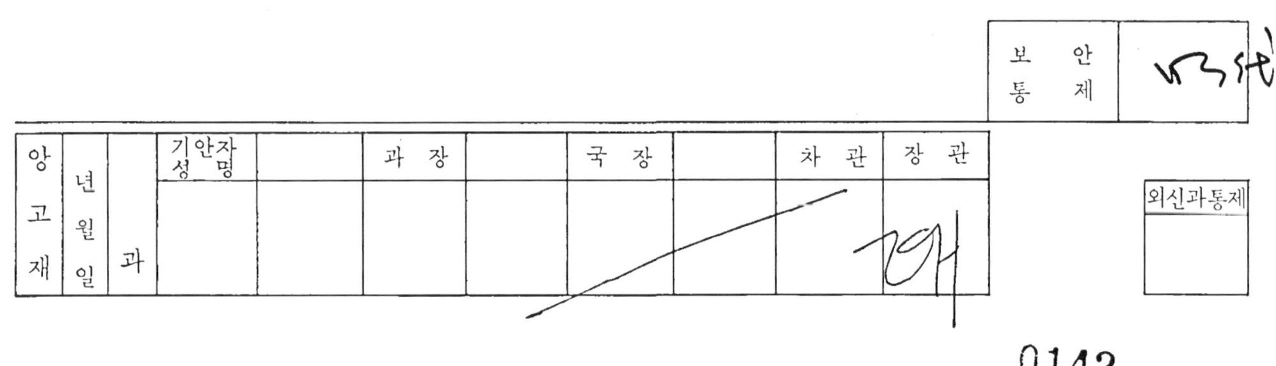

| 보안 통제 | |
|---|---|

| 앙 고 재 | 년 월 일 | 과 | 기안자 성 명 | | 과 장 | | 국 장 | | 차 관 | 장 관 |
|---|---|---|---|---|---|---|---|---|---|---|
| | | | | | | | | | | |

외신과통제

0142

# 한·사우디 의료지원단 지위 협정(안)검토

1. 협정 성격 : 국회동의 전제 의료단 파견 이행을 위한 협정 성격

2. 지휘권 행사

   ㅇ 사우디측안 : 사우디군 최고사령관의 작전 지도를 따름

   ㅇ 검토의견 : 작전 지도에 있어서 아측과 협의토록함이 바람직

3. 특권과 면제

   ㅇ 사우디측안 : 의료단원은 외교단의 행정, 기술 직원과 동일한 면제 향유

   ㅇ 검토의견 : 특권 조항을 추가하고, 의료단장에 대하여는 외교관에 부여되는 특권 면제를 부여토록 규정함

4. 공무 수행중 인명 피해에 대한 청구권 포기

   ㅇ 사우디측안 : 인명 피해에 대한 청구권만 포기토록 규정

   ㅇ 검토의견 : 공무 수행중의 재산 손실에 대한 청구권 포기 규정 추가 필요

5. 발효 조항

   ㅇ 사우디측안 : 협정은 양국 국내법령에 따라 승인되어야 하며, 승인 확인 공한 교환시 정식 발효 단, 서명일로부터 우선 협정 이행

   ㅇ 검토의견 : 의료단 해외 파병은 헌법 60조2항에 의한 국회 동의 필요 사항으로 정식 발효 이전 잠정 이행은 불가하며, 서명후 잠정이행 규정 삭제 필요

6. 접수국의 의료단 활동지원

   ㅇ 사우디측안 : 접수국은 의료단에 대해 필요한 장비, 용역, 편의를 제공토록 규정

   ㅇ 검토의견 : 의료단의 신변안전과 보호 조항 추가 필요

7. 건 의 : 상기 검토의견을 토대로 사우디측에 아측 수정안 제의하고, 가능한한 국회 동의 이전 문안 합의, 동의 직후 서명 가능토록 함

3; 사우디 지휘하 독립부대

0143

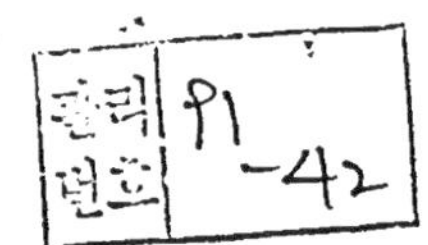

| 분류번호 | 보존기간 |
|---|---|
| | |

# 발 신 전 보

번 호 : WSB-0023 910107 2022 DA 종별 : 긴급

수 신 : 주 사우디 대사. /총영사/ (박명준 공사)

발 신 : 장 관 (중동아 국장)

제 목 : 업 연

대 : SBW - 0027

1. 대호 감사하며, 삼각지에서는 두가지 방안중 독립 단위부대를 추진하고 있어 부득불 보초, 행정, 취사등 요원이 필요하다고 합니다. 이점은 사우디에서도 이해할 걸로 봅니다.

2. 지휘 관계는 어차피 사우디 의무사 작전 통제하에 들어가는 것이므로 별 문제가 없다고 봅니다.

3. 이상 관련 기본협정 사우디측안에 대한 아측 검토안을 금명 송부할 것이니 양지 바랍니다.

4. 귀지 여행중 많은 폐를 끼친 것 같습니다. 건승 바랍니다. 끝.

예 고 : 91.6.30. 일반문서로 재분류

| 보안 통제 | 기 |
|---|---|

| 앙 고 재 | 91년 1월 7일 | 중근동과 | 기안자 성명 | | 과 장 | | 국 장 | | 차 관 | 장 관 |
|---|---|---|---|---|---|---|---|---|---|---|
| | | | | | 기 | | | | | |

| 외신과통제 |
|---|
| |

0144

| 관리 번호 | 91-56 |
|---|---|

원 본

# 외 무 부

종 별 :

번 호 : SBW-0047 일 시 : 91 0108 1500

수 신 : 장 관(중근동,국방부)

발 신 : 주 사우디 대사

제 목 : 의료지원단 협상대표단 일행 귀국

연: SBW-0038

표제 대표단중 국방부 이성우대령 및 당부 김동억서기관이 일정을 마치고 예정대로 1.7(월) 출국했음. 끝

(대사 주병국-국장)

예고 191.6.30 일반 예고문에 의거 일반문서로 재분류됨

중아국 장관 차관 1차보 2차보 국방부

PAGE 1

91.01.09 00:09

외신 2과 통제관 CF

0145

①

# 醫療支援團 사우디 派遣 協商團 사우디 出張 口頭報告 (長官 1.5. 三清洞 對策會議 報告用)

1. 期間 : 1990.12.29.-1.4.
2. 構成 : 團長 外務部 中東阿局長 外 青瓦台, 經企院, 國防部, 安企部等 5個 部處 關係官 10名
3. 現地 事態 展望

가. 사우디側 접촉人士 大部分은 이라크의 1.15. 時限 직전 쿠웨이트 撤收 可能性에 対해 큰 期待를 表明함.

나. 現地 美國大使는 上記 可能性 배제하지 않으나 사담 후세인 만이 決定할 수 있는 位置에 있으므로 豫測 不可能이라는 反應. 다만 時限을 넘겼다고 해서 바로 戰爭이 일어날 것으로는 보지 않음.

0146

②

特히 增派 美軍의 配置가 1月 下旬 以後까지 繼續될것으로 展望.

戰爭이 일어나면 사우디側이 期待하는 것처럼 하루이틀에 끝나지는 않을 것이나 그렇다고 3.17. 라마단이 始作한 以後까지 계속되지는 않을 것이라고 말함.

4. 의료지원단 파견 關聯 사항

가. 사우디側은 可及的 早期 파견 희망

나. 裝備, 支援, 補給은 걱정말고 可及的 많은 医療要員을 보내줄것을 希望

다. 配置地域은 실제 도착시까지 시간많으므로 지금 定해야 큰 意味

0147

③

없겠으나 韓國側 希望 最大限 고려하겠다 함. (最前方은 피하고자 하는 것이 아측 희망)

라. 美國大使는 쿠웨이트 收復 이후 우리 의료단의 쿠웨이트 移動 可能性 対備 勸告.

마. 地位協定 文案 아측 提示 — 檢討中인 바 비엔나 協定上 外交公館 行政要員에 부여하는 特權 免除 認定.

국방부 의견 || 또한 사우디 要請에 따라 우리 의료단 파견임을 明記.

0148

| 報告畢 |
| --- |
| |

# 長 官 報 告 事 項

1991. 1. 4.

## 題 目 : 醫療支援團 派遣 對사우디 協商團 報告書

> 政府의 對사우디 醫療支援團 派遣 計劃에 대한 사우디側과의 協議를 위해 中東阿局長을 團長으로한 關係部處 協商代表團이 구랍 29일부터 1.4.간 사우디를 訪問하였는바 統合軍 司令官을 비롯한 사우디側 人士와 現地 美國 大使와의 面談 및 現場踏査等을 基礎로 한 綜合報告書(概要)를 아래와 같이 提出합니다.

### 1. 我國 醫療支援團 派遣 提議에 대한 사우디側 立場

가. 사우디側의 積極的인 歡迎立場은 일련의 面談을 통해서 明視的으로 表示된 以外에도 協商團에 대한 歡迎과 待遇를 통해 쉽게 感知할수 있었을 뿐아니라 사우디側이 대단히 例外的 이라고 할만큼 迅速히 提示한 地位協定 草案에 "사우디 王國 政府의 招請에 따라 大韓民國 政府가 사우디에 派遣" 云云의 表現을 自進해서 쓸만큼 아무런 留保없이 느낄수 있었음.

나. 다만 外務省은 協商團이 到着한後 我國大使館에 接受된 公翰에서 韓國 政府의 派遣 提議를 單純히 "同意"한다고 함으로써 國防省처럼 積極的은 아니었다고 보는바, 지난번 雙龍이 推進한 合作 精油工場에 대해 우리 政府가 이를 承認하지 않음으로써 사우디 石油長官의 失望이 컸고 國內的으로도 立場이 難處하게 된것이 주된 原因일 것이라는 우리 大使館의 觀察이 있었음.

다. 사우디側이 이처럼 積極的인 것은 醫療陣의 絶對不足에 起因하는 것이며 이는 現場 踏査에서도 쉽게 確認할 수 있었음. 또한 韓國 醫療陣의 技術과 能率에 대해 큰 期待를 하는 것으로 보였음.

0149

## 2. 醫療團의 派遣時期

가. 協商團은 처음부터 우리의 國會 同意 節次 때문에 到着時期는 2月初에나 可能할 것임을 分明히 하고, 이미 檢討했던 事前調査團 形式의 先發隊 派遣 可能性은 一切 示唆 하지 않았음.

나. 사우디側은 처음에는 우리의 事情을 이해하는 듯 하였으나 나중에는 早期 派遣을 强力히 希望하였고, 특히 地位 協定文을 協議하는 過程에서는 1.15.以前 署名을 希望함으로써 早期 派遣 希望을 더욱 具體的으로 表示 하였음.

다. 美國 大使는 戰爭이 일어난다 해도 현재 進行中인 美軍의 配置狀況으로 보아 韓國支援團의 1.15.以前 到着이 必須的이라고 보지는 않았으며 특히 쿠웨이트가 奪還된후 또는 이락이 一方 撤收한후 우리 醫療團이 쿠웨이트로 移動하여 活動할 可能性을 豫想하면서 派遣 時期보다는 우리 醫療團의 優秀한 技術에 더 많은 意味를 두고 있었음.

## 3. 醫療團의 構成

가. 사우디側은 우리 醫療團의 到着時期에 못지않게 規模와 構成에 대해서도 큰 關心을 보였는바 100명에서 200명 사이가 될 것이라는 協商團 說明에 대해서 어떤 規模가 되었건 자기들이 필요로 하는 것은 醫療 要員이므로 우리 醫療團의 모두가 軍醫官, 看護將校, 義務下士官等 醫療要員이기를 원하였으며, 醫療裝備의 補給 支援은 자신들이 責任지고, 심지어는 韓國 食事까지도 提供토록 努力해 보겠다고 얘기할 정도로 可能한 한 많은 醫療要員이 오기를 바랬음.

나. 補給, 支援을 사우디側이 全的으로 提供하는 경우라도 예컨대 100명 規模의 醫療團이 온다면 10명 內外의 行政要員等은 必要할 것이라고 我側이 說明한데 대해, 行政要員이 遂行하는 業務가 무엇인가를 具體的으로 問議하는 등으로 보아 되도록 많은 醫療要員을 希望하는 側面과 더불어 한편으로는 醫療要員 以外 其他 人員은 可及的 忌避한다는 印象을 주었음.

0150

## 4. 醫療裝備 및 補給, 支援

가. 사우디側은 醫療裝備를 우리 醫療團이 지참하는데 대해서는 큰關心이 없었으며, 實際 前方踏査時 確認한 바, 沙漠 한 가운데 車輛과 天幕을 連結하여 臨時로 만든 移動 病院이나 약간 後方의 野戰 病院이나 간에 醫療裝備는 西方에서 新規 導入한 尖端의 것이었음. 協商團員中 關係者는 우리 醫療陣이 사우디 裝備를 쓸수 있으려면 약간의 訓鍊이 必要하다는 意見이었음.

나. 補給 및 支援에 대해서는 사우디側 面談 人士들마다 크게 壯談하고, 또 現場 踏査時에도 沙漠의 臨時 病院은 좀 不便하겠으나 野戰 病院 정도라면 相當한 水準이라는 踏査班의 觀察이 있었음. 다만 美國大使는 일단 狀況이 展開되면 사우디側 統合司의 補給, 支援 體制는 쉽게 무너져 버릴 수 있으므로 韓國 醫療團도 自給自足의 體制를 갖출 必要가 있을 것이라는 意見을 披瀝함.

다. 美國大使는 現地 美軍側과 韓國 醫療團 사이의 本件 協議를 위한 接觸 經路를 周旋키로 함.

## 5. 配置 場所

가. 協商團은 우리 醫療陣의 配置場所로 사우디側이 提議했던 알바틴과 東北地域中 後者를 選好 한다는 것을 分明히 하였는바, 사우디側은 일단 我側 希望에 留意하는 듯 하면서도 우리 醫療團이 2月에 온다면 그동안 狀況이 어떻게 展開될지 모르는 狀態에서 지금부터 配置場所를 確定한다는 것은 어렵지 않겠느냐는 說得力 있는 對應을 해왔음.

나. 現場 踏査班도 視察한 2個 病院中 移動病院 보다는 最前方이 아닌 野戰病院을 選好했지만 直接 案內를 맡았던 사우디側 義務 司令官으로부터 各國에서 繼續 醫療支援團이 오고있기 때문에 나중에 到着할 支援團을 위해서 어느 病院을 미리 指定해 놓기는 어려울 것이라는 說明이 있었다함.

다. 我國 醫療團의 쿠웨이트 移動 可能性은 協商團도 전혀 생각치 못했던 것이며 또 사우디側도 一切 擧論한 일이 없었으나 프리만 美國大使의 態度로 보아 個人의 單純한 豫想이라고 보기는 어려웠으므로 事前 計劃樹立에 있어 그 可能性을 充分히 檢討, 反映시키는 것이 좋겠음.

0151

## 6. 我國의 醫療支援團의 配屬

가. 사우디側과의 協商過程에서 사우디側은 우리 醫療團이 旣存 病院에 配屬되어 活動하는 方案과 別途의 獨立된 單位 病院으로 活動하는 方案을 提示하면서 前者가 사우디側의 選好임을 示唆하고, 특히 後者의 경우는 醫療裝備를 提供하기 어렵다고 말하였음.

나. 協商團은 사우디側의 希望을 考慮하고, 또 人員만 派遣할 경우 派遣 時期를 多少라도 앞당길수 있다는 점에서 協商團은 일단 우리 醫療團이 旣存病院에 配屬되어 活動하는 方案이 좋겠다는데 대체로 意見을 같이 하였음.

다. 단, 일단 有事時 사우디 統合司의 補給 支援 體制가 잘 이루어지지 않을 것이라는 美國大使의 意見에 비추어 우리 醫療團이 旣存病院의 一部로 活動하더라도 補給 및 支援 體制를 補完하는 것이 必要할 것으로 봄.

## 7. 地位 協定 締結

가. 사우디側은 多國籍軍 派遣國과 이미 締結한 地位 協定에 준하여 우리 醫療支援團에 비엔나 協定上 外交公館의 行政要員에게 附與하는 特權과 免除를 認定하는 內容의 基本協定을 兩國 政府間에 締結하고 其他 技術的인 事項을 規律하는 技術協定을 兩國 國防部間에 締結할 것을 提議하였음.

나. 指揮 體系等 一部를 補完하여 사우디側이 급하게 서두를 때 可及的 빨리 署名하는 것이 我側에 有利할 것 같음.

## 8. 걸프 事態 解決 展望

가. 사우디側 軍部 人士들은 이락이 1.15.時限에 臨迫하여 一方的으로 撤收할 可能性에 대해 많은 期待를 하고 있음이 感知되었음.

나. 美國大使는 1.15.時限이 지났다 해서 바로 戰爭이 일어난다고 보지는 않는다고 하면서 예컨대 增員 美軍의 配置가 그때까지 끝나지 않으며 1月 下旬에도 繼續 進行될 것이라고 말하고 따라서 韓國 醫療團의 到着이 多少 늦어져도 所期의 寄與를 할 수 있다고 말하므로써 美國은 美軍 配置가 完了된 後 開戰을 考慮할 것임을 示唆함.

0152

다. 다만 프리만 大使는 戰爭이 일단 開始되면 사우디側에서 생각하는 것만큼 하루 이틀에 끝나지는 않을 것이라면서, 그렇다고 라마단 始作 以後까지 戰爭 狀況이 繼續되지는 않을 것임을 暗示하였음.

| 공람 | 중 91.5 | 담당 | 과 장 | 심의관 | 국 장 | 차관보 | 차 관 | 장 관 |
|---|---|---|---|---|---|---|---|---|
| | | | 가 | 양 | 김예 | | | |

0153

# 정 리 보 존 문 서 목 록

| 기록물종류 | 일반공문서철 | 등록번호 | 2020120226 | 등록일자 | 2020-12-29 |
|---|---|---|---|---|---|
| 분류번호 | 721.1 | 국가코드 | XF | 보존기간 | 영구 |
| 명 칭 | 걸프사태 : 의료지원단 및 수송단 파견, 1990-91. 전6권 | | | | |
| 생 산 과 | 중동1과/북미1과 | 생산년도 | 1990~1991 | 담당그룹 | |
| 권 차 명 | V.3 의료지원단 파견, 1991.1-4월 | | | | |
| 내용목차 | 1.12 정부, 페르시아만 사태 관련 의료지원단 파견 발표<br>1.22 한.사우디아라비아 간의 의료단 지원협정 서명 (741.12SB 참조)<br>2.23 한.사우디아라비아 간의 의료단 지원협정 발효 (741.12SB 참조)<br>4.9 의료지원단 철수<br>4.10 한.사우디아라비아 간의 의료단 지원협정 종료(741.12SB 참조) | | | | |

0001

長官報告畢

# 醫療支援團 派遣 弘報對策

1. 醫療支援團 派遣의 當爲性
2. 弘 報 方 向
3. 弘報 細部 計劃

1991. 1. 7.

外 務 部
中 東 아 프 리 카 局

0002

## 1. 醫療 支援團 派遣의 當爲性

가. 우리는 冷戰이 終熄되고 새로운 國際秩序가 形成되는 過程에서 힘에 의한 支配가 容認 되어서는 안된다는 유엔 安保理 諸決議의 精神을 支持하는 立場이므로 多國籍軍의 活動을 支援하는 것은 이러한 基本 立場과 符合하는 것임.

나. 今番 걸프事態가 多國籍軍의 努力으로 解決되면 韓半島 有事時 國際社會의 共同介入을 통한 平和 回復을 期待할 수 있고, 韓半島에서 武力挑發 可能性을 事前 豫防하는 效果도 있음.

다. 사우디에 대한 醫療團의 支援은 間接的으로 美國에 대한 支援이 되므로 韓.美間 安保協力의 次元에서도 큰 意味가 있는 措置임. 이점은 美國도 充分히 理解하고 있음.

라. 醫療團 派遣은 또한 韓國戰爭中 美國을 包含한 유엔軍의 參戰에 대한 道義的 考慮에서도 必要한 것임.

마. 한편 우리의 經濟的, 政治的 利害가 크게 걸려있는 사우디를 包含한 中東國家에 대해서도 自身들이 危機에 있을때 가장 必要로 하는 分野에서 도움을 줌으로써 앞으로 이들 國家와 좋은 關係를 維持, 發展시켜 나가는데 큰 도움이 될 것임.

바. 我國은 伸張된 國力에 副應하여 國際平和 維持 努力에 參與해야 할것이며 그렇지 못할 경우 經濟的 利益만 追求한다는 國際的 非難을 받을 可能性도 考慮하여야 함.

사. 이러한 모든것을 考慮하면 派兵이라도 해야 하겠으나 우리의 安保與件上 多國籍軍을 도울 수 있는 效果的인 方案으로서 醫療團 派遣을 考慮하게 된 것임.

0003

## 2. 弘報方向

가. 國會 및 言論에서 表示된 憂慮 또는 主張에 대한 對應

1) 越南戰때와 같이 非戰鬪 要員의 派兵이 결국은 兵力 派遣으로 連結될 可能性이 있다는 憂慮

- o 今番 派遣은 어디까지나 사우디를 包含한 多國籍軍에게 絶對的으로 不足한 醫療分野에 대한 支援을 위한 것으로 兵力 派遣과 連結시킬 아무런 理由가 없음
- o 또 아무에게서도 戰鬪兵 派遣을 要請받은 일이 없으며 따라서 檢討한 바도 없음.
- o 따라서 國會 同意도 醫療 支援團 派遣만으로 局限해서 要請하는 것임.
- o 걸프地域 戰鬪 兵力 派遣은 越南 派兵때와 같은 經濟的 理由가 없음.

2) 醫療 支援團 構成上 醫療要員外 警戒要員等 支援要員의 包含은 결국 兵力 派遣과 같은것이 아닌가라는 主張

- o 醫療部隊라 하더라도 通常 步哨, 炊事兵, 行政兵等 基本的인 支援要員은 언제나 包含되는 것임
- o 다만 今番에는 行政要員은 可及的 줄이고 醫療要員을 最大限 包含시킨다는 것이 兩國 政府의 諒解事項임.

3) "先發隊" 派遣은 결국은 國會 同意를 回避하는 便法이라는 主張

- o 지난번 1次 協商團이 사우디側과의 一次的인 協議를 위하여 사우디를 訪問 하였으나 實際 派遣을 위해서는 軍關係者들의 事前 踏査가 必須的임. 事前 調査團을 小數 派遣하는 것을 先發隊라고 指稱함은 옳지 않음.
- o 先發隊가 아닌 事前調査團은 軍人의 海外出張에 該當하는 것임

4) 我國의 國益 보다는 美國의 壓力에 의한 派遣이라는 主張

- o (前述한 派遣의 當爲性에 準하여 說明)

0004

나. 形式上 사우디에 대한 支援이므로 對美 協力의 뜻이 퇴색할 可能性에 대한 對應

ㅇ 이점은 일단 美側에서 諒解하고 있으며 오히려 사우디側과의 直接 接觸을 我側에 勸誘할 程度였으므로 큰 問題는 없겠음.

ㅇ 我側이 對美 協力의 側面만을 너무 强調하면 사우디나 其他 아랍 國家들이 오히려 섭섭하게 생각할 可能性에 대해 신경을 써야할 것임.

## 3. 弘報 細部 計劃

가. 總 括 : 靑瓦臺 政策調査補佐官

나. 外務部 所管

1) 與野 指導層(總裁, 代表委員等) : 長官(旣實施)

2) 國會 外務委員會 : 長官

3) 言論界

ㅇ 編輯局長 및 論說委員級 : 長官 또는 次官

ㅇ 政治部長級 : 次官 또는 次官補

ㅇ 外務部 出入記者團 : 局長

4) 學 界

ㅇ 外務部 政策 諮問委員會 : 次官補

다. 弘報 方式

1) 午.晩餐

2) 懇談會

3) 報道資料 作成

0005

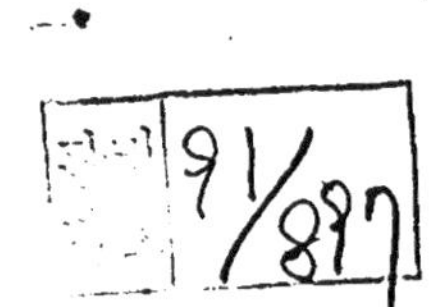

주 사우디 아라비아 대사관

주사우디(정) 20296- 03 1991. 1. 8

수 신 : 장 관

참 조 : 중동아프리카국장

제 목 : 군의료진 파견

주재국 외무부는 90.12.30 아국의 군의료진 파견에 동의한다는 내용의 구상서를 당관에 송부하여 왔는바, 동구상서를 별첨 송부합니다.

첨 부 : 구상서(아랍어본 및 당관 영역문)각 1부. 끝.

(예고 : 91.12.31 일반)

1991. 1. 08

주 사우디 아라비아 대사

0006

بسم الله الرحمن الرحيم

تهدي وزارة خارجية المملكة العربية السعودية اطيب تحياتها الى السفارة الكورية في الرياض .

وتود ألاشارة الى اللقاء الذي عقد بين كل من معالي وكيل وزارة الخارجية للشئون السياسية وسعادة القائم بأعمال السفارة والذي ابدى القائم بالاعمال خلاله رغبة واستعداد الحكومة الكورية بالمشاركة في قوات المساندة العسكرية ضمن القوات العربية والاسلامية والصديقة وذلك بتقديم وحدة طبية عسكرية متحركة للجراحة او عدد من اطباء الجيش .

يسرها ان تفيد السفارة بموافقة حكومة المملكة العربية السعودية على ذلك .

وترجو الوزارة من السفارة المحترمة اشعارها بموعد قدوم الوفد الكوري الذي سيناقش تفاصيل تلك المشاركة.

وتنتهز الوزارة هذه الفرصة لتعرب لها عن اطيب تمنياتها .

٤/٨٨٦

الرقم: ٧/١٦/٩٧ ص التاريخ: ١٢/٦/١١ ١٤هـ الموافق: ________ ١٩م المرفقات: ________

0007

Ref. No. : 97/16/5/886/4

The Ministry of Foreign Affairs of the Kingdom of Saudi Arabia presents its compliments to the Embassy of the Republic of Korea in Riyadh.

With reference to the meeting which was held between H.E. Deputy Minister of Foreign Affairs for Political Affairs and the Charge d'Affairs of the Embassy, in which the latter expressed the desire and willingness of the Korean government to participate in the military support forces along with the Arabic, Islamic and friendly forces, by offering a mobile army surgical hospital or a number of military doctors, the Ministry has the honour to inform the Embassy that the Saudi Arabian government agreed on that matter.

The Ministry further requests the esteemed Embassy to notify the former of the arrival date of the Korean delegation who will discuss the details of the above-mentioned participation.

The Embassy avails itself of this opportunity to renew the assurances of its highest consideration.

13/6/1411 H
Corresp. Dec. 30, 1990
Riyadh

0008

원 본

# 외 무 부

종 별 :

번 호 : CNW-0034 일 시 : 91 0108

수 신 : 장 관 (중동,미북,정일)

발 신 : 주 카나다 대사

제 목 : GULF 사태에 대한 주재국 반응

1. 멀루니 수상은 1.8.(화) 내각의 전쟁대비 특별위원회를 소집, GULF 사태 전개방향 및 1.15. 이라크의 쿠웨이트 철수시한 도래후 카나다의 대응책을 논의할 예정임.

2. 또한 동 위원회는 이라크가 1.15. 철수시한을 준수하지 않을 경우에 대비, 걸프지역에 파견되어 있는 카나다 병력을 현재의 방어태세에서 공격태세로 전환할 것이며, 미국등 연합군측의 요청에 따라 기 파병된 함정 3 척 및 CF-18 1개 비행대대 및지원병력에 추가하여 CF-18 1개 비행대대 및 보잉 707 공중급유기, 통신시설 및 물자 추가제공, 의료단(225 명의 의사, 간호원등으로 구성된 야전병원)파견등 걸프지역에 대한 주재국의 군사적 개입을 증가시키는 결정을 하게될 것으로 알려짐.

3. 카나다의 걸프지역 파견병력 증강 및 임무변경등 금일 내각위원회의 결정내용은 1.9.(수) 베이커 - 아지즈 회담의 결과등 사태추이를 지켜보면서 1.13.(일) 예정된 베이커 미국무장관의 주재국 방문(베이커-아지즈 회담결과 디 브리핑 및 대응책협의) 전후 대외 공표될 것으로 관측되고 있음.끝

(대사 - 국장)

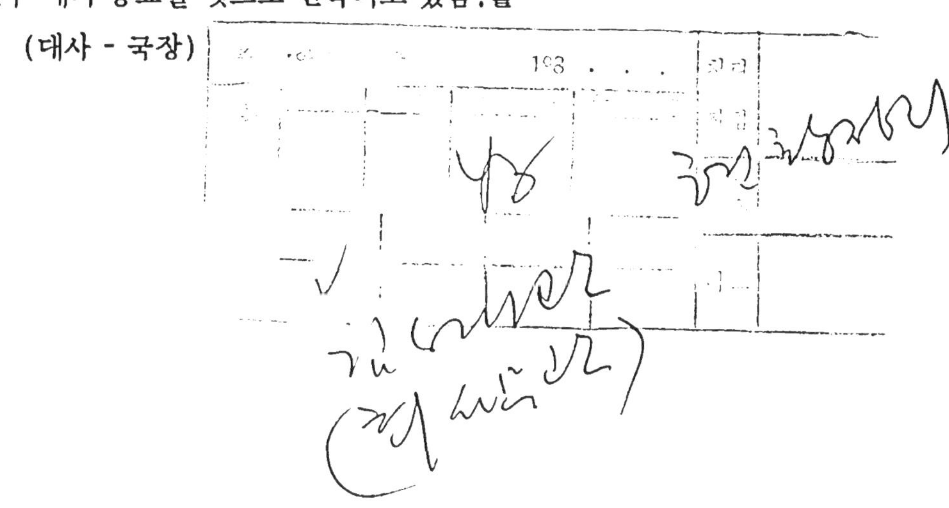

중아국 1차보 미주국 정문국 안기부

PAGE 1

91.01.11 07:38 FC

외신 1과 통제관

0009

| 관리 번호 | 91 -30 |
|---|---|

원 본

# 외 무 부

종 별 :

번 호 : UNW-0041 일 시 : 91 0109 1640

수 신 : 장관 (국연,중근동,동구이,기정)

발 신 : 주 유엔 대사

제 목 : 대 사우디 의료진 파견

1.1.9. 권종락 참사관은 헝가리 대표부 BUDAI 참사관 초청으로 동인과 오찬함. 동 오찬시 BUDAI 참사관은 헝가리의 군 의료진 (50 명으로 구성) 이 대 이락다국적군에 참가키 위해 1.10. 경 사우디에 도착할 예정이라고 언급하고 동파견사실을 유엔사무총장 또는 안보리 의장에게 통보하는 문제를 적극 검토하고 있다고 밝혔음. (단, 동 통고시에도 통고문을 유엔문서로 회람 배포할 의사는 없다함)

2. 동인은 상기 최종결정시 아측에 알려주겠다고 말하고 아국이 군의료진의대 사우디 파견을 유엔에 통보할 예정인지 문의하였음.

3. 군의료진의 대 사우디 파견 관련사항 및 대유엔 통보계획이 있는지 참고로 회시바람. 끝

(대사 현홍주-국장)

예고:91.12.31. 일반

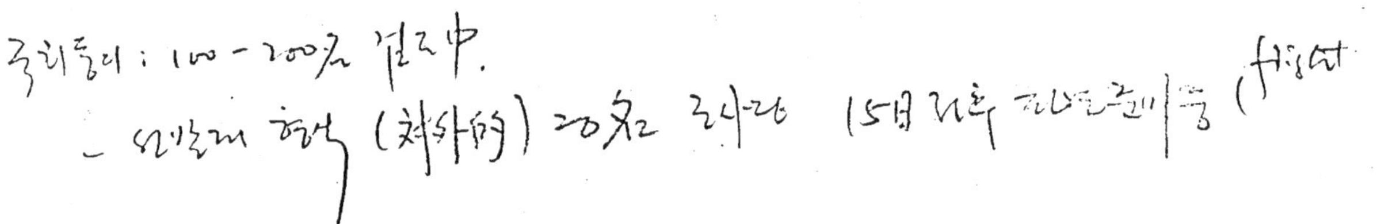

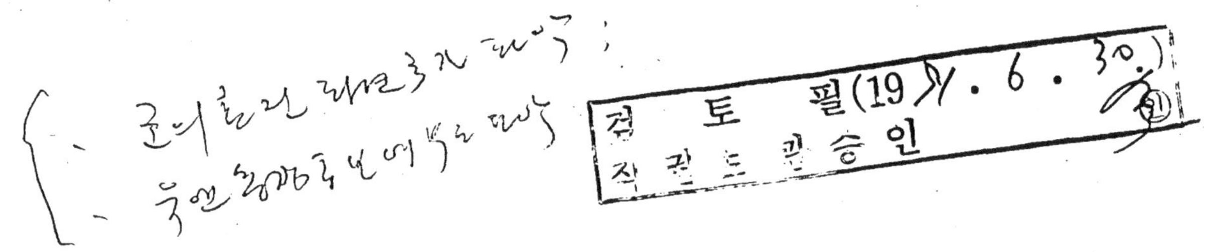

검 토 필(1991 . 6 . 30.)

국기국 장관 차관 1차보 구주국 중아국 안기부

PAGE 1

91.01.10 07:36

외신 2과 통제관 BT

0010

| 관리 번호 | 91-37 |
|---|---|

| | 분류번호 | 보존기간 |
|---|---|---|
| | | |

# 발 신 전 보

번 호 : WPA-0012 910110 1456 DP 종별 :

수 신 : 주 수신처 참조 대사 . 총영사 (사본: 주 유엔 대사) WPH -0022 WBA -0012 -0040

발 신 : 장 관 (국연)

제 목 : 대사우디 의료진 파견

귀주재국정부는 사우디에 주둔중인 대이락 다국적군에 자국의료단을 파견한 것으로 파악되고 있는 바, 동 의료단 파견시 파견사실을 유엔측에 통보하였는지 여부와 통보했을 경우, ~~이용했던~~ 누구에게 어떤 식으로 통보 ~~형식~~ 하였는지에 대하여 파악 보고바람. 끝.

예 고 : 1991.12.31. 일반

(국제기구조약국장 문동석)

수신처 : 주 파키스탄, 필리핀, 방글라데시 대사

검토필 91.6.30.
직권 [illegible]

| 보안 통제 | [signature] |
|---|---|

| 앙 고 재 | 91년 1월 10일 | 유엔과 | 기안자 성명 | | 과 장 | | 국 장 | | 차 관 | 장 관 |
|---|---|---|---|---|---|---|---|---|---|---|
| | | | 윤여철 | | [signature] | | 전결 | | | [signature] |

| 외신과통제 |
|---|
| |

0011

| 관리<br>번호 | 91<br>-43 |
|---|---|

| | 분류번호 | 보존기간 |
|---|---|---|
| | | |

# 발 신 전 보

번 호 : WUN-0041 910110 1458 DP 종별 :

수 신 : 주 유엔 대사. 총영사

발 신 : 장 관 (국연)

제 목 : 대 사우디 의료진 파견

대 : UNW-0041

연 : WUN-0040

연호 관련 귀지에서도 파악보고 바람. 끝.

(국제기구조약국장 문동석)

예고 : 91. 12. 31 일반

검 토 필 (91. 6. 30.)

| 보안통제 | |
|---|---|

| 앙고재 | 91년 1월 10일 | UN과 | 기안자 성명 | | 과 장 | | 국 장 | | 차 관 | 장 관 |
|---|---|---|---|---|---|---|---|---|---|---|
| | | | | | | | 전결 | | | |

| 외신과통제 |
|---|
| |

0012

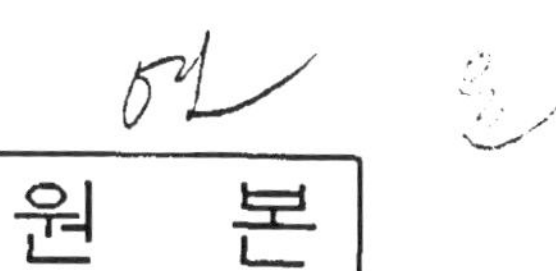

| 관리번호 | 91-47 |
|---|---|

원 본

# 외 무 부

종 별 :

번 호 : UNW-0052 일 시 : 91 0110 1830

수 신 : 장관(국연,중근동,기정)

발 신 : 주 유엔 대사

제 목 : 대 사우디 의료진 파견

대:WUN-0040

1. 금 1.10 권참사관이 대호건 관련 파키스탄, 필리핀, 방글라데쉬 대표부 관계자와 확인한 결과를 아래보고함.

0. 필리핀:파견사실을 유엔에 정식 통보하지 않고 관련내용을 대표부 PRESS RELEASE 로 작성 배포하였음.

0. 파키스탄: 의료진 파견 사실을 공식통보 받지 못하였음. 동 파견은 파키스탄, 사우디간 양자관계에서 주선되는 것이므로 특별히 유엔에 통보할 필요성을느끼지 않음.

0. 방글라데쉬: 의료진을 파견한것이 아니고 사우디 국왕의 요청에 따라 정규군을 파견하였음.

2. 유엔 사무국에도 확인한바 금일 현재까지 유엔사무총장이나 안보리가 회원국으로부터 의료진 파견에 대해 통고 받은바가 없다함. 안보리는 정규군을 파견한 국가로 부터는 동 파견사실을 통보받았다고함.

3. 필리핀 대표부의 관련 PRESS RELEASE 를 참고로 별전 홱스로 송부함.

첨부:상기 PRESS RELEASE :UNW(F)-007

끝

(대사 현홍주-국장)

예고:91.6.30 일반

국기국 장관 차관 1차보 중아국 정와대 총리실 안기부

PAGE 1

91.01.11 08:58

외신 2과 통제관 BT

0013

| 관리번호 | 91-55 |
|---|---|

원 본

# 외 무 부

종 별 :

번 호 : PHW-0044 일 시 : 91 0111 1430

수 신 : 장관(국연,아동)

발 신 : 주 필리핀 대사

제 목 : 대 사우디 의료진 파견

대:WPH-22

주재국 외무부(중동국 부국장 및 국제기구국 부국장)에 탐문한바에 의하면 주재국 의료단의 사우디 파견 문제는 주재국과 사우디 정부간의 양자관계로 간주, 유엔에 공식 통보한바 없다고함.

(대사 노정기-국장)

예고:91.12.31. 일반

국기국 아주국

검토필(91.6.30.)

PAGE 1

91.01.11 15:52

외신 2과 통제관 BN

0014

0일 이회일 동자부장관이 페르시아만 전투병력 파견이 마땅하다는 말을 한 데 이어 국방행정의 최고책임자가 전투병력 파견 가능성을 구체적으로 언급한 것으 병력 파견 여부는 안보상황을 고려해 국익을 해치지 않는 방향으로 결정을 내릴것"이라고 말했다.

이 장관은 페르시아만 파병에 따라 인명손실의 가능성을 배제 대표인 나카히라 노보루 특별대사가 오는 29일 베이징을 거쳐 평양에 도착한다고 말하고 북한쪽 대표는 전인철 외교부 부부장이라고 덧붙였다.

한겨레신문 91.1.12(토) 1면

# 군의료진 1백54명 내달초 파견

## 정부 '페만'대책 선발대 26명 15일 사우디로

### 전쟁발발 1주일내 기름값 추가 인상

정부는 페르시아만 전쟁발발에 대비해 군 의료진 파견·교민 철수·에너지절약계획 등 종합대책을 마련하고 이를 11일 오후 청와대 대책회의에서 노태우 대통령에게 보고했다.

이종구 국방장관은 보고에서 군 의료지원단은 군의관 26명, 간호요원 20명을 포함한 의료요원 1백5명과 행정·경비병력 등 지원요원 49명 등 1백54명으로 구성되며 이들은 쿠웨이트-사우디아라비아 국경에서 남쪽으로 1백20㎞ 떨어진 누아이리아에 주둔해 야전병원을 운영할 것이라고 밝혔다. <관련기사 4·14면>

이 장관은 "대령을 단장으로 한 의료지원단은 사우디쪽이 제공한 병원 건물을 사용하게 되며 의료장비·의약품과 급식 및 보급도 사우디아라비아가 직접 지원하게 된다"고 말했다.

선발대 성격의 현지 조사단 26명은 오는 15일 현지로 출발하게 되며 본대는 24일 임시국회에서의 동의절차가 끝나는 대로 사우디아라비아로 떠나게 된다. 본대는 2월1일께 민간 항공 전세기편으로 출발할 것으로 알려졌다.

여군 6명을 포함한 의료지원단 장병들은 총기를 휴대하게 되며 6개월 근무 뒤 교대하는 것을 원칙으로 하고 있다.

군 의료단 파견에 따른 부담은 연간 80억~90억원에 이를 것으로 정부는 추산하고 있다.

이상옥 외무장관은 12일부터 기획원·외무부 등 10개 관련부처 국장급으로 구성된 페만대책본부(본부장 이기주 외무부 제2차관보)를 설치해 △교민 안전 및 철수 △경제적 이익 보호 △원유수급 등에 대한 대책을 협의해 나가겠다고 밝혔다.

이 장관은 "대사관 직원을 포함한 96명의 이라크 체류 교민과 9명의 쿠웨이트 교민은 이미 15일 이전까지 모두 철수토록 공관에 지시했다"고 말하고 "대사관 직원도 지난 9일 최봉름 대사 등 필수요원 5명을 제외한 전직원과 가족을 본국으로 철수시켰으며, 이들 5명도 15일 이전까지 이란 등 이웃 나라로 긴급 대피시킬 계획"이라고 보고했다.

이회일 동자부장관은 에너지 소비억제 대책과 관련, 1단계 조처로 △자가용 승용차, 전세·관광버스와 공공기관 버스의 10부제 운영 △비석유 발전설비의 최대가동 △텔레비전 방영시간 2시간 단축 △대형 네온사인 사용 전면금지 등의 조처를 실시하겠다고 보고했다.

그는 전쟁이 한달 이상 끌 경우 2단계 조처로 전세·관광 및 자가용 버스의 운행을 50%, 화물차의 운행을 10%씩 감축키로 하고 국내 원유수급에 차질이 빚어지는 등 최악의 상황으로 번지면 자가용 승용차에 대한 휘발유 쿠폰제, 등유의 배급제, 업무용과 가정용 전기의 제한송전 실시 등도 검토하겠다고 보고했다.

이와 함께 동자부는 페르시아만에서 전쟁이 터지면 1주일 정도 사태추이를 지켜본 뒤 국내유가 추가인상을 단행할 방침이라고 밝혀, 빠르면 2월 초순께 유가조정이 이뤄질 것으로 보인다.

한편 정부는 페르시아만 사태의 악화와 장기화에 대비, 현재 이승윤 부총리가 위원장을 맡고 외무·국방·동자부장관 등이 제한적으로 참여하고 있는 페만대책위를 노재봉 국무총리 서리가 주관하는 범정부 차원의 대책기구로 확대개편할 방침이다.

페르시아만 위기해소를 위한 장이 11일 파리에 들러 미테랑

# "이라

뉴욕타임

## 동시 철군

【워싱턴=정연주 특파원】 사담 후세인 이라크 대통령은 유엔결의안 시한인 15일이 지난 하루 또는 이틀 뒤 쿠웨이트로부터의 철수에 '원칙적으로' 동의하고 이와 동시에 팔레스타인과 이스라엘 문제를 다루는 국제회의의 소집을 요구하는 계획을 밝힐 것이라고 <뉴욕타임스>가 11일자 1면 머리기사로 보도했다.

<관련기사 3·6면>

유엔주재 아랍 외교관들의 말을 인용, 이렇게 보도한 이 신문은 후세인 대통령이 미국의 위협에 굴복하지 않았음을 보여주기 위해 유엔결의안 시한이 지난 하루 또는 이틀 뒤 이런 계획을 발표할 것으로 보인다고 전하고

한겨레신문 91.1.12(토) 1면

0015

신 문 한겨레신문, 91년 1월 12일 토요일 14면 (1988.6.18제3종우편물인가) 제823호

동을 지식의 많고 적음으로 구분지어 정신노동 우위의 논리를 펴는 등 대부분의 초·중등 교과서가 노사관계와 노동관을 왜곡하고 있는 것으로 밝혀졌다.

한편 한국노총은 이런 교과서의 노동 왜곡과 관련, 국회·교육부 등 관계기관에 교과서의 개편을 위해 청원서를 곧 제출하기로 하는 한편 교육 전문가들에게 개정교과 편찬을 의뢰할 방침이다.

서울대 경제학과 배무기 교수는 "산업재해의 주원인을 노동자 과실로 돌리는 등 현행 교과서에 잘못된 측면이 있는 게 사실"이라며 "하지만 노동 소외를 줄이고 노동생활을 인간화하기 위해 단체교섭·단체행동 등 근대적 노사관계 제도를 올바르게 소개하고 있지 못한 것이 근본적 문제"라고 말했다.

11일 오후 서울 영등포구 영
〈이정우 기자〉

## 정부, 군의료단 사우디 파병 의미

# 페르시아만 참전 신호탄

## 전투병 개입 이어질 가능성 배제못해

## '베트남' 전례 우려…의료지원 그쳐야

정부가 11일 군 의료지원단의 사우디아라비아 파견계획을 확정함에 따라 초읽기에 들어간 '페르시아만의 대결전'에 우리나라도 참전할 것이 확실시된다.

한국이 군의료단을 보내는 것이 파병임에는 틀림없으나 참전성격이 아니라는 주장도 있을 수 있다. 그러나 일단 개전이 되면 한국도 다국적군의 일원으로 이라크의 교전상대국이 된다는 점에서 참전이라고 봐야 한다는 것이 군사전문가들의 견해이다.

특히 이종구 국방장관이 이날 전투병력 파견의사를 시사하고 나서 페르시아만의 상황에 따라서는 군 의료단 파병이 본격적 개입으로 이어질 가능성을 배제할 수 없게 됐다.

정부는 이제까지 페르시아만 파병이 베트남 파병과는 본질적으로 다르며 확전의 수렁에 빠지는 일은 없을 것이라고 밝혀왔으나 결국은 '베트남'의 전례를 따르고 말 것이라는 우려가 근거를 갖게 됐다고 하겠다.

이종구 장관의 이날 발언은 전세계의 눈과 귀가 페르시아만에 쏠려있는 시점에서 한국정부의 정책방향을 시사하고 있어 국내외적으로 큰 반향을 불러일으킬 수 있다는 점에서 주목된다.

이번의 페르시아만 파병은 여러가지 면에서, 60년대의 월남파병보다는 80년대 중반 한때 일었던 레바논 파병논의와 유사점이 많다고 할 수 있다.

레바논 파병은 결국 부정적 요인이 많아 무산됐으나 페르시아만의 경우는 군의료지원단 파견 수준의 지원이 타당하다는 견해가 일단 상당한 설득력을 갖는 것으로 보인다. 그러나 전투병력의 파견은 어떤 경우에라도 회피해야 한다는 것이 많은 사람들의 의견이다.

정부는 의료지원단 파견과 관련, △세계 12대 교역국인 주권국가로서 유엔 결의를 존중할 책임이 있으며 △한국전쟁 때 유엔군 참전의 부채를 갚고 △지역분쟁에서 힘의 논리에 대한 국제적 응징에 동참함으로써 한반도에서 같은 상황이 벌어지지 않도록 한다는 파병논리를 내세우고 있다.

정부는 이와 함께 페르시아만 파병이 국익차원에서 △우리나라의 국제적 위상을 높이고 △미국의 다국적군 경비지원·주한미군 주둔비 지원 요구를 무마하는 한편 주한미군의 중동재배치를 사전 억제하며 △원유도입의 72%를 차지하는 중동지역 아랍국가와의 우호적 관계를 유지하는 데 기여할 것이라고 말하고 있다.

정부는 우리가 파병을 하지 않고 소극적 지원에 그칠 경우, 국제사회에서의 발언권이 약해지고 한-미관계가 더욱 멀어져 주한미군 철수가 가속화되고 주둔비 분담 요구도 거세어질 것이며, 중동지역의 전후 복구사업에도 소외될 것이 우려된다고 주장하고 있다.

이런 논리는 결국 세계의 다수 국가가 다국적군이라는 버스를 타고 있을 때 우리만 외면하고 있을 수 없으며 '돈 대신 몸으로 때우는 것이 상책'이라는 판단을 기초로 하고 있다. 또 세계가 두 진영으로 나뉘어 미국과 소련이 맹주로 군림하던 양극체제의 국제질서가 재편되는 과정에서 우리는 미국이 주도하고 소련도 가세하고 있는 현상유지세력쪽에 붙을 수밖에 없다는 것이다.

페르시아만 파병에 반대하는 쪽은 △강대국의 압력에 밀려서는 장기적 관점의 국익에 도움이 되지않고 △아랍민족주의의 반발이 예상된다고 지적하고 있다. 이들은 또 페르시아만 사태가 폭발해서 우리가 메소포타미아 평원의 모랫바람에 휩싸일 때 흘려질 젊은 피에 대해 누가 책임을 질 것인가를 묻고 있다.

오는 24일 열릴 임시국회의 동의절차에서 이런 찬반양론이 다시 거론될 것이나 정부·여당은 파병계획을 강행할 것이며, 야당은 반대의 입장을 고수할 것으로 보인다. 군의료지원단의 파견은 개전여부와 상관없이 진행될 전망이다.

설사 평화적 타결이 이뤄진다 하더라도 60만명이 넘는 미군과 다국적군 병력이 당장 철군할 수는 없으며, 이 경우 우리는 인명피해 없이 당초의 파병목적을 이룰 수 있을 것으로 보인다. 2월초 이후에 열전이 벌어질 경우 상황진전에 따라 증파 요청이 있을 수도 있으나 이 경우 무엇보다 신중한 판단이 필요하다 하겠다.

한편 정부는 군의료지원단이 쿠웨이트·사우디아라비아 국경으로부터 1백20㎞ 떨어진 후방이기 때문에 직접적 피해 가능성이 희박하다고 밝히고 있으나 이라크의 미사일 직격탄에 의한 인명손실은 있을 수 있다고 보고 있다.

누아이리아시가 인구 3만의 교통요지로 전선과의 거리 때문에 게릴라 침투는 불가능하며, 미군쪽에서 경계지원을 보장하고 있고, 다국적군쪽에서 제공권을 확보하고 있는 한 상대적 안전이 보장된다는 것이다.

이라크의 화학전 공격에 대비, 의료지원단 장병들은 방독면을 비롯한 대응장비를 휴대하고 출발전에 예방접종을 맞을 것으로 알려졌다.

정부는 또 일단 화학전 공격이 있으면 미군지원 시설로부터 협조를 받기로 미국쪽과 협의를 끝냈다.

의료지원단 장병들은 2월초로 알려진 출발 이전에 2주간의 집중훈련을 받을 예정이다.

주둔지인 누아이리아 지역의 날씨는 12월과 1월사이에는 섭씨5도에서 20도이며, 비가 올 경우, 영하 3도까지 내려가는 것으로 밝혀졌다.

3월 이후의 기온은 평균 30도로 사막 날씨가 계속된다는 것이다.

이에 따라 의료지원단은 방한과 혹서 대책을 동시에 강구하기로 했으나 주둔위치가 도시지역인 만큼 사막의 영향은 크지 않을 것으로 평가하고 있다. 또 부대가 영구막사를 사용하게 돼 큰 불편이 없을 것이라는 전망이다. 〈이병호 기자〉

# 국새롱

## 병증세

인천~텐진 한·중 카페리 직로가 개설된다.

11일 인천지방해운항만청과 국대호개발(대표 이남섭)에 따르 국제대호개발은 중국쪽과 50 50의 합작회사인 진연카페리유공사를 설립, 카페리선박을 취 시키기로 했다는 것이다.

# 기 상봉

## 교환 활발

이 더욱 활발해질 것이라고

부터 노조원 1백여명이 참가한 가운데 밤샘농성을 벌였다.

전대노협은 또 12일 오전 명지대 ...

조원 1백여명은 11일 낮 12시께 서울 중구 다동 동아빌딩 전국금융노련 사무실에서 '호주계 웨스 ...

## 목욕료 담합 단속

0016

명(외교관 3, 고용원
남기고 전원 철수시
말하고 「崔鳳濬대사

세 들입

이밖에도 외무부는 지난9
일 이라크, 쿠웨이트, 사우디,
요르단, 이스라엘, 레바논등인
접11국을 여행자제권고지역
으로 규정, 여행자제를 강력
히 권유하고 있다.
교민안전 대책에서 정부가

◇盧泰愚대통령이 11일 오후 청와대에서 李承潤부총리를 비롯, 관계 각료들과 함께 페르시아湾 대책회의를 주재하고 있다. 조선일보. 91년 1월 12일 토요일 3면

# 韓国軍의료진 国境 百20km 밖 배치

## 국방부 "UN결의따른 派兵… 월남戰때와 다른名分"

정부의 페르시아湾의료진

**軍의료진 派兵**

파병 결정은 득실을 따지기에 앞서 어쩔 수 없는 선택인 것으로 분석된다. 설혹 파병을 함으로써 한국이 손해를 볼 것이 예상된다 해도 국제사회의 일원으로서 외면할 수 없는 상황이 정부로 하여금 선택의 폭을 좁혀왔다.

**10大교역국 입장에서**

정부는 파병의 근거를 유엔 안전보장이사회의 対이라크 제재 결의에두고있다. 유엔 안보리는 이라크가 1월 15일까지 쿠웨이트에서 철수하지 않을경우 무력사용을 포함한 모든 종류의 제재가 가能하도록결의했다. 한국은 유엔 가입국은 아니나 세계10대교역국가로서 세계경제 안정의 핵심고리라 할수있는 페르시아湾 평정에 동참하지않을수 없는 입장이다. 국방부관계자는 「한국전 당시 유엔안보리의 결의에의해 북한의 남침을 격퇴한 경험을 갖고있는 한국으로서는 유엔의 결정을 존중해야 할 이유가 있다」면서 「이같은 이유가 월남전때와는 차원을 달리하는 파병의 명분」이라고 말했다.

정부는 파병불가피성의 두번째 이유로 지역패권국가등장 가능성을 사전에 봉쇄해야 한다는 국제사회 여론을 들고있다. 이라크의 쿠웨이트 무력침공은 얄타체제의붕괴, 또는 美蘇의 영향력 감퇴등으로 표현되는 세계 신질서 형성과정에서 발생한 돌발사태다. 따라서 국제사회가 이를 효과적으로 제압하지못할 경우 세계 곳곳에서 비슷한 사태의 재발이 예상되며 한반도를둘러싼 동북아가 그렇게될 가능성도 없다는지있다. 정부 관계자는 「한반도전쟁억제의 상당몫을 미국의군사력에 의존하고있는 한국으로서 세계 다른 지역의 분쟁에 미군이 집중투입될 경우 한반도 긴장상태에 악재로작용할 것은 분명한 사실이더 결국은 한반도의 「一비경쟁으로 이어진것이 틀림없다」면서 「중동의 안정은 한반도안정과도 밀접한 관계가 있다」고 했다.

**미사일外엔 被害 희박**

페르시아만 해상보급로의 안정적 유지도 간과할 수 없는 요소다. 우리는 국내소비 원유의 72%를 중동산 원유에 의존하고 있으면서도 그동안 원유수송을 위한 해상보급로 확보에는 거의 아무런 기여도 하지 못했다. 평화시에는 이같은 문제가 두드러지지 않으나 지금과 같이 지역적 불안정이 표면화되었을 경우 역할분담에 대한 필요성이 대두되고 뚜렷한 이유없이, 또는 자국의 이해만을 내세워 대열에서 이탈했을경우 사태 진정후 대외교역에 심각한 타격을 입게 될 가능성이 높다.

문제는 참여의 범위와 한계, 그리고 한국 의료진 주둔지의 안전문제다. 의료진 주둔지에 대해 국방부는 이라크·사우디아라비아 국경에서 1백20km 떨어진 곳으로 미사일 직격탄 이외의 피해 가능성이 희박하다고 말했다.

그러나 이곳은 이라크군이 주둔하고 있는 쿠웨이트와 이라크 그리고 다국적군의 주둔지인 사우디아라비아의 삼각지점이 교차하는 곳으로, 파견 의료진의 안전에 각별한 대책이 요망된다. 〈金翼在기자〉



# 路막히면 이란国境통한 撤收고려

관원과 가족들 전원에게 방독면등 화학戰대비 장비들을 지급했고, 진출업체들도 업체별로 모두 1천6백세트의 방독면과 장비를 지급한 상태. 그러나 외무부는 전쟁발생에 대비, 현지 개별취업자나 자영업종사 교민들을위해 다시 방독면 2천개를 긴급지원할

리측에 전투부대파병을 요청한 일은 한번도 없었다고 외무부관계자들은 밝히고있다. 美행정부가 전투부대 파병을 요구하지 않는것은 한반도안보상황을 고려한것으로 보인다. 駐韓미군의 단계적감축을 시작한 마당에 한국군의 페湾파병을 요구하기 어렵기때

병을 요구할 가능성을 배제할수는 없다. 실제로 美의회 일각에서는 「韓国도 작은 규모라도 전투부대를 파병해야 하지 않느냐」는 목소리가 나오고 있는게 사실이다.

**국내安保 여건 고려**

만일 美측의 파병 요구가

현재 관계전문가들은 페湾사태와 지금우리나라의 국내의상황이 越南戰 때와는 근본적으로 다르다는 점을 지적하고 있다. 페湾전쟁이 발발할 경우 아랍民族주의등이 복잡하게 얽혀, 우리의 대응도 상당한 어려움이 따르게 되고, 駐韓미군철수가 진행되

어느정도 이해하고있어 美의회 일각의 요구가 행정부의 입장으로 바뀔 가능성은 적다」고 설명하고있다.

軍의료진 파견문제에 대해서도 관계자들은 「당초 지난 9월 우리측이 1백여명을 약속했다가 2백

# 에 신경

**油価대책**

전쟁발발과함께 국제원유가의 폭등이 예상됨에 따라 동자부는 필요할 경우 1단계 조치로 석유소비억제를 위해 국내유가를 앞당겨 인상조정할계획이다. 유가조정의 기준은 전쟁종결후 예상되는 국제원유가의 수준에 따르게 되는데, 기준원유가를 배럴당 23달러로 조정하는 방안이 유력하게



0017

# 기 안 용 지

| 분류기호 문서번호 | 국연 2031 - | (전화: ) | 시 행 상 특별취급 | |
|---|---|---|---|---|
| 보존기간 | 영구·준영구. 10. 5. 3. 1 | 차 관 | 장 관 | |
| 수 신 처 보존기간 | | | | |
| 시행일자 | 1991. 1. 12. | | | |

| 보조기관 | 국 장 | | 협조기관 | 제 1차관보 | 문서통제 |
|---|---|---|---|---|---|
| | 과 장 | | | 중동아국장 | |
| | | | | | |
| 기안책임자 | | 윤여철 | | | 발 송 인 |

| 경 유 수 신 참 조 | 건 의 | 발신명의 | | |
|---|---|---|---|---|

| 제 목 | 아국 의료단의 걸프지역 파견에 따른 대 유엔조치 |
|---|---|

1. 정부는 사우디정부의 요청에 의하여 이락의 쿠웨이트 침공에 대한 제재를 위해 걸프지역에 주둔중인 유엔 다국적군을 지원할 아국 의료단을 동 지역에 파견하기로 결정한 바 있습니다.

2. 이와 관련, 아국의 대유엔 협조자세를 과시하고 아국의 국제사회에 대한 기여 용의를 대외적으로 홍보하고자 동 결정을 유엔에 적절히 통보함이 필요하다고 사료

//계속...

0018

되는 바, 아래와 같은 요지의 서한을 주유엔대사 명의로 유엔사무총장 및 안보리의장에게 전달하고, 금후 파견시 대외발표할 보도자료를 내용으로 하는 주유엔대표부 명의 Press Release를 유엔회원국에 배포하고자 하오니 재가하여 주시기 바랍니다.

o 서한요지 :

- "한국정부는 안보리 결의 678호 3항과 국제연합헌장 제7장의 정신을 존중하고 사우디정부의 요청에 의거, 금번 적절한 규모의 의료단을 사우디지역에 파견하기로 결정하였음을 통보함."
- 유엔헌장 준수 및 국제평화와 안전유지를 위한 유엔의 권능확립에 대한 아국의 Commitment 재확인

3. 한편, 사우디정부에 의료단만을 파견한 국가는 필리핀과 헝가리 인바, 이중 필리핀은 동 파견 사실을 유엔대표부의 Press Release로 알린 바 있고, 헝가리는 안보리의장 및 유엔사무총장앞 서한으로 의료단파견 사실을 통고한 바 있습니다. 끝.

0019

| 관리번호 | 91-277 |
|---|---|

| 분류번호 | 보존기간 |
|---|---|
| | |

# 발 신 전 보

번 호 : AM-0007 910112 2013 FC 종별 : 지 급

수 신 : 주 전 재외공관장 ~~대사, 총영사~~

발 신 : 장 관 (미북, 중근동)

제 목 : 페만 사태 관련 의료 지원단 파견

1. 정부는 페만 사태의 평화적 해결을 위한 유엔의 제반 결의를 준수함으로써 국제평화 회복 노력에 동참하고 사우디 등 아랍국과의 우호관계 증진을 통한 원유의 안정적 확보 및 한.미 안보협력 관계 등을 고려, 사우디에 총 154명의 의료 지원단을 파견키로 결정하였음. 금번 정부가 의료 지원단을 파견키로 한 것은 탈 냉전시대에 있어서 무력에 의한 침략행위가 용인되어서는 안된다는 선례를 확립코자 하는 국제사회의 노력에 적극 동참함으로써, 북한의 무력적화통일노선에 대한 간접적 경고 효과를 기하기 위한 측면도 고려한 것임.

2. 이에따라 정부는 1.14(월) 사전 조사단을 사우디에 파견 예정이며, 본대는 1.24 개최되는 임시 국회의 동의를 얻는 즉시 1월말 또는 늦어도 2월 첫주경 파견할 예정임.

3. 한편, 국내언론은 의료 지원단 파견 결정 발표시 국방장관의 기자회견 내용을 ~~잘못 이해~~, 아국 정부가 필요한 경우 전투병력의 파견도 고려할 수 있는 것처럼 보도한 바 있으나 여사한 보도는 사실과 다른 것임.
이와관련, 대통령께서는 지난 1.8. 연두기자 회견시 전투병력 파견 가능성에 대한 질문에 대해 정부는 우방국으로부터 전투병력 파견을 요청받은 바도, 검토한 바도 없음을 명백히 한 바 있음.

/계 속....

| 보안 통제 | |
|---|---|

| 앙고재 | 91년 1월 12일 | 북미과 | 기안자 성명 | | 과 장 | 심의관 | 국 장 | 제1차관보 | 차 관 | 장 관 |
|---|---|---|---|---|---|---|---|---|---|---|
| | | | 김규현 | | | | | | | |

| 외신과통제 |
|---|
| |

0020

4. 귀관은 만약 귀 주재국 정부나 언론 기관등으로부터 아국의 전투병력 파견 가능성에 대한 문의가 있을 경우 상기 내용을 참조, 적절히 대응 바람. 끝.

(장 관 이상옥)

예 고 : 91.12.31.일반

검 토 필 (1991. 6.30.)

일반문서로 재분류(1991.12.31.)

0021

PI-11P

# 기 안 용 지

| 분류기호 문서번호 | 미북 0160-38 | (전화 : 720-4648) | 시 행 상 특별취급 | |
|---|---|---|---|---|
| 보존기간 | 영구. 준영구 10. 5. 3. 1. | 장 관 | | |
| 수 신 처 보존기간 | | | | |
| 시행일자 | 1991.1.14 | | | |

| 보조기관 | | 협조기관 | | 문서통제 |
|---|---|---|---|---|
| 국 장 | 전결 | | | 1991. 1. 14 |
| 심의관 | | | | |
| 과 장 | | | | |
| 기안책임자 | 김규현 | | | 발송인 1991. 1. 14 |

| 경 유 수 신 참 조 | 수신처 참조 | 발신명의 | |
|---|---|---|---|
| 제 목 | 폐만 사태 관련 의료 지원단 파견 | | |

1. 정부는 폐만 사태의 평화적 해결을 위한 유엔의 제반 결의를 준수함으로써 국제평화 회복 노력에 동참하고 사우디등 아랍국과의 우호 관계 증진을 통한 원유의 안정적 확보 및 한.미 안보협력 관계등을 고려, 사우디에 총154명의 의료 지원단을 파견키로 결정하였습니다. 금번 정부가 의료 지원단을 파견키로 한 것은 탈 냉전시대에 있어서 무력에 의한 침략 행위가 용인되어서는 안된다는 선례를 확립코자 하는 국제사회의 노력에

/ 계 속 /

0022

적극 동참함으로써, 북한의 무력 적화통일 노선에 대한 간접적 경고 효과를 기하기 위한 측면도 고려한 것입니다.

2. 이에 따라 정부는 1.14(월) 사전 조사단을 사우디에 파견 예정이며, 본대는 1.24. 개최되는 임시 국회의 동의를 얻는 즉시 1월말 또는 늦어도 2월 첫주경 파견할 예정입니다.

3. 한편, 국내 언론은 의료 지원단 파견 결정 발표시 국방장관의 기자회견 내용을 잘못 이해, 아국 정부가 필요한 경우 전투 병력의 파견도 고려할 수 있는 것처럼 보도한 바 있으나 여사한 보도는 사실과 다른 것입니다. 이와관련, 대통령께서는 지난 1.8. 연두기자 회견시 전투병력 파견 가능성에 대한 질문에 대해 정부는 우방국으로부터 전투 병력 파견을 요청받은 바도, 검토한 바도 없음을 명백히 한 바 있습니다.

4. 귀관은 만약 귀 주재국 정부나 언론 기관등으로부터 아국의 전투 병력 파견 가능성에 대한 문의가 있을 경우 상기 내용을 참조, 적절히 대응 하기 바랍니다. 끝. 일반문서로 재분류(1991.12.31.)

수신처 : 주체코, 불가리아, 몽고, 아이티, 파푸아뉴기니아, 카메룬 대사

예고 : 91.12.31. 일반 검 토 필 (1991.6.30.)

0023

| 관리 번호 | 91 -60 |
|---|---|

원 본

# 외 무 부

종 별 : 지 급

번 호 : BAW-0017 일 시 : 91 0113 1130

수 신 : 장 관(국연,아서)

발 신 : 주 방 대사

제 목 : 대사우디 의료진 파견

대:WBA-0012

1. 대호 주재국 외무성(국제기구차관보)에 확인한바, 사우디 주둔 다국적군에 의료단을 별도 파견한바는 없다고함.

2. 사우디에 기파견된 공병등 비전부 병력 2,300 명중에는 부대의 통상적인구성요소로 의무요원이 포함되어있으나, 이를 의료단으로 별도취급할수 없으며, 상기 병력은 사우디 요청에 따라 파견한 쌍무적인 조치이기 때문에 유엔등 제3 기관에 통보한일이 없다고함.

(대사 이재춘-국장)

예 고:91.12.31 일반.

검 토 필(1991. 6. 30)
직권보관승인

| 국기국 | 장관 | 차관 | 1차보 | 2차보 | 아주국 | 중아국 | 청와대 | 안기부 |
|---|---|---|---|---|---|---|---|---|

PAGE 1 91.01.13 15:24

외신 2과 통제관 CW

0024

| 관리번호 | 91-41 |
|---|---|

원 본

# 외 무 부

종 별 : 지 급

번 호 : PAW-0032 일 시 : 91 0113 1000

수 신 : 장관(국연,중근동,기정)

발 신 : 주 파 대사

제 목 : 대사우디 의료진

대:WPA-12

1. 대호 주재국 외무성 AFZAL AKBAR 중동국장에 확인한바, 주재국은 5,000 명 군부대 병력이외 별도의 의료진은 파견치 않았다고함.

2. 이와 관련, 주재국 정부는 사우디 정부요청에 의해 기파병된 5,000 명이외에 6,000 명 병력을 1.14. 까지 추가 파견하기로 결정한바, 640 명이 1.10(목)사우디로 출발함.

주재국 병력은 주로 사우디 성지보호 목적의 방어적 임무를 띨것이며, 중동사태 해결후에도 계속 사우디에 잔류할 것이라는 소문이 있음.

3. 당지 미국대사관은 당지주재 대사관 직원 가족과 교민의 안전을 위해 불요불급요원의 미국으로의 철수를 권장하고 있는바, 일부 미국인은 기출국하였으며, 당지 미국대사관은 이락측에서 주재국내 상당한자금을 부입, 반민운동및 테러를 선동하고 있는것으로 파악하고 긴장하고 있음. 한편 주재국 친이락세력은 1.10. 당지 페샤와에서 반미데모를 기도하였으나, 실패한것으로 알려짐.끝.

(대사 전순규-국장)

예고 91.6.30 일반

| 국기국 | 장관 | 차관 | 1차보 | 2차보 | 아주국 | 중아국 | 청와대 | 안기부 |
|---|---|---|---|---|---|---|---|---|

PAGE 1 91.01.13 16:16

외신 2과 통제관 CW

0025

| 관리번호 | 91/1144 |
|---|---|

원 본

# 외 무 부

종 별 : 지 급

번 호 : SBW-0087 일 시 : 91 0114 2300

수 신 : 장 관(중근동,청와대,국방부,기정)

발 신 : 주 사우디 대사

제 목 : 비둘기 계획관련 조사단 도착

1. 관련 현지조사단은 1.14 22:40 예정대로 리야드 도착함

2. 조사단는 리야드에서 1 박후 15 일 아침 목적지로 향발예정임

(대사 주병국-국장)

예고:91.12.31 일반

| 중아국 | 장관 | 차관 | 1차보 | 2차보 | 청와대 | 안기부 | 국방부 |
|---|---|---|---|---|---|---|---|

PAGE 1

91.01.15 07:04

외신 2과 통제관 CH

0026

# 비둘기 수송계획

o 개　요

의료지원단 본대는 91년 1월 23일(또는 24일) 민항전세기와 공군 C-130기를 이용하여 현지로 이동

o 수송인원 및 화물

- 인원 : 의료단요원 134명, 승무원 30명, 기자 6명 ( 계 : 170명)

- 화물 : 20톤

o 운항경로/시간

- 서울 - 카라치 (KAL DC-10 전세비용 : 30여만불)

- 카라치 - 제다 (C-130 2대, 2회 운항)

* 봄베이에서 연료 재보급이 불가능하여 카라치로 변경 예정

- 대한항공 운항로

. 서울공항 D 일 17:00 → 카라치 D+1일 01:20 도착
(한국시간 D+1일 04:20)

- 공군 군용기 (C-130) 운항로

. 서울공항 D-2일 (21일) 06:00 → 크라크공군기지 11:00
→ 방콕 18:10(1박) → D-1 카라치 (22일 14:10)

- 병　력

. 카라치(파키스탄) D+1일 05:00 출발 → 11:00 도착
(제다) 리야드

- 화　물

. 1.25일 - 05:00 출발 → (제다) 11:00 도착

. 복귀 : 1.26 파키스탄 출발 → 1.28 방콕 경유
1.29 16:00 서울공항 도착

0027

o 조치사항

- 영공통과 협조 (12개국)

. 대만, 필리핀, 인도네시아, 말레이지아, 스리랑카, 인도, 파키스탄, 오맨, 아랍에메리트, 바레인, 사우디, 미국

- 중간 기착지 (4개국)

. 필리핀(크라크 공군기지), 태국(방콕), 파키스탄(카라치), 사우디(제다)

- 승무원 숙박 협조

. 현지대사관/무관과 KAL 현지 영업소 협조 (1.23일 석식 및 1.24일 조식, 카라치-제다 간 1식 휴대)

0028

관리번호 91-59

원 본

# 외 무 부

종 별 :

번 호 : UNW-0082 일 시 : 91 0114 2000

수 신 : 장관(국연,중동,기정)

발 신 : 주 유엔 대사

제 목 : 걸프사태(주요국 동향)

1. 미국

금 1.14. 본직은 PICKERING 대사와 통화한바 15:00 현재 까지 사태관련 아무런 진전없다함.

2. 일본

금번 나까야마 외상의 와싱톤 방문및 1.15 당지에서의 유엔사무총장 면담예정관련 HATANO 대사와 접촉한바 금번 일본외상의 방미 목적은 걸프사태와 관련 미국측에 대해 지지를 표명하기 위한것이며 특별한 제안을 가지고 온것은 아니라함. 유엔사무총장 면담도 방미기회를 이용 걸프사태 관련 사무총장의 노고를 치하하고자 하는것이라함. 동 대사는 일본으로서는 걸프사태 해결을 위한 새로운 제안을 내어놓기에는 시기적으로 너무 늦어음에 비추어 적절하지 않은것으로 본다함. 끝

(대사 현홍주-차관)

예고:91.12.31. 까지

검 토 필 (91. 6. 30.)
직 권 으 로 ...

| 국기국 | 장관 | 차관 | 1차보 | 중아국 | 청와대 | 총리실 | 안기부 |
|---|---|---|---|---|---|---|---|

PAGE 1 91.01.15 12:17

외신 2과 통제관 BT

0029

# 외 무 부

암호수신

종 별 :

번 호 : NZW-0015 일 시 : 91 0116 1100

수 신 : 장관(미북,중근동,아동,정일)

발 신 : 주 뉴질랜드 대사

제 목 : 페만사태 관련 군의료단 파견(자료응신 제1호)

연: NZW-0298(90.12.4)

1. 32 명으로 구성된 주재국 군의료단(단장: CIVIL 소령)이 금 1.16 중동 향발하였음. 동 의료단은 바레인 주둔 미군 병원에서 근무하게 된다함.

2. 주재국 정부는 90.12.3 유엔의 대이락 제재 결의에 부응키 위해 HERCULES 수송기 2 대및 군의료단을 걸프지역에 파견키로 결정한바 있으며, 수송기 2 대와 승무원 및 정비용원 약 46 명이 기파견 되어 현재 리야드 주둔 영국 공군과같이 일하고 있음.

3. 이와 관련, BOLGER 주재국 수상은 걸프에서 전쟁이 발발하더라도 주재국은 전투행위는 결코 수행치 않을 것임을 분명히 하고 주재국이 파견한 수송기도 폭탄 부하등의 능력이 없다고 부연하였음.

4. 주재국 정부는 금일 특별 각의를 소집, 걸프사태에 따른 대책을 협의할 예정임.

5. 한편, 1.15 수도 웰링톤에 GULF CRISIS COMMITTEE 및 평화그룹등이 주도하는 약 5,000 명의 시위대를 비롯한 전국 주요 도시에 평화적 시위대가 중동전 반대 시위를 벌렸음.

(대사 서경석-국장)

미주국 차관 1차보 아주국 중아국 정문국 청와대 안기부

PAGE 1 91.01.16 07:47

외신 2과 통제관 BT

0030

# 派遣背景및 期待效果

[1991.1.16]

國　防　部

0031

# 派遣背景 및 期待效果

▲ 醫療支援團 派遣의 基本趣旨

ㅇ 世界 10大交易國으로 成長한 主權國家로서 UN精神에 따른 UN 決議를 尊重, 國際社會에서의 責務를 能動的으로 受容

ㅇ 1950年 6.25 戰爭時 우리나라는 유엔安保理 決議및 유엔군 參戰으로 國家를 防衛할수 있었는 바, 금번 유엔의 膺懲決議에 同參하는 것은 當然

ㅇ 금번 이락의 쿠웨이트 侵攻事態는 利害가 엇갈리는 地域에서의 局地紛爭 可能性과 함께 힘의 論理가 無差別的으로 適用될 수 있음을 立證하는 것으로서, 이를 膺懲하지않을 경우 同一論理가 韓半島에도 그대로 適用될 수 있음을 示唆하는 바, 制限된 醫療支援團이나마 이에 同參하므로서 國際的 膺懲雰圍氣를 高揚, 韓半島 平和定着에 寄與.

▲ 背景 및 期待效果

ㅇ 유엔의 國際平和努力에 同參意志 可視化로,我國의 國際的 位相 提高

* 90.8.9 我國은 유엔安保理의 對이락 經濟制裁措置에 同參決定 및 90.11.29 유엔安保理는 91.1.15限 撤收不應時 對이락 膺懲을 決議하고 國際社會의 全國家에게 支援과 同參을 呼訴

* 各國의 醫療團 派遣現況

- 美　國 : 病院船 2隻 및 綜合醫療團 運營(總 1,350病床,專門醫 35名)
- 英　國 : 醫師 200, 病床 400 規模의 野戰病院 派遣(有事時 對備 1,500名의 追加 軍醫療陣 派遣 準備中)
- 방글라데시: 2個 醫務中隊 (300名 規模) 派遣
- 파키스탄 : 1個 醫務中隊 (100餘名) 派遣
- 필리핀 : 民間醫療支援팀 240名 派遣
- 其他 폴란드, 호주, 체코, 태국, 日本도 醫療團 派遣 또는 檢討中

1

0032

o 多國籍軍 支援으로 美國과 既存의 安保協力關係 強化 및 有事時 友邦國으로부터 集團安保 膺懲 保障基盤 마련

* 특히 美國에 대해서는 追加的인 多國籍軍 經費支援 또는 駐韓美軍 防衛費分擔 增額要求를 相當水準 撫摩시키고 事態 惡化時 駐韓美軍의 轉換配置 試圖도 事前抑制 可能

o 對 아랍국 友好關係 增進, 長期的으로 經濟的 實利追求 可能

. 我國의 對中東 原油依存度(全體導入量의 72%) 勘案時 長期的으로 安定的인 石油供給源 確保

. 對中東 交易과 建設등 經濟進出機會 擴大

. 戰後 中東再建 參與與件 助成으로 經濟活性化 期待

. 未修交國인 아랍권 有力國家(이집트, 시리아 등)와의 外交關係 樹立에도 寄與

* 70年代 1,2次 石油波動때도 我國은 사우디등 中東國家로부터 많은 도움을 받았음.

▲我國이 어떤 形態로든 可視的 參與 努力이 없이 自國 中心的 態度 堅持時

o 向後 國際社會에서의 發言權 弱化

o 事態後 韓.美關係 疏遠 可能性

. 駐韓美軍 撤收 加速化

. 防衛費分擔 壓力 加重

o 戰後 復舊事業에 疎外 등이 憂慮됨

※ 醫療陣 派遣은 對北 戰備態勢 및 對이락 關係에 대한 影響을 最少化 하면서 最大의 效果 獲得이 可能한 最善의 方案임.

※ 越南戰 參戰과 다른점

| 區 分 | 越 南 戰 | 이 락 事 態 |
|---|---|---|
| 意思決定面 | 美國 要請<br>* 美國 單獨要請 | 我國이 自意的으로 決定<br>* UN 安保理의 武力使用 決議, 多國籍軍 編成 |
| 安保的 利害關係 | 反共前線 共同對處 | . 石油依存度 72%<br>. 國際的 膺懲措置 同參 |
| 美國의 對韓 支援 條件 | . 戰鬪手當, 食糧 및 補給物資 支援(補給支援 總 9.62億弗)<br>. '66~'70間 年平均 4~5千萬弗 特別軍援 追加配定('65年 基準) | 全 無 |
| 作戰 性格 | 長 期 戰 | 短期戰 豫想 |
| 兵力 密度 | 對 게릴라전 性格上 全國土 戰場化로 兵力所要 增大 | 前線形成으로 兵力所要 減少및 旣 配置兵力 密度 過多 (多國籍軍 46萬, 이락군 51萬) |

3

0034

▲ 現地 雙方 軍事力 現況

| 區　分 | 多國籍軍(總31個國) | 이 락 軍 |
|---|---|---|
| 兵　力 | 67만 6千名 | 51萬名 |
| 戰　車 | 3,600臺 | 4,000臺 |
| 艦　艇 | 150隻 | - |
| 戰鬪機 | 1,700餘臺 | 500臺 |

* 軍事力 比較
  - 戰　車 : 이락이 優勢하나 多國籍軍 繼續 追加投入中
  - 艦艇및 戰鬪機 : 多國籍軍이 越等 優勢

※ 이락軍 全體 戰力

| 兵　力 | 戰　車 | 艦　艇 | 航空機 |
|---|---|---|---|
| . 正規軍 : 100萬<br>. 豫備軍 : 85萬 | 5,600 | 38 隻 | 689 臺 |

* 이락軍은 1月末까지 前線地域에 60萬 以上 投入豫想

4

0035

"페"灣 多國籍軍 軍事力 現況(91.1.31)

| 順番 | 國家 | 兵力 | 艦艇 | 戰鬪機 | 備考 |
|---|---|---|---|---|---|
| 1 | 美 國 | 43萬 | 55 | 1,000 | .戰車 2,000<br>*戰鬪機 300餘臺<br>增派豫定 |
| 2~7 | GCC<br>사우디,오만,<br>카타르,바레인<br>UAE,쿠웨이트 | 150,500 | 36 | 330 | .戰車 800 |
| 8 | 英 國 | 35,000 | 16 | 50 | .戰車 163 |
| 9 | 프 랑 스 | 10,000 | 14 | 36 | .헬機 航母 1<br>.戰車 40 |
| 10 | 이 태 리 | | 6 | 8 | .프리키트3, 補給船2<br>.토네이도機 8 |
| 11 | 벨 기 에 | | 3 | | .機雷除去 2, 補給 1 |
| 12 | 카 나 다 | | 3 | 18 | .驅逐艦 2, 補給 1<br>.CF-18戰鬪機 1個大隊<br>.1個 野戰病院(225) |
| 13 | 네 델 란 드 | | 3 | | .프리키트2, 補給1 |
| 14 | 스 페 인 | | 3 | | |
| 15 | 호 주 | | 3 | | |
| 16 | 알 젠 틴 | 100 | 2 | | |
| 17 | 덴 마 크 | | 1 | | |

5

0036

| 順番 | 國　家 | 兵力 | 艦艇 | 戰鬪機 | 備　考 |
|---|---|---|---|---|---|
| 18 | 그 리 스 | | 1 | | |
| 19 | 노르웨이 | | 1 | | |
| 20 | 폴 부 칼 | | 1 | | |
| 21 | 이 집 트 | 20,000 | | | .步兵,化學,特殊部隊<br>*15,000 增援豫定 |
| 22 | 시 리 아 | 19,000 | | | .機甲旅團,特殊部隊,<br>.戰車 100 |
| 23 | 파키스탄 | 7,000 | | | *6,000名 增派豫定 |
| 24 | 방글라데시 | 2,000 | | | |
| 25 | 모 로 코 | 1,700 | | | |
| 26 | 세 네 갈 | 500 | | | |
| 27 | 니 제 르 | 480 | | | |
| 28 | 체　코 | 200 | | | .化學防護部隊 |
| 29 | 온두라스 | 150 | | | |
| 30 | 터　키 | 5,000 | 2 | | .國境配置 約10萬<br>.사우디 投入:5,000<br>.페灣 艦艇派遣:2 |
| 31 | 소　련 | | 2 | | |

6

0037

# 醫療支援團 사우디派遣計劃

o 推進計劃

o 對國會 活動對策

o 對言論 및 國民 弘報對策

o 問題點 및 後續措置

0038

2

# 推 進 計 劃

## 槪要 및 推進經過

▲ 派遣目的 및 意義

- o 유엔의 國際平和 努力에 同參, 韓國의 國際的 位相 提高
- o 韓半島 有事時 集團安保 膺懲保障 基盤 마련
- o 韓.美 安保協力關係 및 對아랍국 友好關係 增進

※ 侵略者에 대한 膺懲 同參으로 國際的 膺懲雰圍氣 高揚 및 韓半島 平和 定着 寄與

▲ 推進方向

- o 國際 外交的 名分 確保(大韓民國 깃발아래 任務遂行)
- o 關聯當事國과의 協議로 效率的 現地任務 遂行 保障
- o 韓.美/韓.사우디 安保協力關係 增進 機會로 活用

▲ 推進經過

- o '90. 9. 20 페灣事態 綜合支援對策 大統領 報告
- o 9. 24 政府支援方案 對國民 發表 및 對美 通報
- o 9. 28 國防部 推進委員會(委員長:次官) 構成
- o 12. 19 醫療支援團派遣에 대한 사우디側 歡迎意思接受
- o 12. 24 醫療支援團 派遣關聯 事前 準備指針 下達
- o 12. 29 ~'91. 1. 7 現地調査 및 實務協商팀 派遣(11名: 外務部3, 國防部5, 靑瓦臺, 安企部, 經企院 各 1名)

0039

# 基 本 計 劃

## ▲ 編　成(暫定)

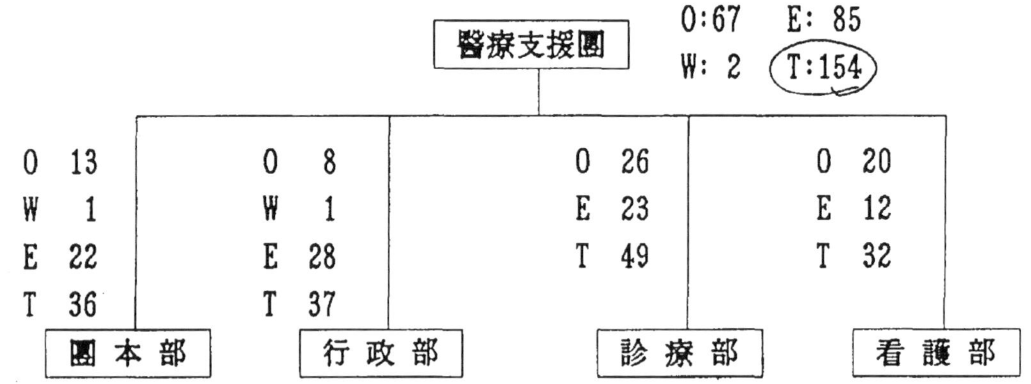


## ▲ 兵　力(暫定)

(將校/士兵)

| 區分 | 總 計 | 醫 療 要 員 | | | | | 支 援 要 員 | | | | | | | | | | | |
|---|---|---|---|---|---|---|---|---|---|---|---|---|---|---|---|---|---|---|
| | | 小計 | 軍醫 | 醫政 | 看護 | 士兵 | 小 計 | 行政 | 法務 | 戰發 | 公報 | 通譯 | 化學 | 憲兵 | 經理 | 情報 | 通信 | 輸送 |
| 人員 | 69/85 | 54/51 | 26/ | 8/ | 20/ | /51 | 15/34 | 2/8 | 1/ | 3/ | 1/1 | 1/1 | 1/8 | 1/1 | 1/1 | 2/1 | 1/6 | 1/7 |

o 軍醫官(26) : 整形外科 5, 一般外科 4, 手術痲醉 3, 神經外科 2, 放射線 2, 齒科 2, 家庭醫 2, 內科 1, 病理 1名 等

o 戰　　發 : 戰史, 戰鬪發展

o 支援 要員 : 可能한 範圍內 特戰司要員 選拔 補充

※ 交　　代 : 6個月 交代 原則

4

0040

병원건물

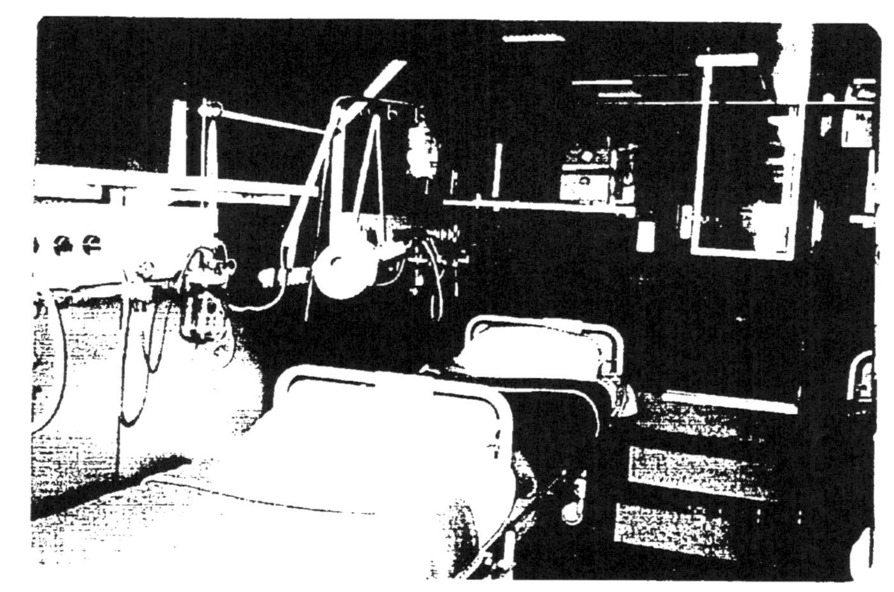

치료실

중 동 지 역 요 도

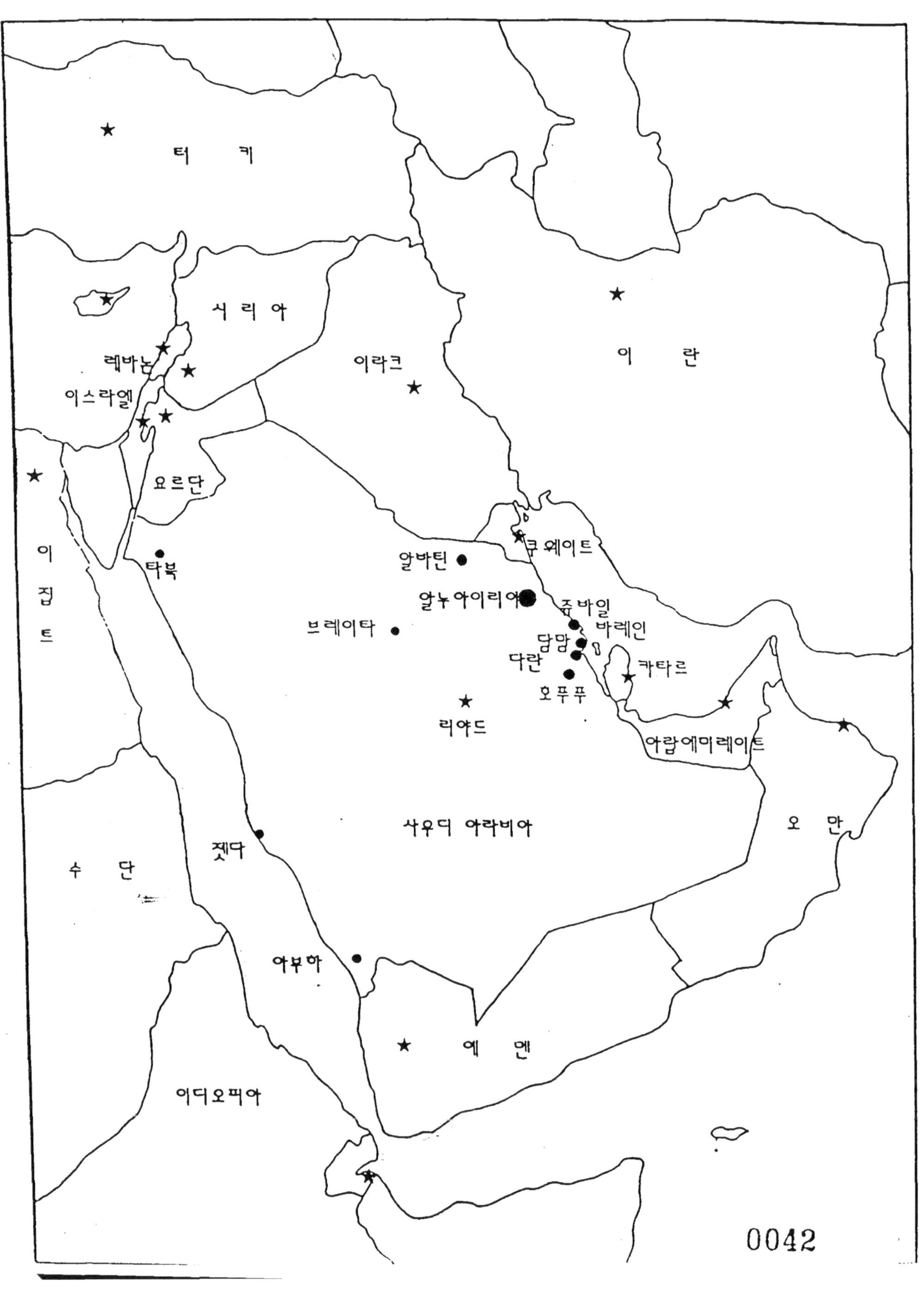

터 키
시 리 아
레바논
이스라엘
요르단
이라크
이 란
이 집 트
타북
쿠웨이트
알바틴
알누아이리아
쥬바일
브레이타
바레인
담맘
다란
카타르
호푸푸
리야드
아랍에미레이트
사우디 아라비아
오 만
젯다
수 단
아부하
예 멘
이디오피아
0042

## ▲ 部隊位置(調査팀 現地踏査)

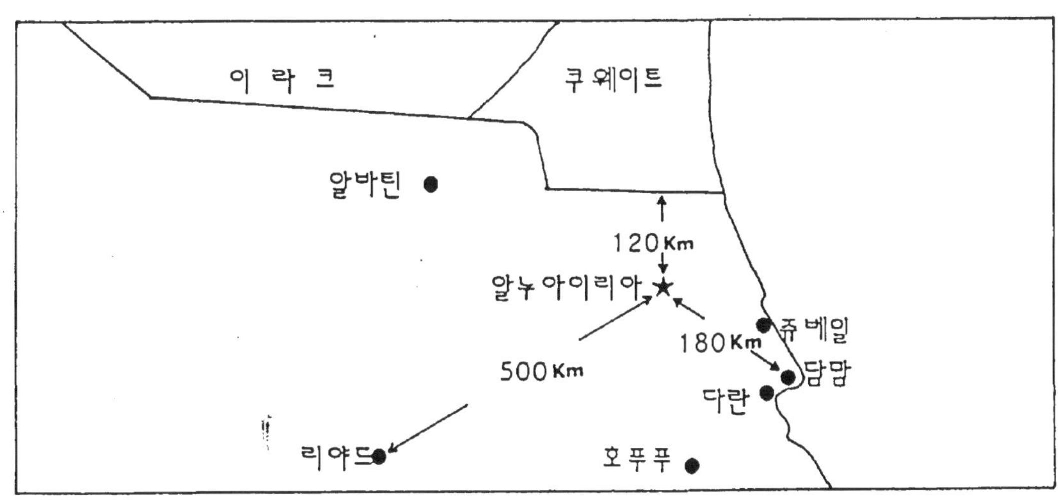


o 環 境

- 東北部地域의 3萬 規模의 都市에 位置
- 東部地域 前後方 連結 交通 要地
- 隣近에 美軍의 補給支援基地 建設中

## ▲ 病院施設및 裝備 : 사우디側 提供, 我側은 有事時 豫備對策 講究

o 施 設 : 宿所 包含 現代式 永久建物 (狀態 良好)

o 醫療裝備 : 先進 外國製로 現代式 最新裝備

※ 醫 藥 品 : 先進 外國製로 狀態 良好

## ▲ 補給 및 物資支援

| 個人 被服/裝具 | 給 食 | 補 給 |
|---|---|---|
| 携帶(銃器, 彈藥 包含) | 사우디 支援 | 사우디 支援 |

※ 有事時 對備 豫備對策 講究

## ▲ 派遣日程

o '91. 1. 15 : 現地調査團 出發

| 計 | 現地 調査團 | | 現地 協調팀 |
|---|---|---|---|
| | 醫療陣 | 支援要員 | |
| 26 | 17 | 3<br>(情報, 軍需, 通譯 各 1) | 6<br>(情報 2, 通信, 軍需, 法務, 戰略 各 1) |

※ 私服着用 考慮中, 輸送便 : 檢討中

o '91. 2月初 (國會同意後) : 本隊 出發

- 134名(醫療要員 88名, 支援要員 46名)
- 歡送行事, 民航 專貫機 利用

※ 2月 1日 以後 하시라도 出發 可能토록 準備
(教育 : 特戰司 教育隊 2週間)

## ▲ 指揮關係

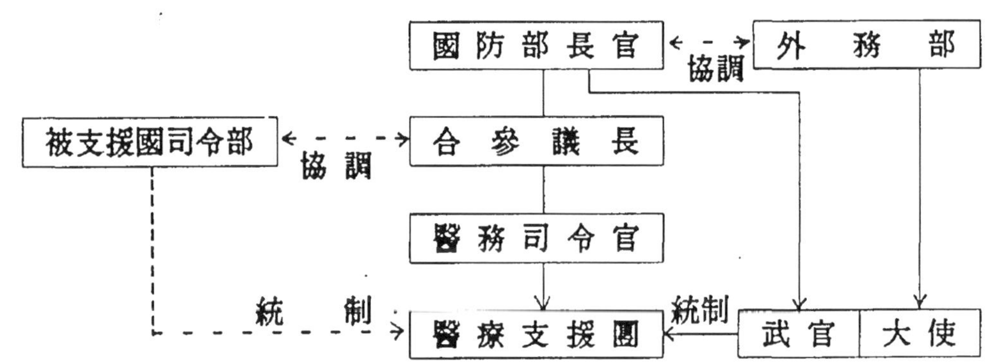


0044

6

## 豫算所要 判斷

▲ 總 所要豫算(1年間) : 98.2 億원

單位 : 億원

| 區　分 | 所　要　額 |
|---|---|
| 派遣手當 | 21.4 |
| 輸送費 | 8.6 |
| 部隊運營費 | 4.6 |
| 通信支援費 | 3.1 |
| 個人裝具類 | 2.5 |
| 訓練.弘報費 | 2.6 |
| 增.特食費 | 1.6 |
| 士氣福祉費 | 1.1 |
| 豫備費 | 6.6 |
| 戰死傷者 補償費 | 46.1 |

※ 經濟企劃院과 協調 : 早速措置 (政府 豫備費)

7

0045

## 其他 關聯事項

▲ 사우디側 反應 및 要望事項

- o 軍醫療陣 派遣에 대한 積極 歡迎 및 渴望
  (病院施設 良好, 醫療陣은 所要의 10-20% 配置)
- o 編成, 裝備보다 早速한 到着에 優先 關心
- o 最初 사우디 構想 : 病院別 分散 配置
  → 我側의 醫療要員 1個場所 配置 運用,自體指揮權 保障 要求에 肯定的 反應

▲ 駐屯軍 法的 地位協定 사우디案 : 檢討中

- o 法的地位 : 外交要員에 準하는 特權및 免除權 享有 明示
  → 外務部와 協調, 我側 立場 貫徹 努力

▲ 沙漠環境 適應對策 講究

| o 12 - 1月 氣溫 : 5°~ 20° (雨天時 -3°C 下降) |
|---|
| o 3月 以後 氣溫 : 30°C |

→ 個人 및 部隊 防寒 및 酷暑對策 同時 講究

→ 都市地域 駐屯, 永久施設 使用協調로 不便 最小化

▲ 有事時 被害 最小化 對策 講究

| o 醫療支援 : 野戰病院 運用<br>o 駐 屯 地 : 누아이리아 (國境 後方 120KM)<br>※ 이라크 化學戰 威脅 豫想 |
|---|

→ 미사일 直擊彈 以外 被害 可能性 稀薄
(非正規戰 浸透不可, 警戒支援 保障, 制空權 多國籍軍 確保)

→ 野戰病院으로 接敵地域 任務遂行 不必要

→ 化學戰 對應裝備 携帶(豫防接種, 美軍支援施設 協調完了)

→ 特戰司 教育團 事前 集中 訓練(2週間)

▲ 現地 美軍과의 協調事項

o 有事時 對備 豫備 補給, 通信, 緊急 後送支援體制 維持

o 士氣, 福祉施設의 共同 利用

# 對國會 活動對策

▲ 推進日程(案)

o 黨政協調 : 1. 14 - 15

o 國務會議 議決 : 1. 17

o 大統領 裁可 및 國會 送付 : 1. 18 - 21

o 國防委 議決 處理 : 1. 24

o 本會議 議決 處理 : 1. 25

▲ 活動 重点事項

o 圓滑한 黨政協調

- 對 象

. 與黨 : 國防.外務委 所屬議員, 主要黨職者, 代表委員

. 野黨 : 總裁

- 方 法 : 派兵 基本計劃 說明, 爭點事項 說得

o 論理的이고 說得力있는 對備로 派遣의 當爲性 共感 誘導

o 多角的인 對國會 活動으로 爭點 最小化

# 對言論 및 國民 弘報對策

▲ 弘報 基本方針 : 醫療支援團 派遣에 대한 國防部 基本立場 定立 및 汎 國民的 共感帶 形成

※ 野黨 및 在野團體의 派兵反對에 대한 明確한 對應論理 展開

▲ 弘報 重点

o 言論의 支持 基盤을 迅速하게 確保

- 自意的 派兵, 國際社會의 韓國 位相提高 等 國益 弘報
- 派遣意義, 當爲性, 期待效果 弘報
- 醫療支援團 任務, 性格, 安全性 弘報

※ 肯定的 言論人 : 個別 接觸 및 說得 竝行

o 段階別 弘報方案 마련 및 施行

- 1段階 : 對言論, 政黨 및 國會 事前 弘報
  * 記者 懇談會
- 2段階 : 派兵實施間 弘報
  * 派遣部隊 取材報道, 弘報册子 發刊, 軍 弘報媒體 活用等
- 3段階 : 現地 任務遂行間 弘報
  * 特派員 現地報道, 軍 弘報媒體要員 現地 派遣

o 各 分野 社會團體의 積極 參與 誘導, 對國民 弘報 擴散

- 赤十字, 宗敎, 文化藝術, 學界
- 在鄕軍人會, 自由總聯盟
- 防衛協議會, 機動弘報團

※ DM 網을 利用한 個別 弘報 竝行

o 汎 政府的 弘報를 위한 關聯部處別 積極 協調

# 問題點 및 後續措置

▲ 所要豫算 98.2 億원 確保 豫定

(經濟企劃院 協調, 早期確保 措置)

▲ 駐屯軍 法的 地位協定 早期 締結

(外務部 協調, 我側 立場 貫徹)

▲ 派遣 輸送手段 確保

(美 輸送司令部(本土)및 KAL과 協調,
早期對策 講究)

▲ 對國民 弘報對策 關聯部署 積極 協調

# 예멘 파병에 따른 수당 / 보상 지급

1. 해외 파견 근무 수당

▲ 관계 법령

0 전투 근무수당 : 봉급의 30% 지급

0 재외 근무수당 : 공무원 수당규정 제4조

0 특수지 근무수당 : 공무원 수당규정 별표 7

0 위험 수당 : 계급별 "갑종"

▲ 최선의 수당 지급

| 재외 특수지 근무수당 + 재외근무수당 + 위험수당 |
|---|

| 구 분 | 금 액(원) | 봉급대비 | 파월시 봉급대비 |
|---|---|---|---|
| 준 장 | 2,174,060 | 2.9 | 2.9 |
| 중 령 | 1,850,380 | 3.5 | 3.7 |
| 대 위 | 1,522,960 | 4.4 | 5.9 |
| 상 사 | 1,152,180 | 2.5 | 4.3 |
| 상 병 | 758,500 | 84.3 | 50.0 |

* 이병 : 60만원 / 월(28$ / 월)
  중령 : 185 " / 월(86$ / 월)

0051

2. 전사상자 보상

▲ 관 계 법 령

0 사망보상금 : 보수월액의 12배(항공조종사 36배)

0 사망자 유족연금 : 20년이상 - 보수년액의 65%
20년미만 - 보수년액의 55%

0 보훈연금 : 기본(월25만원)+ 부가연금(년령및 상이도고려)

0 장애보상금 : 신체1.2.3등급별 보수월액의 12.86배

0 상이자연금 : 1.2.3급별 보수년액의 80,60, 40%

0 보훈 상이연금 : 기본(월25만원)+부가연금(상이등급고려)

▲ 보 상 지 급 액

(단위:만원)

| 구 분 | 현 재 | | | 파 병 시 | | |
|---|---|---|---|---|---|---|
| | 사망일시급 | 유족연급 | 보훈연금 | 사망일시금 | 유족연급 | 보훈연금 |
| 중 령 (12호봉) | 1,660 | 90 | 25 | 1억5천5백 (9,3배) | 90 | 25 |
| 하사이하 병 | 512 | 0 | 25 | 5,323 (10,4배) | 0 | 25 |

0052

| 관리 번호 | 91/1129 |
|---|---|

| | 분류번호 | 보존기간 |
|---|---|---|
| | | |

# 발 신 전 보

번 호 : WSB-0128 910117 1836 AO 종별 : 긴급

수 신 : 주 사우디 대사. 총영사

발 신 : 장 관 (중근동)

제 목 : 의료 지원단 파견

연 : WSB - 0060

1.24일로 예정되었던 임시국회가 21일로 앞당겨짐에 따라 국방부는 의료 지원단 본대를 22-24일 사이 아국 군용기편 다란에 도착시킬 예정인바, 연호로 이미 최대지원 토록 지시한바 있으나, 금번 의료단 파견과 아국 군용기편 수송이 사우디에 대한 최초의 일임을 감안, 가급적 공관장이 직접 다란에 출영, 현지 교민과 함께 환영토록 준비하고 결과 보고 바람.

(중동아국장 이 해 순)

예 고 : 1991.12.31. 일반 91.6.30. 일반으로

사본 : 국방부 연락관(정보본부장)

| 보안 통제 | |
|---|---|

| 앙 고 재 | 91년 1월 17일 | 중근동과 | 기안자 성명 | | 과 장 | 심의관 | 국 장 | | 차 관 | 장 관 |
|---|---|---|---|---|---|---|---|---|---|---|
| | | | | | | | 전결 | | | |

| 외신과통제 |
|---|
| |

0053

관리번호 91-1199

# 외 무 부

종 별 :

번 호 : UNW-0132　　　　일 시 : 91 0118 1800

수 신 : 장관(국연,중근동,기정)

발 신 : 주 유엔 대사

제 목 : 걸프사태(의료진 사우디파견)

연:UNW-41

1. 헝가리 대표부 BUDAI 참사관은 금 1.18 권참사관에게 헝가리 대표부는 헝가리 의료진 사우디파견 사실을 1.16 안보리 의장에게 문서로 통보하고 동 사본을 데꾸에야르 유엔사무총장에게 송부 했다고 알려 왔음.

2. 동 사본은 별전 FAX 와같음.

첨부:상기서한 사본:UNW(F)-027

끝

(대사 현홍주-국장)

예고:91.6.30 일반

국기국　　중아국　　안기부

PAGE 1　　　　91.01.19　08:43

외신 2과 통제관 FE

0054

별첨

UNW(F)-027 1[illegible]+800
(국연.중근동.7126)

총1011

PERMANENT REPRESENTATIVE
OF THE REPUBLIC OF HUNGARY
TO THE UNITED NATIONS

10 EAST 75th STREET, NEW YORK, N.Y. 10021

Son Excellence M. Bagbeni Adeito Nzengeya
Président du Conseil de Sécurité
New York

16 Janvier 1991

Monsieur le Président,

J'ai l'honneur de vous informer que le Gouvernement de la République de Hongrie a décidé d'envoyer en Arabie Séoudite un groupe de personnel militaire médical, aux termes d'un accord établi entre les deux Gouvernements et conformément aux résolutions pertinentes du Conseil de Sécurité.

Je voudrais également vous informer que j'envoie une copie de la présente lettre au Secrétaire Général des Nations Unies.

Je saisis l'occasion pour vous renouveler l'expression de ma plus haute considération.

Erdős András
André Erdos
Ambassadeur

0055

1-1

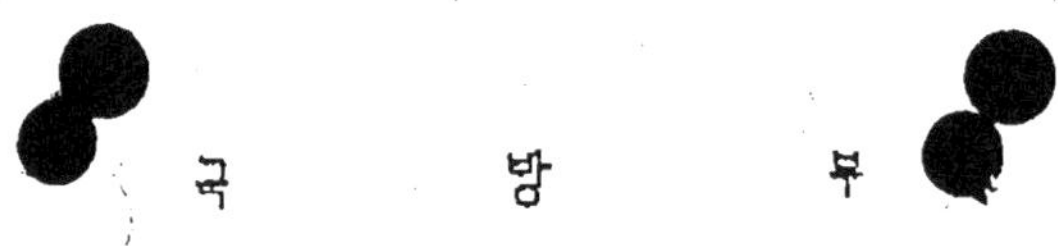

국 방 부

공보 35280-34 (794-4687) 1991. 1. 19

수신 외무부장관 (1년)

제목 기자단 취재활동 협조요청

사우디아라비아에 파견하는 군 의료지원단에 편승 취재예정인 국방부 출입기자의 현지 취재활동이 가능 하도록 사우디 당국과 협조(프레스센타 등록등)하여 주시기 바랍니다.

첨부 : 사우디 취재기자 명단 1부. 끝.

국 방 부 장

공보관 전결

0056

JAN 19 '91 15:08 ...-7056

수신 : 외무부공보관 '91. 1. 19

발신 : 국방부공보관

제목 : 사우디 취재기자단 명단

| 소 속 | 성 명(영문) | 생년월일 | 여권번호 |
|---|---|---|---|
| 세계일보사 | PARK, KWANG-JOO | 56. 2.12 | |
| 연합통신 | KIM,NAK-JOONG | 62. 1. 5 | |
| 코리아타임스 | LEE NAK-HO | 41. 9.18 | |
| 동아일보 | SEONG HA-CHO | 59. 1.20 | |
| K B S | YANG YONG CHEOL | 61.10.23 | |
| M B C | RYU CHONG-HYON | 56. 5.12 | |

* 협조 요청사항

1) 비자발급(긴급)

2) 사우디 당국 취재승인(프레스센타 등록) 협조

0057

~~0056~~

| 관리 번호 | 91/1194 |
|---|---|

| 분류번호 | 보존기간 |
|---|---|
| | |

# 발 신 전 보

번 호 : WSB-0152 910119 2221 DA 종별 : 지급

수 신 : 주 사우디 대사 / 총영사

발 신 : 장 관 (중근동)

제 목 : 기자단 취재활동 협조 요청

귀지에 파견하는 군의료 지원단 항공편에 출발 예정인 아래 국방부 출입 기자의 현지 취재 활동이 가능토록 프레스센타 등록등 관계당국에 필요한 조치를 취하고 결과 보고 바람.

| 소 속 | 성 명 | 생년월일 | 여권번호 |
|---|---|---|---|
| 세계일보 | PARK KWANG JOO | 52.2.12 | |
| 연합통신 | KIM NAK JOONG | 62.1.5 | |
| 코리아 타임즈 | LEE NAK HO | 41.9.18 | |
| 동아일보 | SEONG HA CHO | 59.1.20 | |
| KBS | YANG YONG CHEOL | 61.10.23 | |
| MBC | RYU CHONG HYON | 56.5.12 | |

(중동아국장 이 해 순)

예 고 : 1991.6.30. 일반

1991. 6. 30. 에 예고문에 의거 일반문서로 재 분류됨.

공보관실 강

| 보안 통제 | |
|---|---|

| 앙고재 | 91년 1월 18일 | 중근동 | 기안자 성명 | 과 장 | 국 장 | 차 관 | 장 관 |
|---|---|---|---|---|---|---|---|
| | | | 김윤석 | | 전결 | | |

외신과통제

0058

| 관리 번호 | 91/1187 |
|---|---|

| | 분류번호 | 보존기간 |
|---|---|---|
| | | |

# 발 신 전 보

번 호 : WJA-0254 외 별지참조　　종별 : 긴 급

수 신 : 주 수신처참조 대사. ~~총영사~~　　WSB-144

발 신 : 장 관 (중근동, 국방부)

제 목 : 군의료지원단 수송기 운항

연 : 별첨

1. 연호 FIR 통과시간 및 항공일정을 별첨 타전하니 주재국 관계당국에 통보하고 필요한 제반조치바람.

2. 주사우디대사는 ~~경우 국방부는~~ 다란공항이 위험할 경우, 젯다공항에 이·착륙할수 있도록 조치하고 허가번호등 긴급 보고바람.

수신처 : 주일본, 대만, 필리핀, 인니, 말련, 스리랑카, 인도, 태국, 미국, 바레인, 파키스탄, 미얀마, 오만, UAE, 사우디 대사.

첨 부 : 1. 연호 번호
2. FIR 통과시간
3. 본대 이동시간 계획 . 끝.

91.6.30. 검토필

(중동아국장 이 해 순)

예고 : 91.12.31.일반.

| 보 안 통 제 | |
|---|---|

| 앙 고 재 | 91년 1월 18일 | 중근동과 | 기안자 성 명 | | 과 장 | 심의관 | 국 장 | | 차 관 | 장 관 |
|---|---|---|---|---|---|---|---|---|---|---|
| | | | 조희 | | | 양 | 전결 | | | 김 |

| 외신과통제 |
|---|
| |

0059

| 관리번호 | 91/1202 |
|---|---|

원 본

# 외 무 부

종 별 : 긴 급

번 호 : SBW-0173 일 시 : 91 0119 1720

수 신 : 장관(중근동,국방부)

발 신 : 주 사우디 대사

제 목 : 수송기운항

대:WSB-0144

금 1.19 주재국 외무부 MUHAMMED BARI 담당관을 접촉, 대호 군의료지원단 수송기 운항 관련, 제다공항에의 착륙허가등 협조를 요청하였던바, 동담당관은 조속한 시일내에 동결과를 알려주겠다고 하였음

(대사 주병국-국장)

예고:91.12.31 일반

91.6.30. 일반

중아국 차관 1차보 2차보 국방부

PAGE 1

91.01.20 00:09

외신 2과 통제관 CW

0060

| 관리번호 | 91/1210 |
|---|---|

# 외 무 부

원 본

종 별 : 초긴급

번 호 : SBW-0174 일 시 : 91 0119 1730

수 신 : 장관(중근동,대책반,신일,국방부)

발 신 : 주 사우디 대사

제 목 : 비상무선통신장비

대:WSB-0122

대호관련, 주재국 공항폐쇄등을 고려 금번 의료진 수송기편에 대호 장비를 송부하여 줄것을 건의함. 끝

(대사 주병국-국장)

예고:91.12.31 일반

91.6.30. 3호인 ...

중아국 신일 국방부

PAGE 1

91.01.20 00:06

외신 2과 통제관 CW

0061

| 관리 번호 | 91/120 |
|---|---|

원 본

# 외 무 부

종 별 : 긴 급

번 호 : SBW-0196 일 시 : 91 0120 1500

수 신 : 장관(중근동,국방부,공보,기정)

발 신 : 주 사우디 대사

제 목 : 기자단 취재활동 협조

대:WSB-152

1. 1.20 정우성 참사관은 JAMJOUM 공보부 해외담당 차관보를 면담, 대호 기자단의 현지 취재활동을 위한 협조를 요청한바, 동일 설명요지 하기보고함

0 기자단은 도착후 다란의 INTERNATIONAL HOTEL 및 리야드의 HYATT HOTEL 에 설치된 주재국 공보부 PRESS CENTER 에 출두, 현장에서 사진촬영등을 한후 RPREESS CARD 를 발급받게됨

0 전선취재는 "POOL SYSTEM"으로 운영하고있어 개별취재는 허용치않고 있으나, 이와는 별도로 다란의 PRESS CENTER 에서 국경부근의 단체방문 프로그램을 운영하고 있음

0 모든 취재활동은 PRESS CENTER 에 파견된 공보부 직원과 사전 협의할것을 권고하며, 특히 TV 나 사진촬영등의 경우에는 공보부측이 제공하는 안내인을 동행해야함

2. 한편, 당관은 1.20 주재국 국방부측에 대호 기자단의 명단을 통보하고 아국의료지원단 활동취재 협조를 공식요청함

(대사 주병국-국장)

예고:91.6.30 일반

1991.6.30. 에 예고문에 의거 일반문서로 재 분류됨.

copy 공보관

중아국 장관 차관 1차보 2차보 공보 안기부 국방부

PAGE 1 91.01.20 22:22

외신 2과 통제관 DO

0062

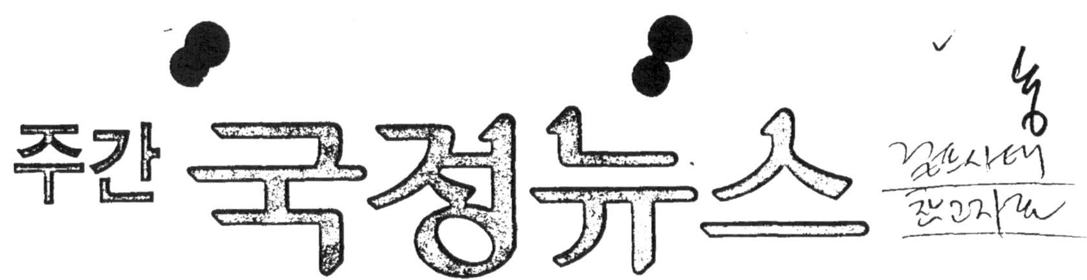

1991년 1월 21일 발행 91-4호 제102호

공보처

1989. 5. 11 제3종우편물(가)급인가 매주 월요일발행
110-050 서울 종로구 세종로 82-1
TEL: 720-3049

# 왜 의료지원단을 파견하려는가

## -파견의 합당성과 페만 사태의 현황-

이락이 쿠웨이트를 무력으로 침공, 합병한데서 시작된 페만사태는 이제 전쟁기운이 고조되는 국면으로 들어서고 있다.

무력에 의한 불법 침략이 더 이상 국가정책 수단으로 통용되도록 허용해서는 안된다는 국제적 합의하에서 미국·소련·영국 등 세계 주요국가들이 평화유지를 위한 UN의 다국적군에 참여, 평화의 파괴자에 대한 응징에 나서고 있다.

이에 따라 우리 정부는 UN의 결의를 존중, 자의적 결정 아래 154명의 의료지원단을 구성, 사우디에 파견하기로 방침을 세웠다.

의료지원단은 국회의 동의를 얻는 즉시 파견될 예정인데, 이 시점에서 우리는 왜 의료지원단을 파견해야 하는가를 냉정하게 살펴 보기로 한다.

### UN 안보리 결의의 배경

- 90.11.29 UN 안보리는 이락군이 '91. 1.15까지 철수에 불응할 경우 이락을 응징하기로 결의하고 전세계에 지원과 동참을 호소하였다.
- 이는 탈 냉전의 국제질서가 형성되는 과정에서 힘의 지배가 용인되어서는 안되며, 무력침공을 한 자가 이득을 봄으로써 제2, 제3의 침략을 유발하는 사태가 있어서는 안된다는데 그 바탕을 두고 있다.
- 즉 UN 안보리의 결의는 우리시대의 『평화공존의 국제질서』를 다음세대에까지 유지해 나가고자 하는 국제적 합의의 결과라고 하겠다.

### 의료지원단 파견의 합당성

〈페만사태와 한반도 평화〉

- 이락의 쿠웨이트 무력 침공사태는 이해가 엇갈리는 지역에서는 언제나 국지분쟁이 일어날 가능성이 있다는 사실을 일깨워 주는 동시에 아직도 힘의 논리가 무차별적으로 통용될 수 있다고 잘못 생각하고 있는 나라들이 지구상에 엄존하고 있음을 입증하는 구체적 사례이다.
- 따라서 이와 같은 불법침략자를 강력히 응징하여, 무력에 의한 불법침략은 더이상 국가정책수단으로 통용될 수 없고 또 아무런 효용성이 없다는 교훈을 확실하게 보여주는 것만이 또다른 침략사태를 막을 수 있는 길이며, 바로



0063

이같은 대응이야말로 한반도 무력도발 가능성을 예방하는 효과를 가져다 줄 것이다.

〈한국은 이제 국제사회의 중심 — 자기 몫 다해야 할 시대〉

● 이제 한국은 지난날 외국의 원조나 받고 겨우 지탱해 왔던 그런 나약한 국가가 아니다.

● 서울올림픽을 훌륭하게 치뤄냄으로써 동·서가 화합하는 전기를 마련했고, 바야흐로 국제 10대 무역국가로 성장하여 한국의 국제사회에서의 위상과 역할은 우리가 생각하는 이상으로 국제무대의 중심국가로 떠 올랐다.

● 우리의 입장을 결코 과대평가할 이유도 없겠지만, 그렇다고 자신이 해야할 역할을 모면하기 위하여 필요 이상으로 자신을 과소평가해서도 안된다는 것이 국제사회의 냉엄한 도덕적 규범인 것이다.

● 페만사태와 관련하여 우리가 의료지원단을 파견하려는 것은 누구의 요청에 의한다는 것이거나, 경제적 실리를 추구해야 한다는 측면이나, 또는 UN이나 미국 등 우방에 대하여 도리를 다해야 한다는 논리적 이유를 들기에 앞서서, 먼저 국제사회에서 한국이 해야할 역할과 입장을 스스로 선택 결정해야만 하는 것이다.

● 이러한 견지에서 정부는 페만사태와 관련하여 우리가 해야할 적정한 최소한의 필요 조치로서 의료진 파견을 결단한 것이다.

〈문명국가의 집단안전보장 체제에 동참〉

● 우리는 그동안 우리의 국익신장을 위해 줄기차게 유엔가입을 시도해 왔던 만큼 "유엔이 국제평화와 안전의 유지를 위해 결의한 경우에는 비가맹 국가라도 이를 준수해야 한다"고 한 유엔헌장의 정신을 존중하고 유엔과 공동보조를 취하는 것은 당연히 우리가 추구하는 외교정책과 국익에도 합치되는 것이다.

● 유엔은 이미 다국적군을 구성하여 평화의 파괴자에 대한 응징에 나서고 있으며, 이미 미국, 소련, 영국, 프랑스, 독일, 체코, 불가리아 등 31개국이 다국적군에 참여하고 있다.

● 따라서 우리가 '페'만에 의료진을 파견하는 것은 새로운 국제평화질서를 주도하고 있는 문명국가들의 집단안전보장체제에 동참하여 국제사회의 일원으로서 그 몫을 다하고자 하는 것이다.

〈UN의 국제평화유지노력 동참은 우리의 도리〉

● UN이 결성된 이래 국제사회에서 일어난 지역분쟁사태와 관련하여 무력응징을 결의한 것은 이번이 두번째 일이다.

● 그 첫번째 결의가 바로 6.25 당시에 유엔군의 한국전 참전결정이었으며 우리는 바로 이 UN의 결의에 따라 북한공산집단의 침략을 격퇴하고 국가를 방위할 수 있었다.

● 따라서 UN이 대이락 무력응징을 결의하여 국제적인 침략행위를 방지하려는 노력에 동참하는 것은 우리의 도리요 의무이기도 한 것이다.

〈페만지원은 우리 국익신장을 위해서도 필요〉

● 우리가 유엔의 국제평화유지노력에 의료진을 파견, 동참하는 것은 주권국가로서의 우리의 국제적 위상을 높일 뿐 아니라 유사시에 유엔이나 우방국으로부터 집단안보 응징을 보장 받을 수 있는 기반을 마련하는 것이기도 하다.

● 한편으로는 우리 원유수요의 72%를 공급받고 있는 아랍권국과의 우호적 유대를 돈독히 하여 안정적인 석유공급원을 확보하고 대중동 경제진출기회의 확대와 전후 중동재건에 참여할 수 있는 여건 조성 등 우리에게 경제적 실리를 가져다 줄 수 있는 계기가 조성될 수 있을 것이다.

● 우리가 만약 지원을 거부하고 수수방관할 경우에는 자국이익만 추구한다는 국제적 비난을 면할 수 없을 뿐만 아니라 우리의 국제사회에서의 발언권이 약화됨은 물론 UN가입 등 국제사회에서의 우리의 국익신장 노력은 큰 타격을 받게 될 것이다.

## 의료진 파견 규모와 안전성

● 정부는 국제사회에서의 우리의 입지와 한반도 평화유지, 대이락 관계에 대한 영향 최소화등 우리의 국익을 최대한 고려하여 적정한 규모의 의료진을 파견하려는 것이다.

● 파견할 의료진의 규모는 의료요원 105명과 지원요원

·0064

49명을 포함한 154명이며, 사우디국경 후방 120㎞ 지점에 위치한 『알 누아이리아』지역에서 야전병원을 운용할 것이기 때문에 전투지역 임무수행은 성립되지 않고 또한 우리 의료진의 피해가능성은 매우 희박하다.

◈ 한국의료진 주둔지

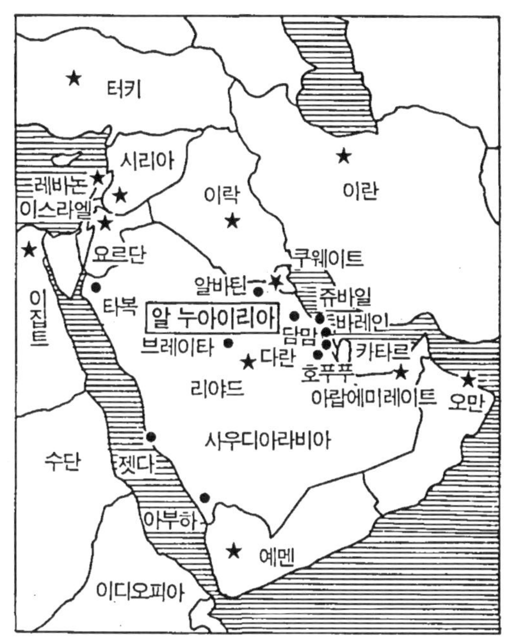


## 일부에서 제기하는 주장에 대하여

〈미국압력에 대한 굴복주장은 잘못된 인식〉

- 의료진 파견은 국제사회의 일원으로서 그 몫을 다하고자 하는 주권국가로서의 적극적인 국제사회 향도작업인 동시에 유엔헌장의 기본정신을 실천하려는 노력의 일환으로 우리가 자의적으로 결정한 것이다.
- 이는 미국의 요청에 따라 파병하고, 그 대가로 미국으로부터 물자를 지원받았던 지난날의 월남전 참전과는 근본적으로 상이한 것이다.

〈월남전 파병당시의 재판우려는 기우에 불과〉

- 국제평화의 수호자로서 다국적군에 참여하는 이번의 의료진 파견은 미국의 단독요청에 따라 참전했던 월남전의 경우와는 안보적 이해관계의 측면이나 전선의 상황이 근본적으로 다르다.
- 월남전은 반공전선에 공동대처한다는 안보적이해 관계를 토대로 미국으로 부터의 보급물자지원, 군사원조 등 경제적 반대급부를 조건으로 전투병력까지 파견하였다.
- 그러나 이번의 경우는 국제적 응징조치에 당당한 주권국가의 일원으로 참여한다는 입장과 우리의 대중동 원유의 존도가 72%나 되는 현실을 감안하여, 우리 스스로 결정을 내린 것이다.
- 현지 사정을 보더라도 의료진은 태부족이나, 이미 배치된 전투병력이 68만에 이르러 우리의 전투병력을 필요로 하지 않으며, 우리로서도 월남전처럼 경제적 보상을 위해 전투병력을 파견할 하등의 이유가 없는 상황이다.
- 따라서 의료지원단을 파견하면 다음 단계로 전투병력 파견으로 확산되지 않겠느냐 하는 우려는 한낱 기우에 지나지 않는 것이다.

# 페르시아만사태 현황

## 개 황

▲ '90. 8. 2 이락은 전차 350대 및 병력 10만명을 동원, 쿠웨이트를 전격 침공. 합병

▲ 미국은 이락의 사우디 침공에 대비, 4개 항모전단과 지상군 및 공군전력을 동 지역에 파견하는 등 군사작전태세 강화

▲ EC 제국, 소련, 일본 등 세계 대부분 국가들이 미국의 대이락 경제 및 군사제재조치에 적극 가세
  * 한국, 8.6 유엔안보리의 대이락 경제제재조치 동참 결정

## 주요사태 경위

▲ '90. 8. 2 : 이락군 전격 침공. 합병(병력10만, 전차 350대)

▲ 8. 6 : 유엔안보리, 광범위한 경제제재조치 결의 (결의안 661호)

0065

▲ 8. 7 : 미국, 지상군 및 공군력 사우디 파견 결정 (8.9 미 지상군 6,300명 최초파견)

▲ 8. 8 : 이락, 쿠웨이트 합병선언 및 쿠웨이트내 전 외국 공관 8.24 한 폐쇄요청

▲ 8.18 : 유엔안보리, 쿠웨이트내 제3국민들의 즉각 출국 허용요구 및 외국공관 폐쇄 철회 요구 (결의안 664호)

▲ 8.22 : 부시대통령 예비군 소집령 발표

▲ 8.25 : 유엔안보리, 다국적군에 무력사용권 부여

▲ 9.25 : 유엔안보리, 모든 국가의 이락 및 쿠웨이트내 공항 이착륙 및 영공통과 불허 결의(결의안 670호)

▲ 11.29 : 유엔안보리, 이락이 '91. 1.15한 철수불응시 무력사용 결의(결의안 678호)

▲ 12. 5 : 이락, 쿠웨이트 전략요충지(2개섬) 양도시 조건부 철수 시사

▲ '91.1.3~6 : 부시, 미·이락 외상회담 제의 및 최후통첩 (1.6)

## 현지 군사력 현황

〈쌍방 군사력 현황〉

(91. 1. 21 현재)

| 구 분 | 다국적군(총31개국) | 이 락 군 |
|---|---|---|
| 병 력 | 67만6천명 | 51만명 이상 |
| 전 차 | 3,600대 | 4,000대 |
| 함 정 | 150척 | |
| 전 투 기 | 1,700여대 | 500대 |

* 군사력 비교
  - 전차 : 이락이 수적으로 우세하나 다국적군 계속 추가 투입중
  - 함정 및 전투기 : 다국적군이 월등 우세

〈이락군 전체 전력〉

| 병 력 | 전 차 | 함 정 | 항 공 기 |
|---|---|---|---|
| · 정규군 : 100만<br>· 예비군 : 85만 | 5,500대 | 프리키트함 5척<br>연안경비정 60여척 | 689 대 |

* 이락군은 1월말까지 전선지역에 60만 이상 투입예상

〈"페"만 다국적군 군사력 현황〉

(91. 1. 21 현재)

| 순번 | 국 가 | 병 력 (명) | 함정 (척) | 전투기 (대) | 비 고 |
|---|---|---|---|---|---|
| 1 | 미 국 | 43만 | 55 | 1,000 | • 전차 2,000<br>* 전투기 300여대 증파예정 |
| 2~7 | G C C<br>사우디, 오 만<br>카타르, 바레인<br>UAE, 쿠웨이트 | 150,500 | 36 | 330 | • 전차 800 |
| 8 | 영 국 | 35,000 | 16 | 50 | • 전차 163 |
| 9 | 프 랑 스 | 10,000 | 14 | 36 | • 헬기 항모 1<br>• 전차 40 |
| 10 | 이 태 리 | | 6 | 8 | • 프리키트3, 보급선 2<br>• 토네이도기 8 |
| 11 | 벨 기 에 | | 3 | | • 기뢰제거 2, 보급 1 |
| 12 | 카 나 다 | | 3 | 18 | • 구축함 2, 보급 1<br>• CF-18전투기 1개대대<br>• 1개 야전병원(225) |
| 13 | 네 델 란 드 | | 3 | | • 프리키트 2, 보급 1 |
| 14 | 스 페 인 | | 3 | | |
| 15 | 호 주 | | 3 | | |
| 16 | 알 젠 틴 | 100 | 2 | | |
| 17 | 덴 마 크 | | 1 | | |
| 18 | 그 리 스 | | 1 | | |
| 19 | 노 르 웨 이 | | 1 | | |
| 20 | 폴 투 칼 | | 1 | | |
| 21 | 이 집 트 | 20,000 | | | • 보병, 화학, 특수부대<br>*15,000 증원예정 |
| 22 | 시 리 아 | 19,000 | | | • 기갑여단, 특수부대,<br>• 전차 100 |
| 23 | 파 키 스 탄 | 7,000 | | | *6,000 증파예정 |
| 24 | 방 글 라 데 시 | 2,000 | | | |
| 25 | 모 로 코 | 1,700 | | | |
| 26 | 세 네 갈 | 500 | | | |
| 27 | 니 제 르 | 480 | | | |
| 28 | 체 코 | 200 | | | • 화학방호부대 |
| 29 | 온 두 라 스 | 150 | | | |
| 30 | 터 키 | 5,000 | 2 | | • 국경배치 약10만<br>• 사우디 투입 : 5,000<br>• 페만 함정파견 : 2 |
| 31 | 소 련 | | 2 | | |

〈각국의 의료단 파견현황〉

▲ 미 국 : 병원선 2척 및 종합의료단 운영(총 1,350병상, 전문의 35명)

▲ 영 국 : 의사 200, 병상 400 규모의 야전병원 파견 (유사시 대비 1,500명의 추가 군의료진 파견 준비중)

▲ 방글라데시 : 2개 의무중대(300명 규모) 파견

▲ 파 키 스 탄 : 1개 의무중대(100여명) 파견

▲ 필 리 핀 : 민간의료지원팀 240명 파견

▲ 기타 폴란드, 호주, 체코, 태국, 일본도 의료단 파견 또는 검토중

0066

| 관리번호 | 91/1221 |
|---|---|

# 외 무 부

종 별 : 지 급

번 호 : SBW-0234 일 시 : 91 0122 1610

수 신 : 장관(공보,중근동)

발 신 : 주 사우디 대사

제 목 : 의료진 수행기자

대:WSB-0175

1. 금 1,.22 본직은 정우성참사관을 대동하고 RIYADH 시내의 PERSS CENTER 현장을 지휘중인 공보부 JAMJOUM 해외공보담당 차관보를 방문, 대호 기자 6 명 파견의 중요성을 설명하고 사증발급을 위한 협조를요청한바, 동차관보는 자기로서는 최선을 다해보겠다고 답변하였으나, 자신할수는 없다는 태도를 보임

2. 이어 본직은 주한사우디대사와 통화, JAMJOUM 차관보의 답변내용을 설명하고, 지원을 요청한바, 동대사를 다시 한번 본국에 청훈해 보겠다고 말함

3. 본직은 금 1.22 밤 의료단 활동에관한 협정을 KHALID 통합군 사령관과 서명 예정토록 되어있어, 기회에 동사령관에게 직접 기자단 입국비자 발급문제를 거론할 예정임

4. 당관은 1.21 오전 주재국 통합사령관실에 비자발급 협조를 기요청한바, 있으나 당일 새벽의 리야드에 대한 이락미사일 공격으로 인한 혼란으로 통합사령관실과 공보부와의 협조가 이루어지지 않고 있는 실정임

5. 동건 진전사항 추보위계임

(대사 주병국-국장)

예고:91.6.30 일반

1991. 6. 30. 에 예고문에 의거 일반문서로 재 분류됨.

공보 장관 차관 1차보 2차보 중아국 청와대 안기부

PAGE 1

91.01.22 23:50

외신 2과 통제관 CF

0067

1

수신 비상대책 본부

김 서기관님

발신 : 국방부 기운과장

([illegible]-9850)

0068

## 派遣 基本計劃

### △ 槪要 및 推進經過

○ 派遣目的 및 意義

. 유엔의 國際平和 努力에 同參, 韓國의 國際的 位相 提高

. 韓半島 有事時 參戰國安保 應懲保障 基盤 마련

. 韓.美 安保協力關係 및 對아랍국 友好關係 增進

※ 侵略者에 대한 膺懲 同參으로 國際的 膺懲雰圍氣 高揚 및 韓半島 平和 定着 寄與

○ 推進方向

. 國際 外交的 名分 確保(大韓民國 깃발아래 任務遂行)

. 關聯當事國과의 協議로 效率的 現地任務 遂行 保障

. 韓.美/韓.사우디 安保協力關係 增進 機會로 活用

○ 推進經過

. '90. 9. 20 페르샤灣事態 綜合支援對策 大統領 報告

. 9. 24 政府支援方案 對國民 發表 및 對美 通報

. 9. 28 國防部 推進委員會(委員長:次官) 構成

. 12. 19 醫療支援團派遣에 대한 사우디側 歡迎意思接受

. 12. 24 醫療支援團 派遣關聯 事前 準備指針 下達

. 12. 29 現地調査 및 實務協商팀 派遣

. 91. 1. 11 醫療支援團·사우디 派遣計劃 大統領 報告

. 1. 14 現地調査團/協調팀 派遣

-2-

0069

△ 基本計劃

○ 編 成

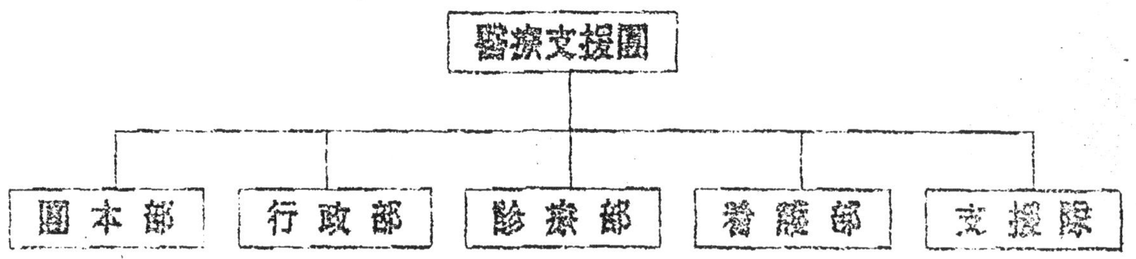


○ 兵力 : 增強된 移動外科病院 規模

. 醫療要員 : 軍醫官(病理, 放射線, 齒科, 整形外科, 內科, 家庭醫, 手術麻醉, 一般外科, 神經外科 등) 및 看護將校, 醫政將校, 醫務兵包含 適正規模

. 支援要員 : 警戒, 輸送, 通信, 化學要員 包含 適正規模

* 交 代 : 6個月 交代 原則

1/24 20+6 선발대
1/23 134 본대
154

-3-

0070

○ 部隊位置(調査팀 現地踏査)

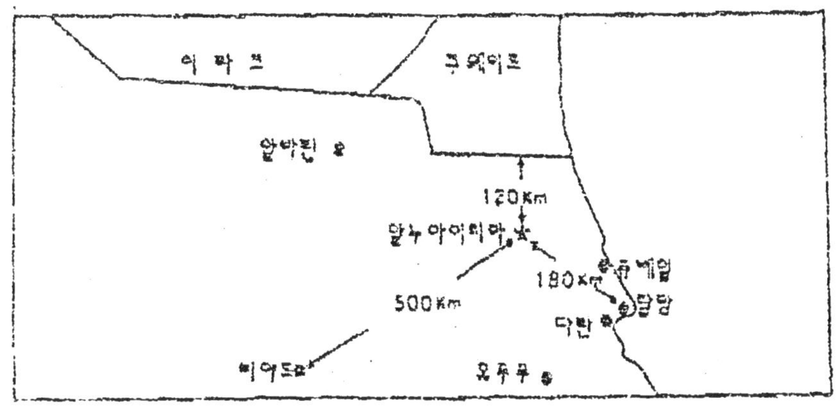


. 環 境

- 東北部地域의 3萬 規模의 都市에 位置
- 東部地域 前後方 連結 交通 要地
- 隣近에 美軍의 補給支援基地 建設中

○ 病院施設 및 裝備 : 사우디側 提供,我側은 有事時 豫備對策 講究

o 施 設 : 宿所 包含 現代式 永久建物 (狀態 良好)

o 醫療裝備 : 先進 外國製로 現代式 最新裝備

※ 醫 藥 品 : 先進 外國製로 狀態 良好

○ 補給 및 物資支援

| 個人 被服/裝具 | 給 食 | 補 給 |
|---|---|---|
| 携帶(銃器, 彈藥 包含) | 사우디 支援 | 사우디 支援 |

※ 有事時 對備 豫備對策 講究

0071

o 派遣日程

. '91. 1. 14 : 現地調査團 出發

| 計 | 現地 調査團 | | 現地 協調팀 |
|---|---|---|---|
| | 醫療陣 | 支援要員 | |
| 26 | 16 | 4<br>(情報, 軍需, 通譯, 警備, 各 1名) | 6<br>(情報 2, 通信, 軍需, 法務, 戰略 各 1) |

* 輸送便 : KAL 特別機

. '91. 1月末 以後(國會同意後) : 本隊 出發

- 歡送行事, 民航 專貰機 또는 軍用機 利用

o. 指揮關係

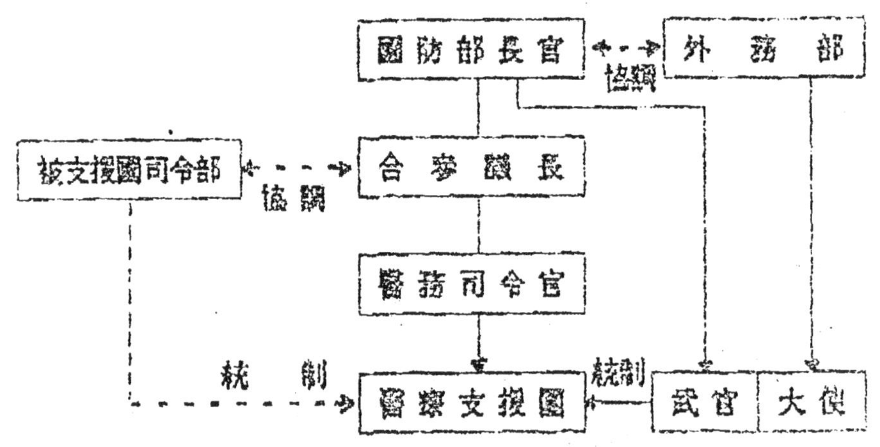


-5-

0072

# 派遣背景 및 期待效果

▲ 醫療支援團 派遣의 基本趣旨

○ 世界 10大交易國으로 成長한 主權國家로서 UN精神에 따른 UN 決議를 尊重, 國際社會에서의 責務를 能動的으로 受容

○ 1950年 6.25 戰爭時 우리나라는 유엔安保理 決議및 유엔군 參戰으로 國家를 防衛할수 있었는 바, 금번 유엔의 膺懲決議에 同參하는 것은 當然

○ 금번 이락의 쿠웨이트 侵攻事態는 利害가 엇갈리는 地域에서의 局地紛爭 可能性과 함께 힘의 論理가 無差別的으로 適用될 수 있음을 立證하는 것으로서, 이를 膺懲하지않을 경우 同一論理가 韓半島에도 그대로 適用될 수 있음을 示唆하는 바, 制限된 醫療支援團이나마 이에 同參하므로서 國際的 膺懲雰圍氣를 高揚, 韓半島 平和定着에 寄與.

▲ 背景 및 期待效果

○ 유엔의 國際平和努力에 同參意志 可視化로,我國의 國際的 位相 提高

* 90.8.9 我國은 유엔安保理의 對이락 經濟制裁措置에 同參決定 및 90.11.29 유엔安保理는 91.1.15限 撤收不應時 對이락 膺懲을 決議하고 國際社會의 全國家에게 支援과 同參을 呼訴

* 各國의 醫療團 派遣現況

- 美　　國 : 病院船 2隻 및 綜合醫療團 運營(總 1,350病床,專門醫 35名)
- 英　　國 : 醫師 200, 病床 400 規模의 野戰病院 派遣(有事時 對備 1,500名의 追加 軍醫療陣 派遣 準備中)
- 방글라데시: 2個 醫務中隊 (300名 規模) 派遣
- 파키스탄 : 1個 醫務中隊 (100餘名) 派遣
- 필 리 핀 : 民間醫療支援팀 240名 派遣
- 其他 폴란드, 호주, 체코, 태국, 日本도 醫療團 派遣 또는 檢討中

-9-

0073

ㅇ 多國籍軍 支援으로 美國과 旣存의 安保協力關係 强化 및 有事時 友邦國으로부터 我國安保 膺懲 保障基盤 마련

* 특히 美國에 대해서는 追加的인 多國籍軍 經費支援 또는 駐韓美軍 防衛費分擔 增額要求를 相當水準 擦摩시키고 事態 惡化時 駐韓美軍의 轉換配置 試圖도 事前抑制 可能

ㅇ 對 아랍국 友好關係 增進, 長期的으로 經濟的 實利追求 可能

. 我國의 對中東 原油依存度(全體導入量의 72%) 勘案時 長期的으로 安定的인 石油供給源 確保

. 對中東 交易과 建設등 經濟進出機會 擴大

. 戰後 中東再建 參與與件 助成으로 經濟活性化 期待

. 未修交國인 아랍권 有力國家(이집트, 시리아 등)와의 外交關係 樹立에도 寄與

* 70年代 1,2次 石油波動때도 我國은 사우디등 中東國家로부터 많은 도움을 받았음.

△我國이 어떤 形態로든 可視的 參與 努力이 없이 自國 中心的 態度 堅持時

ㅇ 向後 國際社會에서의 發言權 弱化

ㅇ 事態後 韓.美關係 疏遠 可能性

. 駐韓美軍 撤收 加速化

. 防衛費分擔 壓力 加重

ㅇ 戰後 復舊事業에 疎外 등이 憂慮됨

※ 醫療陣 派遣은 對北 戰備態勢 및 對이락 關係에 대한 影響을 最少化하면서 最大의 效果 獲得이 可能한 最善의 方案임.

| 관리번호 | 91-1471 |
|---|---|

원 본

# 외 무 부

종 별 :

번 호 : LYW-0065　　　　일 시 : 91 0127 1200

수 신 : 장관(중근동,비상대책본부장,마그)

발 신 : 주 리비아 대사

제 목 : 걸프전

대:WMEM-0011

본직은 작 1.26. 주재국 외무부 TAYARI 아주국장과 접촉, 걸프전에 관해 의견 교환한바, 동 요지를 다음과 같이 보고함

1. 본직이 대호 요지에 따라 아국 의료지원단 파견 배경을 설명한데 대해 동 국장은 리비아는 걸프전의 조기 종식및 평화적 해결을 희망하고 있으나 전쟁 자체에는 일체 관여치 않고 있다고 하면서 이와 같은 기본 입장에 따라 아국 의료진 파견에 대해서도 관여할 사안이 아님을 분명히 하였음

2. 동 국장은 지난 1.20. 연합군의 터키내 공군기지 사용과 관련하여 상부 지시에 따라 자신이 터키대사를 초치한 것도 상호 의견을 교환한데 불과하며 기지 사용문제에 간섭한 것은 아니라고 하면서 이라크군이 쿠웨이트에서 철수하고 유엔군 또는 아랍군이 평화 유지군 역할을 해야한다는 리비아의 기존 입장을 강조하였음

3. 본직이 걸프전쟁 전망에 관해 문의한데 대해 동국장은 지난 1.14. 자신이 잘루드 제 2 인자를 수행하고 사담후세인 대통령을 방문하였으며 자신은 사담후세인의 태도가 완고하고 전쟁에 철저히 대비하고 있는 것으로 느꼈다고 하면서 전쟁이 장기화될 것으로 예상 하였음. 끝

(대사 최필립-차관)

예고:91.12.31. 일반

91. 6. 30.

중아국　차관　1차보　2차보　중아국　청와대　안기부　대책반

PAGE 1　　　　91.01.27　18:54

외신 2과　통제관 CF

0075

관리번호 91-214

# 외 무 부

종 별 : 지 급

번 호 : SBW-0358 일 시 : 91 0201 1200

수 신 : 장관(중근동,국방부,기정)

발 신 : 주 사우디 대사

제 목 : 걸프전

1. 주재국 알누아이리아 야전병원에 배치된 아국의료단 보고에 의하면,1.31약 50 여명의 부상자(사우디군 20, 영국군 1, 아라크군 30 여명등)가 동병원에후송되어왔다고 함

2. 동부상자들은 카프지등 사우디국경부근에서의 전투에서 부상당한 군인들의 일부라고함

(대사 주병국-국장)

예고:91.6.30 까지

| 중아국 | 장관 | 차관 | 1차보 | 2차보 | 미주국 | 청와대 | 총리실 | 안기부 |
|---|---|---|---|---|---|---|---|---|
| 안기부 | 국방부 | | | | | | | |

PAGE 1

91.02.01 18:41

외신 2과 통제관 BA

0076

# 외 무 부

종 별 :

번 호 : SBW-0499 일 시 : 91 0216 1510

수 신 : 장관(조약,중일)

발 신 : 주사우디대사

제 목 : 의료단 지위협정

대:WSB-345

대호, 표제협정 정식 발효를 위한 국내절차가 끝났다는 내용의 공한을 명 2.17 주재국 외무부와 상호교환할 예정임

(대사 주병국-국장)

| 국기국 | 장관 | 차관 | 1차보 | 2차보 | 미주국 | 중아국 | 정문국 | 청와대 |
|---|---|---|---|---|---|---|---|---|
| 총리실 | 안기부 | 국방부 | | | | | | |

PAGE 1

91.02.16 23:30 BX

외신 1과 통제관

0077

| 관리 번호 | 외-125 |
|---|---|

| | 분류번호 | 보존기간 |
|---|---|---|
| | | |

# 발 신 전 보

번 호 : WSB-0424 910224 1835 DQ 종별 : 지급

WAE -0174

수 신 : 주수신처 참조 대사//총영사

발 신 : 장 관 (중동일)

제 목 : 대통령 각하 전문

군의료지원단 및 공군 수송단에 대한 대통령 각하의 전문을 별첨 송부하니 각각 단장에게 전달하고 결과 보고 바람.

첨 부 : 대통령 각하 전문 1부. 끝.

( 중동아국장 이 해 순 )

수신처 : 주 사우디, UAE 대사

예 고 : 91. 12. 31. 일반

검 토 필 (1991. 6. 30.)

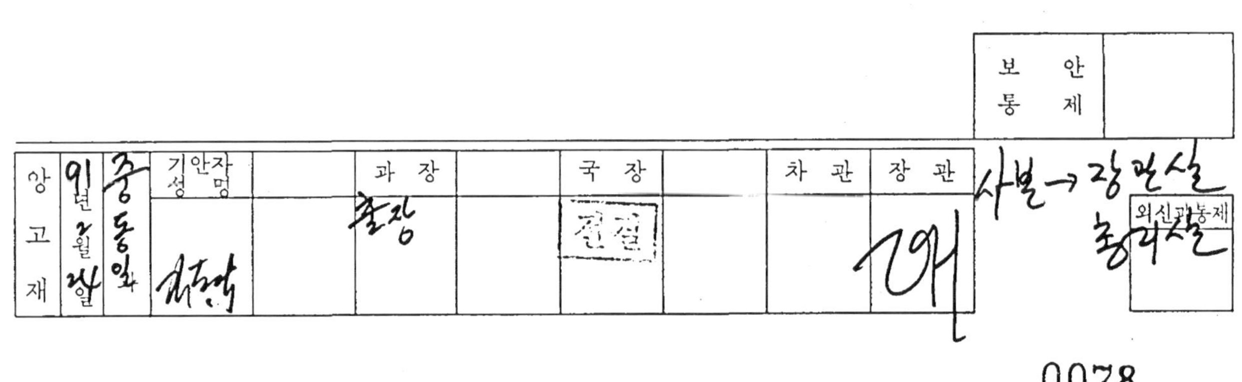

| 보 안 통 제 | |
|---|---|

| 앙 고 재 | 91년 2월 24일 | 중동일과 | 기안자 성 명 | | 과 장 | | 국 장 | | 차 관 | 장 관 | 외신과통제 |
|---|---|---|---|---|---|---|---|---|---|---|---|
| | | | | | 출장 | | 전결 | | | | |

0078

P.1

첨부:

# 閣下의 軍醫療支援團 및 空軍輸送團에 대한 言文

나는 [illegible] 걸프戰의 早期的 解決 [illegible] [illegible] 되었으나 이라크의 [illegible] [illegible] [illegible] [illegible] [illegible]

우리 政府가 軍醫療支援團과 空軍輸送團을 派遣한 것은 [illegible] 이라크의 侵略을 撃退하여 國際平和와 正義를 지키기 위한 것임. 나는 우리 軍醫療支援團이 現在 훌륭히 任務를 수행하고 있으며 空軍輸送團도 現地到着以後 곧 [illegible] 任務를 開始할 準備를 갖추고 있다는 것을 알고있음.

나는 이제 本格的인 地上戰이 展開됨과 함께 우리 [illegible] [illegible] 軍醫療支援團이 多國籍軍에 대해 效果的인 支援活動을 展開함으로써 우리 國軍의 名譽와 위상을 드높임은 물론 國際平和를 위한 우리나라의 寄與를 世界속에 알려주기 바람.

나는 모든 將兵이 걸프戰場에서 큰 成果를 거두고 [illegible] 勝戰과 함께 健康하게 歸國하기를 全國民과 함께 기원함.

0079

(첨 부) 각하의 군의료지원단 및 공군 수송단에 대한 전문

모든 세계인이 걸프전의 평화적 해결에 대한 기대를 가져 왔으나 이라크의 무모한 쿠웨이트 철수 거부로 불행하게도 지상전이 시작되었음.

우리정부가 군의료 지원단과 공군 수송단을 파견한 것은 UN 결의에 따라 침략을 응징하여 국제 평화와 정의를 지키기 위한것임. 나는 우리 군의료지원단이 현재 훌륭히 임무를 수행하고 있으며, 공군 수송단도 현지 도착이후 높은 사기 속에 활동을 개시할 태세를 가추고 있다는 것을 알고있음.

나는 이제 본격적인 지상전이 전개됨과 함께 우리 공군 수송단과 의료지원단이 다국적군에 대해 효율적인 지원활동을 전개함으로써 우리 국군의 명예와 성망을 드높임은 물론 국제 평화를 위한 우리나라의 기여를 세계속에 빛내주기 바람.

나는 모든 장병이 걸프전장에서 큰 성과를 거두고 머지않아 종전과 함께 건강하게 귀국하기를 온 국민과 함께 기원함.

0080

| 관리 번호 | 91/148 |
|---|---|

| | 분류번호 | 보존기간 |
|---|---|---|
| | | |

# 발 신 전 보

번 호 : WSB-0419 910224 1443 FK 종별 : 긴급

WAE -0172

수 신 : 주 수신처 참조 대사. 총영사

발 신 : 장 관 (중동일)

제 목 : 대이라크 지상전

1. 지상전으로 돌입된 걸프전의 전황 파악에 참고될 만한 제반 정보를 귀지에 파견된 아국 의료지원단 및 수송단으로 부터도 수시 입수 보고 (토록) 조치 바람. 끝.

2. 의료지원단으로부터는 지상전 (관련사항도) 파악 보고토록 조치 바람

(중동아국장 이 해 순)

수신처 : 주 사우디, UAE 대사

예 고 : 91.6.30. 까지

1991. 6. 30. 에 예고문에 의거 일반문서로 재 분류됨.

| 보안 통제 | |
|---|---|

| 앙고재 | 91년 2월 24일 | 中東과 | 기안자 성명 | | 과 장 | | 국 장 | | 차 관 | 장 관 |
|---|---|---|---|---|---|---|---|---|---|---|
| | | | | | | | 전결 | | | |

| 외신과통제 |
|---|
| |

0081

| 관리번호 | 91-509 |
|---|---|

# 외 무 부

종 별 : 지 급

번 호 : SBW-0567　　　　　　일 시 : 91 0224 1620

수 신 : 장관(중동일,미북,국방,기정)

발 신 : 주 사우디 대사대리

제 목 : 걸프전쟁

1. 사우디군측 대변인 RABAYAN 대령은 금일 성명서를 통해 현재 작전은 계획대로 잘 진행되고 있다고 말하면서, 전황은 작전 안전문제 때문에 당분간 발표하지 않기로 하였다고 했음

2. 아국 의료지원단에게 확인한 바, 현재까지 특이사항은 없으며, 대기상태에 있다함

3. 이라크는 금일 오전 1130 스커드미사일 2발을 HAFAR AL-BATIN에 발사하였으나 요격되었음

(대사대리 박명준 - 국장)

예고:91.6.30 일반

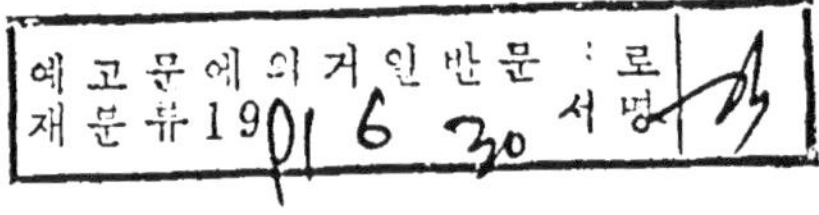
예고문에 의거 일반문서로 재분류19 91 6 30 서명

중아국 장관 차관 1차보 2차보 미주국 청와대 안기부 국방부

PAGE 1

91.02.24 23:09

외신 2과 통제관 CF

0082

| 관리 번호 | 91-518 |
|---|---|

# 외 무 부

종 별 : 지 급

번 호 : SBW-0577　　　　일 시 : 91 0225 1000

수 신 : 장관(중일,미북,국방,기정)

발 신 : 주 사우디 대사대리

제 목 : 걸프전쟁

걸프지상전 발발 이후 2.25 0900 현재 아국군 의료지원단이 주둔하고 있는 알누아이리아에 후송되어온 사상자는 모두 8 명임, 동 8 명중 아라크군은 4 명(2 명은 후송도중 사망), 사우디군 3 명, 오만군 1 명으로서, 모두 중상자라고 함

(대사대리 박명준-국장)

일반문서로 재분류(1991.12.31.)

검 토 필 (1991.6.30.)

| 중아국 | 장관 | 차관 | 1차보 | 2차보 | 미주국 | 미주국 | 안기부 | 국방부 |
|---|---|---|---|---|---|---|---|---|

PAGE 1

91.02.25 15:33

외신 2과 통제관 BA

0083

| 관리번호 | 91-532 |
|---|---|

# 외 무 부

종 별 : 지 급

번 호 : SBW-0592 일 시 : 91 0226 1610

수 신 : 장관(중일,미북,국방,기정)

발 신 : 주 사우디 대사대리

제 목 : 걸프전쟁

연:SBW-0577

1. 2.26 1500 현재 아국의료지원단이 주둔하고 있는 알누아이리아에 후송되어온 사상자는 모두 18 명임(이라크군 4 명, 사우디군 13 명, 오만 1 명)

2. 동 18 명중 사망자 11 명(이라크군 2 명, 사우디군 9 명), 중상 6 명(사우디군), 경상 1 명 오만군임

(대사 대리 박명준-국장)

예고:91.12.31 일반

일반문서로 재분류(1991.12.31)

검 토 필 (1991.6.30)

중아국 장관 차관 1차보 2차보 미주국 청와대 총리실 안기부
국방부

PAGE 1

91.02.26 22:36

외신 2과 통제관 DO

0084

# 외 무 부

종 별 :

번 호 : SBW-0608 일 시 : 91 0227 2100

수 신 : 장 관(중동일,정홍,미북,국방부)

발 신 : 주 사우디 대사대리

제 목 : 군의료단,수송단 관련 기사보고

2.27자 아랍어 일간지 ASHARQ AL-AWSAT (MIDDLE EAST)지는 제10면에 ''S.KOREA IS READY TO EXTEND ADDITIONAL AID TOGULF WAR''제하에 하기 요지의 기사를 1단으로 게재함

- 서울의 조간신문들은 이국방장관이 한국의 군의료단과 수송단이 걸프전 종료후 쿠웨이트로 이동하여, 쿠웨이트의 평화유지를 위해 설치될 것으로 보이는 UNITED NATIONS COMMITTEE를 지원케 될것이라고 말했다고 보도함

- 또한 서울의 신문은 다국적군의 요청이있으면, 추가 군사지원을 제공할것이나, 현재로서는 그러한 요청이 없다고 이국방장관이 밝혔다고 인용함

(대사대리 박명준-국장)

중아국 1차보 2차보 미주국 정문국 안기부 국방부 차관 장관 청와대 총리실

대책반

PAGE 1

91.02.28 09:54 WG

외신 1과 통제관

0085

| 관리 번호 | 91-552 |
|---|---|

# 외 무 부

종 별 :

번 호 : SBW-0618 일 시 : 91 0228 1230

수 신 : 장관(중일,미북,국방,기정)

발 신 : 주 사우디 대사대리

제 목 : 의료지원단활동

연:SBW-592

1.2.28 0900 현재 지상전발발 이후 아국의료진원단이 주둔하고있는 병원에 후송되어온 사상자는 모두 32 명(사우디군 23, 이라크군 7, 다국적군2), 이중 사망자는 11 명(사우디군 9, 이라크군 2)임

2. 아국의료지원단이 임무개시후 현재까지 치료한 사상자수는 784 명(사우디군 524, 이라크군 47, 다국적군 213 명), 이중 사망자는 13 명(사우디군 9, 이라크군 2, 다국적군 2)임

(대사대리 박명준-국장)

예고:91.12.31 일반

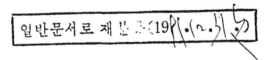

일반문서로 재분류(1991.12.31)

검 토 필 (1991.6.30.)

| 중아국 | 장관 | 차관 | 1차보 | 2차보 | 미주국 | 청와대 | 안기부 | 국방부 |
|---|---|---|---|---|---|---|---|---|

PAGE 1

91.02.28 22:22

외신 2과 통제관 CA

0086

| 관리 번호 | 91-570 |
|---|---|

# 외 무 부

종 별 : 긴 급

번 호 : SBW-0644 일 시 : 91 0303 1700

수 신 : 장관(중동일.미북.기정.국방부)

발 신 : 주 쿠웨이트 대사(주사우디대사관 경유)

제 목 : 의료단 활용 쿠웨이트 입국

연 : JDW-0081

대 : WSB-0461

1. 의료단 협정이 '한. 사우디 정부간의 사우디 영역안에서의 한국의료단의 활동에 관한 협정'이므로 의료단원이 공식으로 쿠웨이트에 가는데에는 문제가 있을수 있음

2. 그러나 쿠웨이트. 사우디 국경지역을 포함하여 쿠웨이트 지역이 아직은 다국적군의 작전구역 이어서, 국경에서 사우디나 쿠웨이트의 통상적인 출입국관리는 시행되고 있지않으며, 다국적군 군인(각종차량)들의 통행은 비교적 통제를 받고있지 않음. 이런 상황을 이용하여 의료지원단 단원들이 그간 몇차레 쿠웨이트 영내를 출입한 사실이 있음

3. 연호 계획은 이상과같은 현지상황을 이용코자 하는것이므로 비공식적인것이고 (이러한 사정은 오래 계속될것 같지는 않음), 따라서 다국적군측이나, 사우디 또는 쿠웨이트측에 통고할 상황은 아님.끝.

(대사 소병용-국장)

(예고 : 91.12.31 일반)

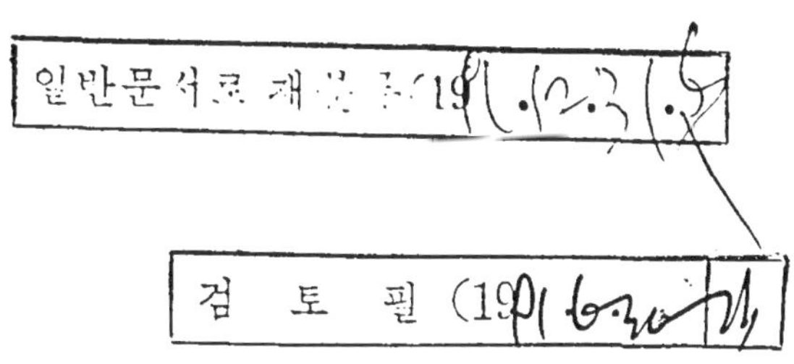


| 중아국 | 장관 | 차관 | 1차보 | 2차보 | 미주국 | 청와대 | 안기부 | 국방부 |
|---|---|---|---|---|---|---|---|---|

PAGE 1 91.03.04 00:06

외신 2과 통제관 DO

0087

관리번호 91-518

# 외 무 부

종 별 : 지 급

번 호 : USW-1007 일 시 : 91 0304 1746

수 신 : 장관(중동일,미북)

발 신 : 주 미 대사

제 목 : 군의료 지원단 활동

대:WUS-0799

표제관련, 금 3.4. 당관 임성남 2 등 서기관이 국무부 한국과 MARGARET MCMILLION 부과장에게 미측 입장을 타진한바, 미측으로서는 아국군 의료 지원단 이동 문제의 직접 당사자가 아니므로 이문제와 관련된 기술적인 사항에 대해서는 아측이 직접 사우디 및 쿠웨이트 정부와 협의 하는것이 좋을 것으로 보인다는 반응을 보임. 다만, 사우디 주둔 미중앙 사령부(CENTCOM)와는 사우디 현지의 한미 양국 군 당국자간의 채널을 통해 사전 협의를 갖는것이 필요할 것으로 본다함.

(대사 박동진-국장)

예고:91.12.31 일반

일반문서로 재분류(1991.12.31.)

검 토 필(1991.6.30.)

중아국 미주국

PAGE 1

91.03.05 08:50

외신 2과 통제관 FE

0088

| 관리번호 | 91-63 |
|---|---|

# 외 무 부

종 별 : 지 급

번 호 : SBW-0698　　　　일 시 : 91 0306 2200

수 신 : 장관(중일,미북,국방,기정)

발 신 : 주 사우디 대사대리

제 목 : 의료지원단 지원

대:WSB-478

대호 당지의료지원단에 대하여 2.28 자 중앙일보 보도건에 관하여 아래와 같이 보고함

1. 당지주둔 타국의료진과 비교하여 사우디측의 대우면에서 차별은 없음

가. 숙소

-당초부터 한정되어있는 숙소를 먼저 도착한 비율빈등 여타국 의료진들이 선점하여 아국의료진은 숙소가 마련될때까지 담맘에서 며칠 체류하다가 알누에이리아로 이동, 일부가 텐트생활을 하여왔음

-그러나 현재는 의료단 154 명중 약 120 명여명이 아파트나 창고를 개조한 숙소(에어컨 구비)에서 생활하고 있고, 나머지 30 여명 만이 텐트생활을 하고있음

-여타 미군및 영국군 의료진들도 텐트생활을 하고있음

나. 식사

-리야드 소재 미군의료진들에게도 사우디군에 제공하는 것과 동일한 식사가 제공되고 있음

-사우디 음식이 아국인 기호에 맞지않는 경우가 있는 것은 사실임.이에 대비하여 그간 당관및 당지교민들은 수차에 걸쳐 한국식품을 구입, 동의료진에게 제공 한바 있으며, 앞으로도 계속 예정임

-따라서 음식에 따른 문제점은 어느정도 해소되었음

다. 의약품등 지원

-모든 의약품은 사우디측으로 부터 지원받고 있음

-군제도상의 차이나 언어소통장애로 동보급이 원할하게 이루어지지 않은 경우가 있으나, 의료진 활동에 지장을 주는 정도는 아님

| 중아국 | 장관 | 차관 | 1차보 | 2차보 | 미주국 | 청와대 | 안기부 | 국방부 |
|---|---|---|---|---|---|---|---|---|

PAGE 1　　　　91.03.07 06:08

외신 2과 통제관 CF

0089

2. 종합의견

가. 상기와같이 아국의료진에 대한 복지및 후생이 여타국군에 비해 떨어지는 것은 아님

나. 다만 생활환경의 차이, 문화의 차이, 언어소통장애에서 오는 어려움은 상존

다. 걸프전쟁이 거의 끝나가고 있고, 곧 있을 것으로 예상되는 휴전협정이 체결되면, 아국의료진의 사우디철수문제도 양국간에 검토될 것으므로 앞으로 더이상의 문제점은 없을 것으로 봄

라. 앞으로 제 3 국에 의료진을 파견하는 경우, 금번 의료진 파견에 따른 문제점을 감안, 접수국이 제공하는 보급과 지원에 의존하기 보다는 아국 예산을 확보, 자체적으로 보급과 지원문제을 해결하는 것이 동파견 목적 달성에 보다 기여하게 될것으로 판단됨. 끝

(대사대리 박명준-국장)

예고:91.12.31 일반

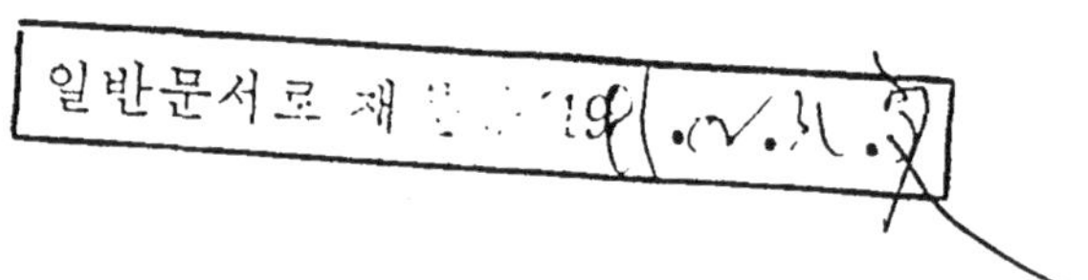


검 토 필 (19

PAGE 2

0090

관리번호 91-685

원 본

# 외 무 부

종 별 : 지 급

번 호 : SBW-0711 일 시 : 91 0308 1210

수 신 : 장관(중일,미북,국방,기정,사본:주미,사우디-접수필)

발 신 : 주 쿠웨이트대사(주사우디대사관경유)

제 목 : 군의료지원단 향후활동(32)

대:WSB-505 (?)

연:SBW-658

1. 군의료 지원단의 쿠웨이트로의 이동 가능성에 대하여는 쿠웨이트 외무장관에게 공한으로 제의해놓은 사항인데 불과 수일이 지나 이를 철회하는것은 우리정부의 신뢰성에 손상을 입히게 되며, 또한 여러나라들이 쿠웨이트 복구및 기타전후처리와 관련하여, 원조나 협조를 제안하고있는 점을 참작하더라도 그제의를 현시점에서 철회하는것은 적절치 않다는 생각이 듬

2. 더욱, 전쟁전 쿠웨이트의 의료시설이 높은 수준이었고, 현재 많은 의약품등을 확보해놓고 있는 사정을 감안할때 쿠웨이트의 실정이 외국군대의 의료진의 도움을 필요로 할 정도는 아니어서, 우리측의 제안을 정중히 사양할 가능성이크다고봄

또한, 쿠웨이트측이 우리의료단 파견을 희망한다고 알려 오더라도, 그때사정의 변화등 적절한 이유를 들어 우리제안을 철회하는 것이 지금 철회하는 것보다는 모양이 좋을듯함

3. 단, KU 측이 우리 군의료단의 파견을 요청하다면, 이는 "절실한 필요"가생겨서 일것인바, 그경우에는 경비병력등 부수인력의 감축등을 통해 의료단의 규모를 축소해서 KU 를 적극 지원하는 것이 바람직 할것으로 생각됨

4. 따라서 연호 공한에대한 KU 측의 반응을 당분간 관망한후, 상황의 전전을 보아가며, 재건의 하겠음

(KU-쿠웨이트을 말함)

(대사소병용-국장)

예고:91.12.31 일반

일반문서로 재분류(1991.12.31.)

검 토 필 (1991.6.30.)

미주국 장관 차관 1차보 2차보 중아국 청와대 안기부 국방부

PAGE 1 91.03.08 21:29

외신 2과 통제관 FE

0091

관리번호 91-664

# 외 무 부

종 별 : 지 급

번 호 : SBW-0717 일 시 : 91 0309 1450

수 신 : 장관(중일,미북,조약,국방)

발 신 : 주 사우디 대사

제 목 : 군의료지원단

연:SBW-0683

1. 외무부 MADANI 대사는 금 3.9 연호 군의료지원단 철수문제와 관련 아래와같이 소직에게 통보하여 왔음

-전쟁이 사실상 종료되었으므로 한국군 의료지원단이 사우디로부터 철수하는데 별문제가 없음

-따라서 한국정부가 사우디정부에 서면으로 한국군 의료지원단의 철수의사를 통보하면, 사우디정부는 이에 동의할 예정임

2. 당관에서 주재국정부에 서면으로 아국 군의료지원단의 철수의사를 통고코저하니 철수희망시기를 회시바람

(대사대리 박명준-국장)

예고:91.12.31 일반

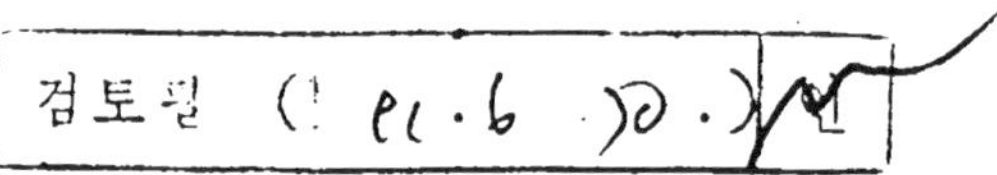

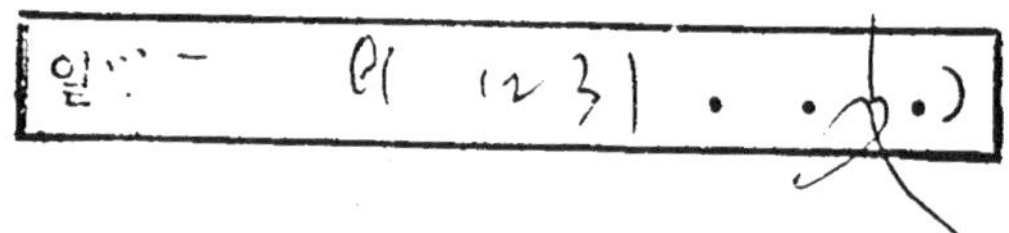

| 중아국 | 차관 | 1차보 | 2차보 | 미주국 | 국기국 | 청와대 | 안기부 | 국방부 |
|---|---|---|---|---|---|---|---|---|

PAGE 1

91.03.09 22:12

외신 2과 통제관 CH

0092

| 관리 번호 | 91/206 |
|---|---|

| 분류번호 | 보존기간 |
|---|---|
| | |

# 발 신 전 보

번 호 : WKU-0003 910311 1944 FD 종별 :

수 신 : 주 쿠웨이트대사. ~~총영사~~ ~~(쿠바레인 대사 경유)~~ WSB -0538

발 신 : 장 관 (중동일) 사본: 주사우디 대사

제 목 : 군의료지원단 향후 활동

대 : SBW-0717

연 : WSB-0484

1. 아국 의료단의 쿠웨이트 이동 활동 가능성에 대해 쿠 정부측에 의견을 조회한지 불과 얼마 안지난 시점에서 아무리 사유가 설득력이 있다 하더라도 쿠웨이트 이동이 어렵게 되었다고 다시 통보하는것은 바람직하지 않다는 귀관 보고를 충분히 이해하는 바이나 국방부측은 연호 입장에 따라 3월 말까지 철수하기를 희망하고 있고 이를 위해서는 적어도 2주 전에는 철수 결정을 해야 한다는 것이며, 사우디측도 사우디에서의 임무는 종료 되었으므로 아측만 원한다면 철수에 동의 하겠다는 입장을 표시하고 있으므로 쿠웨이트측 입장을 빨리 확인하는것이 중요함.

2. 따라서 쿠측이 우리 의료단의 쿠웨이트 파견 제의에 대해서는 사의를 표하면서도 사양하는 입장을 가급적 빨리 들을수 있다면 가장 바람직 하겠음.

3. 이러한 본국 입장을 충분히 헤아려 쿠측 입장을 가급적 조속 확인 ~~보고~~토록 노력 바람. 끝.

(차관 유종하)

~~(중동아국장 이 해 순)~~

예 고 : 91.12.31. 일반

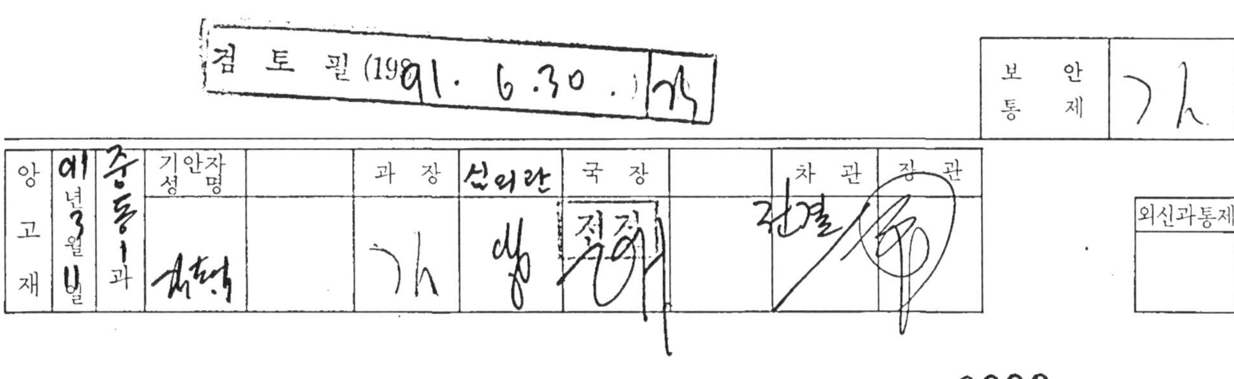

검 토 필 (1991. 6.30.)

| 보안 통제 | 가 |
|---|---|

| 앙고재 | 91년 3월 11일 | 중동1과 | 기안자 성명 | | 과 장 | 선이란 | 국 장 | | 차 관 | 장 관 |
|---|---|---|---|---|---|---|---|---|---|---|
| | | | [signature] | | 가 | [signature] | 전결 | | 전결 | [signature] |

외신과통제

0093

MAR 18 '91 17:01 796-0369 M.N.D. P.1

국 방 부

(795-7462)

국외 24103-70 1991. 3. 18.

수신 외무부 장관

참조 중동아국장

제목 군 의료단 및 수송단 차후운용 송부

1. 귀부에서 필요로 하는 첨부자료를 보내드리오니 업무에 참고하시기 바랍니다.

첨 부 : 군 의료단 및 수송단 차후운용 1부. 끝.

국 방 부 장

국외정책담당관 전결

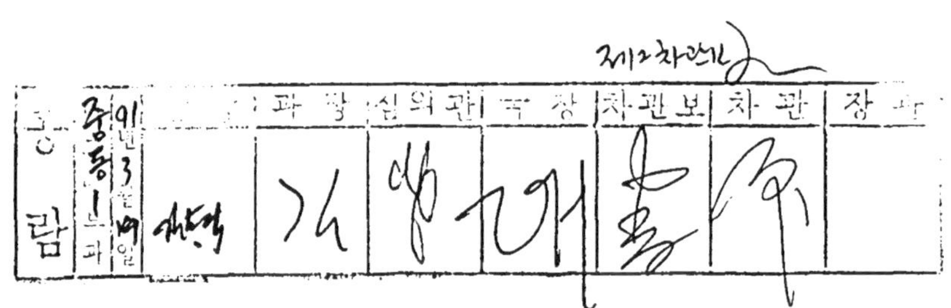

0094

1991. 3. 20

# 軍 醫療團 및 輸送團 此後 運用
# ( 建 議 )

國 防 部

0095

# 醫療支援團

## ▲ 支援 實績

o 支援期間 : 1.31 - 3.19(48일)

o 診　療 : 1,296명

| 사우디 | 이라크 | 다국적군 | 비 고 |
|---|---|---|---|
| 799 | 131 | 366 | 1일 27명 |

## ▲ 此後 運用 檢討

o 「쿠」轉換時 一部 制限事項 豫想 : 適期撤收 / 「쿠」要請시 別途 對策 검토

· 國會 再同意 및 地位協定 체결 필요

· 現 醫療團 再編成 不可避 (戰鬪負傷兵 診療爲主 편성)

· 醫療裝備, 醫藥品 全無 및 給食, 補給등 自體解決 긴요

## ▲ 現地 協議結果

o 사우디側 意見 (3.9 駐 사우디大使 電文)

· 支援所要 別無, 撤收意思 書面通報時 同意 예정

o 쿠웨이트 경우 (3.13 駐 쿠웨이트大使 電文)

· 아국의 醫療支援 提議(3.4) 辭讓 가능성

· 현재 「쿠」政府 機能發揮 곤란으로 回答時期 遲延 예상

· 「쿠」側 回答 관계없이 我國計劃대로 撤收 바람직

* 「쿠」側 支援要求時 別途支援對策 협의 예정

(전쟁발발전 간호원 80명 취업 합의/필요시 의료요원편성 지원)

## ▲ 結論 및 建議

o 現位置 支援後 4.9(現地時間) 撤收 (KAL편, 전세기)

o 「쿠」 支援要請시 別途對策 檢討

0096

# 空 軍 輸 送 團

## ▲ 支援 實績

o 支援期間 : 2.26 - 3.19 (22일)

o 支　　援 : 158소티 (1일 7소티)

## ▲ 此後 運用 檢討

o 檢討結果 : 對美關係 고려 制限된 期間(2個月內外) 支援後 撤收

. 終戰에 따른 輸送所要 增加

. 美側에서 당분간 支援希望

(3.7 미 국방부 동아.태담당 부차관보)

## ▲ 關聯 事項

o UAE基地 美 C-130 輸送機 : 4.11한 主力撤收 및 殘餘 8대 他基地 (사우디 알 카지)移動

o 美側 意見 (3.18 연합사 참모장 書翰)

. 미측 最終撤收日 (4.11) 數日前 撤收 同意

## ▲ 結論 및 建議 : 現位置 支援後 4.6(現地時間) 撤收

※ 國防部主管 兩個部隊 合同 歡迎行事 예정

. 日時(案) : 4.10 오후

. 場　　所 : 서울空港(성남)

※ 걸프戰 分析 및 戰略態勢 補完 : 4月末 以前 報告

0097

첨 부

# 關係部處 協調事項

## ▲ 醫療團/輸送團 撤收 協調 (외무부)

o 사우디, UAE에 대한 撤收 협조

o 領空 및 FIR(비행정보구역) 通過 協調

. 영공통과 (8개국) : 오만,인도,스리랑카,태국,말레지아,필리핀,크라크(미국),대만

. FIR통과 (12개국) : 상기 8개국 + 미얀마, 싱가폴, 인니, 일본

o 中間寄着地 宿食 및 給油 協調

. 기 착 지 : 콜롬보(봄베이), 방콕, 크라크

. 지원대상 : 인원 65명, C-130기 5대

## ▲ 걸프 2次支援金중 1.7億弗 支援方案 再檢討

o 最初計劃 : 2.8億弗중 1.7億弗은 軍需物資 및 裝備로 支援

o 美側反應(3.7 주미대사 전문,포드부차관보):물자지원 불필요, 전액 현금지원 희망

* 最初 反應 (2.19 주미 국방무관 전문)

- 5千萬弗은 中東에 轉換한 駐韓美軍 戰爭豫備物資 充當 希望
  * 걸프戰 期間중 駐韓美軍 轉換物資/「쿠」戰鬪服 2만착 (56만불)

- 殘餘 1.2億弗은 이집트,터키,영국,사우디 등 多國籍軍 支援希望

* 3.7-15 리스카시 將軍 訪美시 5千萬弗은 中東轉換物資 充當 要望, 美 管理次官補 재검토중

o 美 체니長官 公式書翰 조만간 送付 예상 (3.7 주미대사 전문)

※ 美側 公式立場 接受對備, 我國의 代案講究 必要(외무부,경기원)
  * 軍需物資支援 결정시 着手金 早期 措置
  (8千萬弗 고려시 100億원)

0098

| 관리번호 | 91/373 |
|---|---|

| 분류번호 | 보존기간 |
|---|---|
| | |

# 발 신 전 보

번 호 : WSB-0576 910318 2007 FH 종별 : 지급

WAE -0213

수 신 : 주 사우디, UAE 대사. 총영사 (사본 : 주쿠웨이트대사)

발 신 : 장 관 (중동일)

제 목 : 군의료단 및 공군 수송단 철수

1. 국방부는 4.9(화) 대한항공 전세기 1대를 다란 및 아부다비에 운항시켜 의료지원단(약 150명) 및 공군수송단 (약 100명)을 각각 철수시킬 계획이며, 이에 앞서 4.6(토) 수송기 5대와 병력 일부(약 60명)를 출발시킬 예정임.

2. 해당 공관장은 상기 계획을 주재국 측에 사전 통보하고 결과보고 바람. 단, 이에 관한 정부의 최종 결정은 3.20 관계부처 장관 회의에서 확정될 예정임을 참고 바람. 끝.

(중동아국장 이 해 순)

검 토 필 (1991. 6. 30.)

예 고 : 1991.12.31. 까지

| 보안통제 | |
|---|---|

| 앙고재 | 91년 3월 18일 | 중동일과 | 기안자 성명 | | 과 장 | 심의관 | 국 장 | | 차 관 | 장 관 |
|---|---|---|---|---|---|---|---|---|---|---|
| | | | | | | | 전결 | | | |

| 외신과통제 |
|---|
| |

0099

| 관리번호 | 91/333 |
|---|---|

# 외 무 부

종 별 : 지 급

번 호 : USW-1265 일 시 : 91 0319 1547

수 신 : 장관(미북,중동일)

발 신 : 주 미 대사

제 목 : 의료단 및 수송단 철수 보도

연 USW-1108

1. 작일 국내 언론 보도에 의하면 걸프지역에 파견된 아국의 의료단 및 수송단이 공히 4.10 경 철수될것이라고 하는바, 주재국 고위 관리와의 접촉 활동에필요하니 본건 관련 정부의 입장을 알려주기 바람.

2. 금후 미 의회에서는 걸프전 지원에 대한 청문회등을 통해 우방국의 협조내용이 논의될것으로 보이는바, 그 경우 연호로 기 보고한바와같이 아국의 의료단 및 수송단이 현지에 계속 주둔하여 연합군(미군)의 철수를 지원하고 있다는것으로 과시하는것이 당초 동 부대의 파견 취지에도 적합할것으로 생각되는바, 이에 대한 본부의 검토 결과를 회시 바람.

(대사 현홍주-국장)

91.12.31 일반 검 토 필(1991. 6.30.)

미주국 차관 1차보 2차보 중아국 청와대 안기부

PAGE 1

91.03.20 08:45

외신 2과 통제관 FE

0100

| 관리번호 | 91-929 |
|---|---|

# 외 무 부

종 별 : 긴 급

번 호 : SBW-0899 일 시 : 91 0409 1730

수 신 : 장관(중일,미북,국방부,기정)

발 신 : 주 사우디 대사

제 목 : 군의료지원단 철수

대:WSB-576

1. 대호 군의료지원단은 예정대로 금 4.9(화) 1700 KAL 전세기편으로 주재국 다란 공항을 출발했음

2. 동 출발에 앞서 있은 의료지원단 환송 행사에는 본직을 비롯한 당관직원과 당지 교민 등 약 150 여명(건설회사임직원 20 명포함)이 참석하였으며, 주재국측에서는 군부인사 약 20 여명이 참석했음. 끝

(대사 주병국-국장)

예고:91.12.31 일반

일반문서로 재분류(1991.12.31)

검 토 필(1991.6.30)

중아국 차관 1차보 2차보 미주국 청와대 안기부 국방부

PAGE 1

91.04.10 00:27

외신 2과 통제관 CF

0101

| 관리 번호 | -1686 |
|---|---|

| | 분류번호 | 보존기간 |
|---|---|---|
| | | |

# 발 신 전 보

번 호 : WUS-1086 910320 2026 DQ 종별 : 지급

수 신 : 주 미 대사. 총영사

발 신 : 장 관 (중동일,미북)

제 목 : 군의료단 및 수송단 철수

대 : USW-1108, 1265

1. 정부는 당초 의료단의 쿠웨이트 이동을 긍정적으로 검토키로 하고 쿠웨이트 정부에 통보도 하였으나 그후 국방부는 원래 의료진이 부상병 치료를 주 목적으로 편성 되었기 때문에 쿠웨이트로 이동하더라도 소기의 성과를 기대하기는 어려울 것이므로 사우디에서의 임무가 끝나는대로 철수시킬것을 희망하였으며 공군 수송단의 경우는 현재 배치된 UAE의 알아인 미군 수송기지가 4.11. 폐쇄되고 그후 미군 주력은 본국으로 철수할 예정임에 비추어 우리도 그전에 철수해야 할 현실적 필요성이 있다 하므로 정부는 수송기 5대와 병력 65명은 4.6에, 나머지 병력 약 100명과 의료지원단 154명은 4.9. KAL 특별기편 철수키로 하였음. 이러한 결정 과정에서 의료단 및 수송단의 계속 주둔으로 아국이 미군의 철수를 계속 지원하고 있다는것을 과시하는것이 좋겠다는 대호 의견도 충분히 고려가 되었음.

2. 필요하다면 이상을 미측에 적절히 설명 바람. 끝.

(중동아국장 이 해 순)

예 고 : 91.12.31. 일반

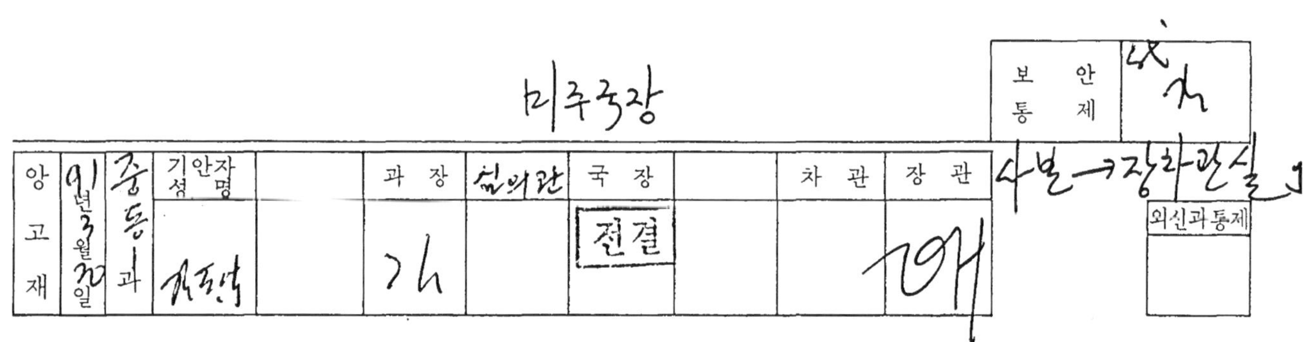
검 토 필 (1991. 6. 30.)

미주국장

| 보안 통제 | |
|---|---|

| 앙 고 재 | 91년 3월 20일 | 중동과 | 기안자 성 명 | | 과 장 | 심의관 | 국 장 | | 차 관 | 장 관 |
|---|---|---|---|---|---|---|---|---|---|---|
| | | | | | | | 전결 | | | |

사본→장관실

외신과통제

0102

| 관리 번호 | |
|---|---|

| | 분류번호 | 보존기간 |
|---|---|---|
| | | |

# 발 신 전 보

번 호 : WSB-0625 910328 종별 :

수 신 : 주 사우디, UAE 대사. 총영사/// WAE-0231

발 신 : 장 관 (중동일)

제 목 : 군 수송단 및 의료단 철수 관련 협조

1. 국방부는 공군 수송단 및 의료단 철수 관련 아래와 같이 협조를 요청하여 왔으니 적의 조치하고, 결과 보고 바람.
   가. 주재국 정부, 교민회등과 협조, 현지 환송계획 수립 및 시행
   나. 현지 위로, 행사계획 안내 및 홍보등 목적으로 군 관계자 6명(인사국, 의무사, 공군본부 각 1, 사진기자 3) KAL 전세기편 동승 예정
2. 참전용사 환영식은 4.10. 15:00, 해단식은 의료지원단 경우 환영식後 의무사령관 책임하에, 공군수송단은 공군 자체 계획에 의거 별도 시행 예정이니 군의료단 및 공군수송단에 통보 바람. 끝.

(중동아국장 이 해 순)

예 고 : 91.6.30. 일반

| 보안 통제 | |
|---|---|

| 앙 고 재 | 년 월 일 | 과 | 기안자 성 명 | | 과 장 | | 국 장 | | 차 관 | 장 관 |
|---|---|---|---|---|---|---|---|---|---|---|
| | | | | | | | | | | |

| 외신과통제 |
|---|
| |

0103

| 관리번호 | 91/416 |
|---|---|

원 본

# 외 무 부

종 별 : 지 급

번 호 : SBW-0833 일 시 : 91 0330 1530

수 신 : 장관(중일,국방)

발 신 : 주 사우디 대사

제 목 : 군의료단 철수

대:WSB-576

금 3.30 주재국 국방부 AL-HUSSAIN 준장을 접촉한바, 동장군은 대호 아국 군의료단 철수에 이견이 없다고 하면서, 최종적인 주재국 입장은 곧 외무부를 통해 알려주겠다고 하였음을 보고함. 끝

(대사 주병국-국장)

예고:91.12.31 일반

검 토 필(1991. 6. 30)

중아국 1차보 2차보 국방부

PAGE 1

91.03.30 22:47

외신 2과 통제관 CH

0104

| 관리번호 | 91/4.43 |
|---|---|

원 본

# 외 무 부

종 별 :

번 호 : SBW-0849 일 시 : 91 0331 1640

수 신 : 장관(중일,국방)

발 신 : 주 사우디 대사

제 목 : 군수송단 및 의료단 철수관련 협조

대:WSB-635

1. 대호, 군료단 철수관련 오는 4.9 1630 다란 공항에서 본직을 비롯한 대사관 관계관과 동부지역 의료사령관등 주재국 군관계인사 20 여명 및 교민 200 여명이 참석하여 환송행사를 거행할 예정임

2. 대호 2 항 환영식 관련 사항은 통보되었음. 끝

(대사 주병국-국장)

예고:91.6.30 일반

1991.6.30.에 예고문에 의거 일반문서로 재분류

중아국 차관 1차보 2차보 청와대 안기부 국방부

PAGE 1

91.04.01 05:11

외신 2과 통제관 CF

0105

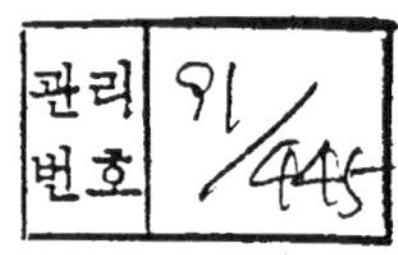
관리번호 91/445

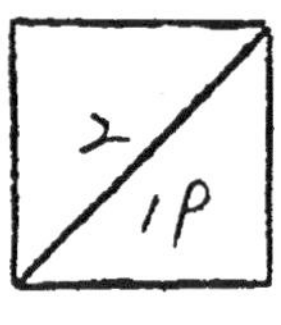

국 방 부
(3712)

합 작 24710 - 182 798-7591 '91. 4. 3.

수 신 외무부 장관

제 목 지령 제 91-3호(해외파견단 철수 명령)

1. 관련근거

가. 작전명령 제 91-2호('91.3.23) 해외파견부대 복귀준비

나. 전협 24742-50 ('90.4.3) 걸프지역 파견부대 철수계획

2. 위근거에 의거, 해외파견단 철수명령을 첨부와같이 보고(하달) 합니다.

첨 부 지령 제 91-3호 1부. 끝.

첨부물에서 분리되면 평문으로 재분류

파기( 으로재분류) (1991. 12. 31)

검 토 필 (1991. 6. 30.)

국 방 부 장

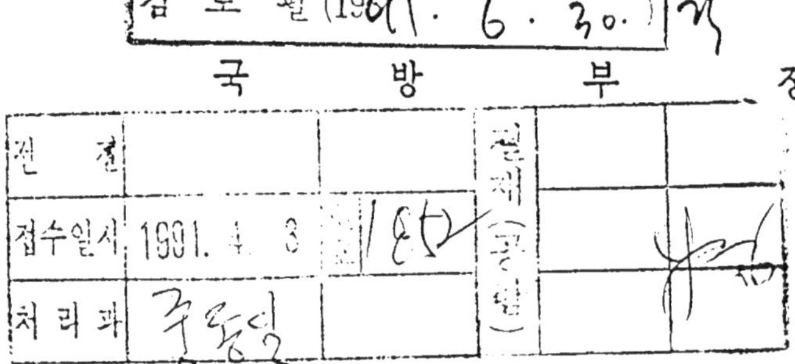

| 전 결 | | | |
|---|---|---|---|
| 접수일시 | 1991. 4. 3 | 18212 | |
| 처리과 | 중동1 | | |

706-7885 "참고바람" 중동1과 4/3

0106

원 본
국방부, 합참
서울, 용산
1991. 4. 3

지령 제 91-3호 ( 해외 파견부대 철수 명령)

참 조 : 가. 지령 제 91-1호('91.1.22) 의료지원단 사우디 파견 명령
나. 지령 제 91-2호('91.2.18) 공군수송단 아랍 에미리트 연합 파견명령
다. 국외 24101 - 75('91.3.21) 걸프지역 파견 의료단 및 수송단 철수
라. 작전명령 제 91-2호('91.3.23) 해외 파견부대 복귀 준비
마. 전협 24742-50('91.4.3) 걸프지역 파견 부대 철수계획

1. 상황

가. 1990년 8월 2일 이라크가 쿠웨이트를 전격 기습 강점한 이래 계속된 걸프전은, 1991년 2월 24일 지상전이 전개되고, 1991년 2월27일 이라크가 유엔 결의안을 무조건 이행할 것에 동의하므로써 1991년 2월 28일 종전이 되었으며, 쿠웨이트는 영토를 회복 하였다.

나. 정부는, 1991년 3월 21일 관계장관회의에서, 해외 파견단의 걸프지역 철수를 의결하였으며, 대통령은 1991년 3월 21일 이를 재가 하였다.

2. 임 무

국방부는, 1991년 4월 9일 15:00 I시(현지,09:00 C시)에 알 누아이리아로부터 의료지원단을,
공군수송단 C-130항공기와 승무원 및 화물은 동년 4월 6일 14:00 I시(현지,09:00 D시)에,그리고 C-130항공기에 탑승치 않는 대한항공 특별기 탑승 인원은 동년 4월 9일 23:30 I시(현지,18:30 D시)에 알 아인으로부터 공군수송단을 철수한다.

3. 실 시

가. 작전개념

(1) 의료지원단과 공군수송단의 일부는 현지를 출발하여 대한항공 특별기 편을 이용, 1991년 4월 10일 15:00 I시(한국시간) 서울공항으로 철수(귀국)한다.

(2) C-130 항공기와 승무원 및 공군수송단 화물은 알 아인 기지를 출발. 지정된 항로를 따라, 1991년 4월 10일 15:00 I시 서울공항에 도착한다.

(3) 의료지원단은 대한항공 특별기 탑승 공항까지 육로 이동을 실시한다.(공군수송단은 기상 불량시 육로 이동)

나. 의료 지원단

(1) 의료지원단은 사우디 아라비아 왕국 주둔 미 합중국군 및 다국적군을 의료지원하는 현행 임무를 종료하고 철수하라.

(2) 1991년 4월 9일 15:00 I시(현지, 09:00 C시) 알 누아이리아를 출발하여 육로로 이동, 1991년 4월 9일 21:00 I시(현지, 4월 9일 15:00 C시) 대한항공 특별기에 탑승하여 아부다비를 경유, 1991년 4월 10일 15:00 I시에 서울 공항으로 귀국하라.

다. 공군수송단

(1) 공군수송단은, 걸프전에 참전한 미합중국군 및 다국적군을 공수지원하는 현행 임무를 종료하고 철수하라.

2

0108

(2) C-130 5대 항공기와 승무원 및 공군수송단 화물은 1991년 4월 6일 14:00 I시(현지,09:00 D시) 알 아인기지를 출발하여 콜롬보, 방콕, 크라크기지를 경유, 1991년 4월 9일 16:00 I시에 김해기지에 도착하고, C-130 항공기 1대와 승무원은 1991년 4월 10일 13:30 I시에 김해기지를 출발, 1991년4월 10일 15:00 I시에 서울공항에 도착하라.

(3) C-130 항공기에 탑승하지 않는 대한항공 특별기 탑승인원은 알 아인기지에서 대기하다가, 1991년 4월 9일 23:30 I시 (현지,18:30 D시)에 알 아인 주둔 미군이 제공하는 C-130항공기로 이동, 아부다비 공항에 도착, 아부다비 공항에서 1991년 4월 10일 01:00 I시(현지,4월 9일 20:00 D시) 대한항공 특별기에 탑승하여 의료지원단과 합류, 서울 공항으로 귀국하라.

(4) 크라크기지에서 1박 불가시에 대비한 비상 비행계획을 수립하라.

(5) 기상 불량시에 대비하여, 아부다비공항으로 이동을 위한 우발계획 (육로 이동)을 수립하라

라. 합 참

(1) 지휘통제본부 편성 요원은 해외 파견단 철수간('91.4.6~4.10) 24시간 근무체제(사무실,숙소)를 유지하라.

(2) 해외 파견단 귀국 환영행사 종료와 동시, 해외 파견단에 대한 지휘권을 해제한다.

마. 공작사

(1) 공군수송단 C-130 항공기가 방공식별 구역(KADIZ) 진입시부터 영공 비행간 항공관제 및 통제하라.

(2) 유사시 대비, 탐색 및 구조 전력이 출동할수 있도록 대기태세를 유지하라.

바. 협조 지시

(1) 의료 지원단장 및 공군수송단장은 각각 주둔지 부대장과 최종 임무종결(완료)합의서류를 작성, 쌍방 서명하고 귀국후 제출 보고하라.

(2) 육로 이동간 안전대책(과속 금지)을 강구하라.

(3) 서울 공항(K-16기지)도착후 귀국 환영행사에(1991년 4월 10일 15:00 I시) 대비하라.

(4) 매이동 구간 및 경유지 국제전화를 이용 합동상황실로 부대 이상 유무를 보고하라.

(5) 귀국 안내를 위하여 파견되는 안내 요원과 협조하라.

4. 전투근무지원 : 참조문서 "마"

5. 지휘 및 통신

가. 통 신

(1) 내부 통신망 및 비상통신망, 국방부 TTY망은 지휘소 폐쇄 3시간전에 철수/폐쇄하라.

(2) 육로 이동 출발전 최종 상황 보고후 직통선(H/L)폐쇄

(3) 우발상황 발생시 INMARSAT 장비와 국제전화, 외무부 TLX 망을 이용하라

나. 지휘소 폐쇄 시간

(1) 의료지원단 : 1991년 4월 9일 15:00 I시(현지 09:00 C시)

(2) 공군수송단 : 1991년 4월 9일 23:30 I시(현지.18:30 D시)

다. 의료지원단장은 대한항공 특별기 이동간(아부다비 → 서울공항) 공군수송단 탑승 인원을 통제하라.

0110

수령후 보고

국 방 부 장 관 이 종 구

배부 : 청와대(외교/안보 보좌관), 외무부

국방부(정책기획관실 조직과, 연방과, 군수국, 인사국, 정보본부 해외정보부, 100기무, 의무관리관실)

의무사령부 의료지원단, 공군수송단)

합참(전략기획본부, 지휘통제통신실, 교리훈련부, 지원본부)

육군본부, 공군본부, 특전사, 공작사

5

0111

| 관리 번호 | 91/491 |
|---|---|

원 본

# 외 무 부

종 별 : 긴 급

번 호 : SBW-0899 일 시 : 91 0409 1730

수 신 : 장관(중일,미북,국방부,기정)

발 신 : 주 사우디 대사

제 목 : 군의료지원단 철수

대:WSB-576

1. 대호 군의료지원단은 예정대로 금 4.9(화) 1700 KAL 전세기편으로 주재국 다란 공항을 출발했음

2. 동 출발에 앞서 있은 의료지원단 환송 행사에는 본직을 비롯한 당관직원과 당지 교민 등 약 150 여명(건설회사임직원 20 명포함)이 참석하였으며, 주재국측에서는 군부인사 약 20 여명이 참석했음. 끝

(대사 주병국-국장)

예고:91.12.31 일반

검 토 필 (1991. 6. 30.)

중아국 차관 1차보 2차보 미주국 청와대 안기부 국방부

PAGE 1

91.04.10 00:27

외신 2과 통제관 CF

0112

| 정 리 보 존 문 서 목 록 | | | | | |
|---|---|---|---|---|---|
| 기록물종류 | 일반공문서철 | 등록번호 | 2020120227 | 등록일자 | 2020-12-29 |
| 분류번호 | 721.1 | 국가코드 | XF | 보존기간 | 영구 |
| 명 칭 | 걸프사태 : 의료지원단 및 수송단 파견, 1990-91. 전6권 | | | | |
| 생 산 과 | 중동1과/북미1과 | 생산년도 | 1990~1991 | 담당그룹 | |
| 권 차 명 | V.4 군용기 해외비행을 위한 경유국 협조 | | | | |
| 내용목차 | * 의료지원단 파견 관련, 1991.1월 | | | | |

0001

| 관리 번호 | 91-82 |
|---|---|

| | 분류번호 | 보존기간 |
|---|---|---|
| | | |

# 발 신 전 보

번 호 : WPH-0025 910111 1007 DA 종별 : 지급

WUS-94

WMA -0042 WSK -0006
WND -0042 WSB -0046
WCH -0029 WDJ -0050
WPA -0014 WOM -0004
WAE -0012 WBH -0007

수 신 : 주 수신처 참조 대사, 총영사

발 신 : 장 관 (중근동)

제 목 : 군용기 해외 비행에 따른 각국 협조사항

국방부(군수국)는 의료진 사우디 파견과 관련, 군용기의 해외 비행을 위한 경유국과의 협조사항을 아래와 같이 파악하여 줄것을 요청하여 왔는 바, 각 공관은 해당사항을 주재국과 협의후 결과 보고 바람

첨부 : 군용기 해외비행 협의사항. 끝.

(중동아프리카국장 이해순)

수신처 : 주 필리핀, 말레지아, 스리랑카, 인도, 사우디, 대만, 인도네시아, 파키스탄, 오만, UAE, 바레인, 미국(필리핀 기지) 대사

예고 : 1991. 12. 31. 일반

91. 6. 30. 김조황

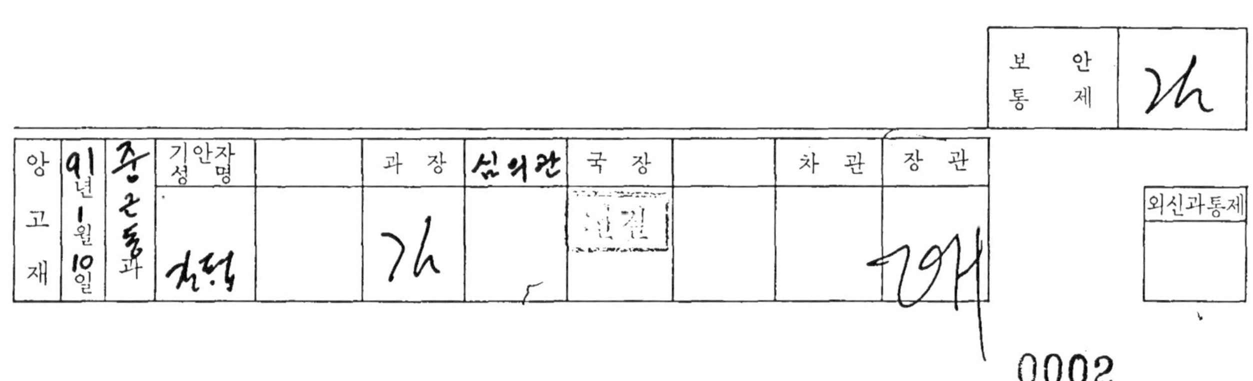

| 보안 통제 | |
|---|---|

| 앙고재 | 91년 1월 10일 | 중근동과 | 기안자 성명 | | 과 장 | 심의관 | 국 장 | | 차 관 | 장 관 |
|---|---|---|---|---|---|---|---|---|---|---|
| | | | | | | | 전결 | | | |

외신과통제

0002

# 군용기 해외 비행 협의사항

1. 운항 항공기 : C-130

2. 운항 기간 : '91.1.15 ~ '91.12.31 기간중 월1회 부정기적 운항

3. 비행경로

   가. 서울 → 필리핀 (크라크) → 말레이지아 (쿠알라룸프르) → 스리랑카 (콜롬보) → 사우디 (다란)

   나. 서울 → 필리핀 (크라크) → 말레이지아 (쿠알라룸프르) → 스리랑카 (콜롬보) → 인도 (봄베이) → 사우디 (다란)

4. 협조 요망사항

   가. 각국 비행정보구역(FIR : FLIGHT INFORMATION REGION) 및 영공 통과 협조
      - o 대상국(12) : 대만, 필리핀, 인도네시아, 말레이지아, 스리랑카, 인도, 파키스탄, 오만, 아랍에미레이트, 바레인 사우디, 미국 (필리핀)
      - o 협조후 인가(허가) 근거문서 또는 번호 통보 요망

   나. 중간기착 공항 착륙인가
      - o 대상국 : 필리핀(클라크), 말레이지아(쿠알라룸프르) 스리랑카(콜롬보), 인도(봄베이), 사우디(다란)
      - o 협조후 착륙허가번호(ALAN) 통보 요망 (ALAN : AIR LANDING AUTHORIZED NUMBER)

   다. 중간기착지 공항에서 연료보급 및 오물처리
      - o 크라크기지 : 미국(미공군)/현물상환
      - o 쿠알라룸푸트, 콜롬보, 봄베이, 다란 : 상환방법 제시 요망

   라. 국제분쟁 및 항공기 비상 발생시 긴급조치
      - o 비상착륙 인가
      - o 정비작업을 위한 지원 시설활용
      - o 탐색구조

   마. 기타 항공기 비행에 관련된 사항
      - o 기상 및 항공고시보 (NOTAM : NOTICE TO AIR MAN) 협조지원
      - o 항로 비행인가 및 항공관제
      - o 출입국 관련사항 협조(CIQ)

0003

| 관리번호 | 91/1082 |
|---|---|

원 본

# 외 무 부

종 별 : 지 급

번 호 : BHW-0014 일 시 : 91 0113 1700

수 신 : 장관(중근동)

발 신 : 주 바레인 대사

제 목 : 군용기 해외비행

대:WBH-0007

1. 대호, 본직은 금 1.13. 외무부의 MAHROOS 정무총국장과 면담, 표제건 관련 당관 공한을 수교하고, 협조를 요청한바, 동국장은 관계부처와 가능한 조속한 시일내에 접촉, 결과를 회보하여 주겠다고 하였음.

2. 본건 주재국측 회보있는대로 추보 위계임.끝.

(대사 우문기-국장)

예고:91.12.31. 일반

19 . . . 에 예고
의거 일반문서로 재분류

검 토 필 (1991 . 6 . 20 .)

중아국

PAGE 1

91.01.14 00:20

외신 2과 통제관 CF

0004

| 관리번호 | 91/1147 |
|---|---|

원 본

# 외 무 부

종 별 : 지 급

번 호 : SBW-0085　　　　일 시 : 91 0114 2000

수 신 : 장 관(중근동,국방부)

발 신 : 주 사우디 대사

제 목 : 군용해외비행협조

대:WSB-0046

대호관련, 금 1.14 당관 백기문참사관이 주재국 외무부 MUHAMMED BARI 담당관을 접촉, 군용기 비행에 따른 협조를 요청하였던바, 동담당관은 일단 관계 민간항공당국과 협의는 하겠으나, 필요조치를 취하기 위해서는 동비행기의 관련 제원이 필요하다고 하니 대호 군용기의 기종, REGISTRAIVE/CALL SIGN 번호, 기장명,승무원등 관련제원을 조속 통보하여 주기바람

(대사 주병국-국장)

예고:91.12.31 일반

91.6.30.

중아국　장관　차관　1차보　2차보　국방부

PAGE 1　　　　91.01.15　01:59

외신 2과　통제관 CH

0005

| 관리번호 | 91/1178 |
|---|---|

원 본

# 외 무 부

종 별 :

번 호 : NDW-0087　　　　일 시 : 91 0114 1800

수 신 : 장관(중근동)

발 신 : 주 인도 대사

제 목 : 군용기 해외비행에 따른 협조사항

대:WND-0042

대호관련, 당관에서 주재국 외무부, 공군본부및 민간항공국에 협조조치를 취한데 대해, 주재국측은 허가에 필요한 다음사항을 알려줄 것을 요청하여 왔는바, 관련사항 확정되는대로 지급 회시바람.

1.TYPE, NUMBER AND CALL SIGN OF THE AIRCRAFT

2.REGISTRATION NUMBER

3.OWNERSHIP OF THE AIRCRAFT

4.CAPTIN'S NAME, RANK AND NATIONALITY

5.CREW NAMES, RANK AND NATIONALITY

6.NAMES AND NATIONALITY OF PASSENGER

7.TIME SCHEDULE/ITINERARY

8.ROUTE PROPOSED TO BE FOLLOWED(WITH ENTRY/EXIT POINTS)

9.DESCRIPTION OF THE CARGO PROPOSED TO BE CARRIED

10.PURPOSE OF FLIGHT

11.CRUISING LEVEL

12.TYPE AND QUANTITY OF FUEL REQUIRED AT VARIOUS AIRFIELDS OF LANDING

(대사 김태지-국장)

예고:91.12.31. 일반

중아국

PAGE 1　　　　91.01.15 09:04

외신 2과 통제관 BW

0006

| 관리번호 | 91/1146 |
|---|---|

원 본

# 외 무 부

종 별 :

번 호 : PHW-0057 일 시 : 91 0115 1350

수 신 : 장관(중근동,아동)

발 신 : 주 필리핀 대사

제 목 : 군용기 해외 비행에 따른 각국 협조

대:WPH-25

본직은 1.14(월) 주재국 외무부 ONG 아주국장을 방문(황참사관 수행)하고 대호에 관한 협조 사항을 당관 구상서로 전달하고 주재국의 협조를 요망하였던바, 동국장은 아국 요청에 최대한 협조하도록 군당국과 협의하겠다고 하였음.

(대사 노정기-국장)

예고:91.6.30 일반

1991.6.30.에 예고문에 의거 일반문서로 재 분류됨.

중아국 장관 차관 1차보 2차보 아주국 안기부 국방부

PAGE 1

91.01.15 15:57

외신 2과 통제관 BA

0007

| 관리번호 | 91/1137 |
|---|---|

원 본

# 외 무 부

종 별 : 지 급

번 호 : OMW-0010 일 시 : 90 0115 1300

수 신 : 장관(중근동)

발 신 : 주 오만 대사

제 목 : 군용기 운항협조

대:WOM-0004

대호 군용기 운항협조 관련, 주재국 외무부는 동조치를 위해서는 운항 군용기의 "CALL SIGN 및 REGISTRATION NO."가 필수적이라면서 이를 속히 알려줄것을 요청하여 왔는바, 지급회시바람. 끝

(대사 강종원-국장)

예고:91,12,31. 일반

91.6.30. 일반

| 중아국 | 장관 | 차관 | 1차보 | 2차보 | 청와대 | 총리실 | 안기부 | 교통부 |
|---|---|---|---|---|---|---|---|---|

PAGE 1 91.01.15 20:44

외신 2과 통제관 FE

0008

| 관리번호 | 91/1140 |
|---|---|

원 본

# 외 무 부

종 별 :

번 호 : AEW-0028 일 시 : 91 0116 1700

수 신 : 장관(중근동,기정)

발 신 : 주 UAE 대사

제 목 : 군용기 경유(자료응신 2호)

대:WAE-0012

1. 대호, 주재국정부는 하기에 관하여 통보하여주면 즉각 허가하겠다는 내용을 1.16. 당관에 TELEX 로 보내왔음.

가. RADIO C/S

나. NAME OF PILOT

다. DATE AND TIME OF ENTRY AND EXIT UAE A/S

라. LANDING AIRPORT IN SAUDI ARABIA

2. 동 텔렉스 번호는 22217-KARJIA EM 이며 관련번호는 CON/697 임을 보고함. 끝.

(대사 박종기-국장)

91.6.30 일반

1991. 6. 30. 에 예고문에 의거 일반문서로 재 분류됨.

중아국 1차보 정문국 안기부

PAGE 1

91.01.17 00:42

외신 2과 통제관 DO

0009

| 관리번호 | 91/129 |
|---|---|

| | 분류번호 | 보존기간 |
|---|---|---|
| | | |

# 발 신 전 보

번 호 : WJA-0230 외 별지참조 종별 : 긴급

수 신 : 주 수신처 참조 대사. 총영사

발 신 : 장 관 (중근동) 910117 1312

제 목 : 군용기 해외 비행 협조 관련

연 : WPH-0025

연호 군용기 해외 비행 관련, 구체 사항을 아래 통보하니 주재국 관계 당국에 협조를 요청하고 결과 보고 바람.

1. 기종 및 대수 : 2/C-130H (예비 : 1대 별도), 사우디에 군의료진 공수목적
2. 호출 부호 : 1번기 KAF 5186 등록번호 5186
   2번기 KAF 5185 " 5185
   예비기 KAF 5183 " 5183
3. 소 속 : 대한민국 공군 (ROKAF)
4. 기장 인적사항 : 1번기 중령 김영곤 교관 임무 지휘관
   2번기 소령 강신종 " " "
   예비기 중령 강대희 " " "
5. 승 객 : 130명 (기당 65명)
6. 비행계획(주경로)

| 구 간 | 예상항로 | 고도 FT | 거리NM | 소요시간 |
|---|---|---|---|---|
| 서울-CLARK | A586 CJUB576 APUB591 TR 20 | 24,000 | 1,433 | 5+37 |

1991. 6. 30. 에 예고문에 의거 일반문서로 재 분류됨.

/계속 . . .

김영석 798-6730

| 보안통제 | 갈 |
|---|---|

| 앙고재 | 91년 1월 17일 | 중근동과 | 기안자 성명 | | 과 장 | | 국 장 | | 차 관 | 장 관 |
|---|---|---|---|---|---|---|---|---|---|---|
| | | | 김영석 | | 갈 | | | | | 가 |

외신과통제

0010

| | | | | |
|---|---|---|---|---|
| CLARK-BANKOK | TR23LBG G577 MAARI R201 | " | 1,724 | 6+10 |
| BANGKOK-BOMBAY | R468 | " | 1,581 | 5+45 |
| BONXBAY-DHAHRAN | R219W MAROB B55 AUH G462 PIMALB58 | " | 1,354 | 5+20 |

귀환시는 역 비행 경로

7. 공통 협조 내용
   1) 이.착륙 허가
   2) 항공기 안전 주기
   3) 오물처리(쓰레기/화장실)
   4) FLEET SERVICE (기내식)
8. 연료 및 숙박시설 지원

주 경로 사용시

| 기 지 | 국 가 | 연료등급 | 연료요구량(CBS) |
|---|---|---|---|
| 클라크 | 필리핀-미국 | JP-4/JP-5 | 70,000 (75,000×2) 안전고려 |
| 방 콕 | 태 국 | " | " 승무원 30명 승객130 ? |
| 봄베이 | 인 도 | JET A-1/JP-4 | " " |
| 다 란 | 사우디 | JP4/JP-5 | " 30 |

9. 숙박시설 2인 1실 기준
10. 영공통과 및 FIR 통과 시간은 추후 통보
11. 영공 통과 대상국 (14개국)

    일본, 대만, 필리핀, 인니, 태국, 말련, 스리랑카, 인도, 파키스탄, 오만, UAE, 바레인, 사우디, 미얀마
12. 승무원 명단 (별첨)

( 중동아국장 _ 이 해 순 )

수신처 : 주 일본, 대만, 필리핀, 인니, 태국, 말련, 스리랑카, 인도, 파키스탄, 오만, UAE, 바레인, 미얀마, 사우디 대사

예 고 : 91.6.30. 일반

0011

12 승무원 명단

| 구 분 | | 1 번 기 | | 2 번 기 | | 예 비 기 | |
|---|---|---|---|---|---|---|---|
| | | 계급 | 성 명 | 계급 | 성 명 | 계급 | 성 명 |
| 조 종 사 | | 중령 | 김 영 곤 | 소령 | 강 신 종 | 중령 | 강 대 희 |
| | | 소령 | 류 보 형 | 소령 | 김 석 종 | 소령 | 김 찬 수 |
| | | 대위 | 박 수 철 | 대위 | 이 성 우 | 대위 | 박 헌 식 |
| | | 대위 | 심 재 관 | 대위 | 이 장 룡 | 대위 | 이 해 원 |
| 항 법 사 | | 소령 | 유 헌 주 | 소령 | 김 길 수 | 대위 | 이 정 록 |
| | | 대위 | 이 선 근 | 대위 | 김 선 백 | 대위 | 김 태 진 |
| 정 비 사 | | 상사 | 김 상 한 | 상사 | 이 종 수 | 상사 | 김 창 한 |
| | | 상사 | 김 경 호 | 상사 | 전 봉 진 | 상사 | 김 작 수 |
| 적 재 사 | | 상사 | 장 서 영 | 상사 | 정 대 식 | 상사 | 최 대 성 |
| | | 상사 | 최 종 천 | 상사 | 김 영 민 | 중사 | 이 주 희 |
| 특기 정비사 | 엔진 | 상사 | 김 철 수 | | | | |
| | 유압 | 상사 | 최 상 미 | | | | |
| | 통신 | 상사 | 최 정 규 | | | | |
| | 전기 | | | 상사 | 서 선 용 | | |
| | 계기 | | | 상사 | 윤 창 한 | | |

0012

WJA-0230    910117 1312  FC

WCH -0051  WPH -0046  WDJ -0082  WTH -0096  WMA -0072

WSK -0015  WND -0060  WPA -0030  WOM -0024  WAE -0041

W3H -0030  WBM -0015  WSB -0119

0013

# 군용기 해외 비행 협의사항

1. 운항 항공기 : C-130

2. 운항 기간 : '91.1.15 ~ '91.12.31 기간중 월1회 부정기적 운항

3. 비행경로

   가. 서울 → 필리핀 (크라크) → 말레이지아 (쿠알라룸프르) → 스리랑카 (콜롬보) → 사우디 (다란)

   나. 서울 → 필리핀 (크라크) → 말레이지아 (쿠알라룸프르) → 스리랑카 (콜롬보) → 인도 (봄베이) → 사우디 (다란)

4. 협조 요망사항

   가. 각국 비행정보구역(FIR : FLIGHT INFORMATION REGION) 및 영공통과 협조
      - o 대상국(12) : 대만, 필리핀, 인도네시아, 말레이지아, 스리랑카, 인도, 파키스탄, 오만, 아랍에미레이트, 바레인 사우디, 미국 (필리핀)
      - o 협조후 인가(허가) 근거문서 또는 번호 통보 요망

   나. 중간기착 공항 착륙인가
      - o 대상국 : 필리핀(크라크), 말레이지아(쿠알라룸프르) 스리랑카(콜롬보), 인도(봄베이), 사우디(다란)
      - o 협조후 착륙허가번호(ALAN) 통보 요망 (ALAN : AIR LANDING AUTHORIZED NUMBER)

   다. 중간기착지 공항에서 연료보급 및 오물처리
      - o 크라크기지 : 미국(미공군)/현물상환
      - o 쿠알라룸푸트, 콜롬보, 봄베이, 다란 : 상환방법 제시 요망

   라. 국제분쟁 및 항공기 비상 발생시 긴급조치
      - o 비상착륙 인가
      - o 정비작업을 위한 지원 시설활용
      - o 탐색구조

   마. 기타 항공기 비행에 관련된 사항
      - o 기상 및 항공고시보 (NOTAM : NOTICE TO AIR MAN) 협조지원
      - o 항로 비행인가 및 항공관제
      - o 출입국 관련사항 협조(CIQ)

0014

| 관리 번호 | 91/1128 |
|---|---|

| 분류번호 | 보존기간 |
|---|---|
| | |

# 발 신 전 보

번 호 : WJA-0237 외 별지참조 종별 : 초긴급

수 신 : 주 수신처 참조 대사. 총영사

발 신 : 장 관 (중근동) 910117 1712

제 목 : 군의료 지원단 출발일자 단축

국방부는 군의료 지원단 출발 일자가 당초 2.1에서 1.20 전후로 앞당겨 파견 예정인바 연호 군용기 운용에 따른 귀지 조치 결과를 늦어도 1.19일까지 필히 보고 바람.

1991. 6 . 30. 에 예고문에 의거 일반문서로 재 분류됨.

(중동아 국장 이 해 순)

수신처 : 주일, 중국, 필리핀, 인니, 태국, 말련, 스리랑카, 인도, 파키스탄, 오만, UAE, 바레인, 미얀마, 사우디 대사.

예 고 : 1991.6.30. 일반

| 보안 통제 | 기 |
|---|---|

| 앙 고 재 | 91년 1월 17일 | 중근동 | 기안자 성명 | | 과 장 | 심의관 | 국 장 | | 차 관 | 장 관 |
|---|---|---|---|---|---|---|---|---|---|---|
| | | | 정한덕 | | 기 | 안 | 전결 | | | 기 |

| 외신과통제 |
|---|
| |

0015

WJA-0237 910117 1712 FC

WCH -0054 WPH -0049 WDJ -0086 WTH -0098 WMA -0073

WSK -0016 WND -0061 WPA -0031 WOM -0025 WAE -0043

WBH -0032 WBM -0016 WSB -0121

0016

JAN 17 '91 14:26 KUK BANG BU 621 P.1

# 국 방 부

( 795-6217 )

군개 24411- 94 91. 1. 17.

수신 외무부장관 (1년)

참조 중근동과

제목 군 의료지원단 출발 일자 단축 협의

1. 군 의료지원단 출발일자가 당초 2.1일에서 1.22 전후로 당겨질 예정이니 군용기 운용에 따른 관계국가 승인 여부를 1.20일까지 회신 바랍니다.

발송 1991. 1. 17 국방부

국 방 부 장

군수기획과장 전결

국방부장관인

0017

| 관리 번호 | 91/1170 |
|---|---|

| | 분류번호 | 보존기간 |
|---|---|---|
| | | |

# 발 신 전 보

번 호 : WJA-0246 외 별지참조 종별 : 긴급

수 신 : 주 수신처 참조 대사. 총영사 WJA-0246 910117 2306 CG

발 신 : 장 관 (중근동) WCS -0035 WFR -0050 WDJ -0090 WTH -0104 WMA -0075

제 목 : 수송기 WSK -0031 WND -0063 WBM -0018 WPA -0034 WOM -0031

WAE -0050 WBH -0037 WSB -0133

연 : WJA - 0230

연호 아국군 수송기 C-130, 2대의 운항일정을 아래 통보하니 주재국 관계 당국에 긴급 조치하고 (허가번호 및) 결과 보고 바람.

1. 운항 일시

| | | |
|---|---|---|
| 91.1.21.(월) | 06:00 | 서울공항 출발 |
| | 11:00 | 필리핀 (미 CLARK 공군기지) 도착 |
| | 13:00 | " 출발 |
| | 18:10 | 방콕 도착 (1박) |
| 1.22.(화) | 09:00 | 방콕 출발 |
| | 13:00 | 인도 (봄베이) 도착 (2일간 대기) |
| 1.23.(수) | | 봄베이 대기 |
| 1.24.(목) | 05:00 | 인도 (봄베이) 출발 |
| | 09:00 | 사우디 (다란) 도착 |
| | 11:00 | " 출발 |
| | 15:00 | 인도 (봄베이) 도착 |

1991. 6. 30. 에 예고문에 의거 일반문서로 재 분류됨.

19

/.....

| 보 안 통 제 | 7h |
|---|---|

| 앙 고 재 | 91년 1월 17일 | 중근동과 | 기안자 성명 | | 과 장 | 심의관 | 국 장 | | 차 관 | 장 관 |
|---|---|---|---|---|---|---|---|---|---|---|
| | | | | | 7h | | | | | |

외신과통제

0018

| | | | |
|---|---|---|---|
| 1.25.(금) | 05:00 | " | 출발 |
| | 09:00 | 사우디 (다란) | 도착 |
| | 11:00 | " | 출발 |
| | 15:00 | 인도 (봄베이) | 도착 (1박) |
| 1.26.(토) | 09:00 | " | 출발 |
| | 17:00 | 방콕 도착 | |
| 1.27.(일) | | 휴 식 | |
| 1.28.(월) | 09:00 | 방콕 출발 | |
| | 16:00 | 필리핀 (미 CLARK 공군기지) | 도착 (1박) |
| 1.29.(화) | 09:00 | " | 출발 |
| | 16:00 | 서울 공항 도착 | |

2. 협조사항

1) FIR 및 영공 통과

2) 중간 기착지 이.착륙 허가번호 획득

3) 오물처리 및 기내식 제공 (봄베이-다란)

4) 중간 기착지 연료 보급 및 비용 상환

5) 숙박 시설 예약

6) 항공기 결함시 지원시설 및 장비 제공

7) 유사시 탐색, 구조지원

8) 비상시 항공기 타기지 착륙 허가

(중동아프리카국장 이 해 순)

수신처 : 주일본, 대만, 필리핀, 인도네시아, 태국, 말레지아, 스리랑카, 인도, 미얀마, 파키스탄, 오만, UAE, 바레인, 사우디 대사

예 고 : 91.6.30. 일반

0019

91-01-17 20:15 KUKBANG NO.937 P.01

외-P-172010

| 분류기호 문서번호 | 중동24447-98 | 기 안 용 지 (전화: ) | 시 행 상 특별취급 | |
|---|---|---|---|---|
| 보존기간 | 영구·준영구. 10. 5. 3. 1. | 장 관 | | |
| 수 신 처 보존기간 | 1년 | | | |
| 시행일자 | 91. 1. 17 | | | |
| 보조기관 | 국장 / 과장 / 담당 | 전결 | 협조기관 | 문서통제 |
| 기안책임자 | 중동1과 박정옥 | | | 발송인 |
| 경유 수신 참조 | 외무부장관 중근동과 "페"만 대책 실무장 | 발신명의 | | FAX 1991. 1. 17 전문통제관 |
| 제 목 | 군용기 운항 협조 | | | |

1. 첨부 내용과 같이 군용기 운항협조하니 조치 바랍니다.

첨부 : 전문 내용 1부

끝

1505-25(2-1) 일(1)갑 85. 9. 9. 승인 "내가 아낀 종이 한장 늘어나는 나라살림" 190mm×268mm 인쇄용지 2급 60g/m² 가 40-41 1990. 8. 7.

0020

91-01-17 20:16 KUKBANG

| 비밀구분 | 전보/전통용지 | 전결대국 근 장 결재사항 |
|---|---|---|

| ※호 출 | ※번 호 | ※지 정 | 우선순위 | ※일.시.분 |
|---|---|---|---|---|
| | | | | |

접수처보존 : 원문보존 :

자치통제

분류기호 :

발 신 :

수 신 : 외무부 장관

주 무 : (駐) 태국 대사 본부장

단체통제

전보/전통 제 호

자(어)수 :

제 목 : 군용기 운항 협조

1. 관련근거 : 군계 24411-94 (91.1.17) 건 의료지원단 철발 운항 협조

2. 위 관련 근거로 기요청한 공군 C-130 2대의 운항일정 계획을 아래와 같이 통보 하오니 영공 통과 예정 해당국 주재 공관에 긴급조치를 의뢰 합니다.

가. 운항 일시 (현지 시간)

91. 1. 21 (월) 06:00 서울공항 출발
11:00 필리핀 (미 CLARK 공군기지) 도착
13:00 " 출발
18:10 방콕 도착
( 1 박)
91. 1. 22 (화) 09:00 방콕 출발
13:00 인도 (봄베이) 도착
(2시간 대기)

(전 보)

| ※회선명 | ※송수신시간 | ※송수신자 | ※검 인 | 발신부서 | 전화번호 | 기안자 |
|---|---|---|---|---|---|---|
| | | / | | | | |

4-7-7 우편양식 1027 & 0 ※ 표시란은 통신취급소에서 기입 국군인쇄공장

NO.937 P.02

0021

1. 23 (수) — 봄베이대기 —

1. 24 (목) 05:00 인도(봄베이) 출발
09:00 사우디 (다란) 도착
11:00 " 출발
15:00 인도 (봄베이) 도착

1. 25 (금) 05:00 " 출발
09:00 사우디(다란) 도착
11:00 " 출발
15:00 인도(봄베이) 도착
(1 박)

1. 26 (토) 09:00 인도 (봄베이) 출발
17:00 방콕 도착

1. 27 (일) 휴 식

방콕 출발

1. 28 (월) 09:00 필리핀 (미 CLARK공군기지) 도착
16:00
(1 박)

1. 29 (화) 필리핀 (미 CLARK공군기지) 출발
09:00
16:00 서울 공항 도착

4. 협조사항

1) FIR 및 영공 통과
2) 중간기착지 이·착륙허가번호획득
3) 지상처리 및 기내식제공(봄베이-다란)
4) 중간 기착지 연료보급 및 비용상환
5) 숙박 시설 예약
6) 항공기 결함시 지원시설및 정비제공
7) 목적지 탐색, 구조지원
8) 비상시 항공기 타기지 착륙 허가

5. 위 사항에 추가하여 귀부에서 공군 승무원 출·입국에 따른 지원 협의(예: 여권, 비자 발급, 출국신고 등)를 제공바랍니다 -끝-

91-01-17 20:16 KUKBANG NO.937 P.03

0022

# 해외비행 협조의뢰

1. 임무목적 : 사우디 아라비아 의료지원단 파병공수

2. 항공기 현황

가. 기종 및 대수 : 2/C-130H (예비 : 1대별도)

나. 소 속 : 대한민국 공군 (ROKAF)

다. 호출부호 및 등록번호

| 구 분 | 호 출 부 호 | 등 록 번 호 |
|---|---|---|
| 1 번 기 | KAF 5186 | 5186 |
| 2 번 기 | KAF 5185 | 5185 |
| 3 번 기 | KAF 5183 | 5183 |

- KAF : KOREAN AIR FORCE
- 예비기는 임무기 결함 발생시 즉각 투입

0023

3. 승무원 현황

가. 기장 인적사항

4

| 구 분 | 계급 | 성 명 | 국 적 | 자 격 | 비 고 |
|---|---|---|---|---|---|
| 1 번기 | 중령 | 김 영 곤 | 한 국 | 교 관 | 임무지휘관 |
| 2 번기 | 소령 | 강 신 종 | 한 국 | 교 관 | |
| 예비기 | 중령 | 강 대 희 | 한 국 | 교 관 | |

나. 승무원 명단 : 임무기 30명 , 예비기 10명 (부표참조)

4. 승객 : 130 명 (기당 65 명)

5. 비행계획

가. 주경로

| 구 간 | 예 상 항 로 | 고도(FT) | 거리(NM) | 소요시간 |
|---|---|---|---|---|
| 서울→ CLARK | A586 CJU B576 APU B591 SAN TR 20 | 24,000 | 1,433 | 5 + 37 |
| CLARK → BANGKOK | TR23 LBG G577 MAARI R201 | 24,000 | 1,724 | 6 + 10 |
| BANGKOK → BOMBAY | R468 | 24,000 | 1,581 | 5 + 45 |
| BOMBAY → DHAHRAN | R219W MAROB B55 AUH G462 PIMAL B58 | 24,000 | 1,354 | 5 + 20 |

※ 귀환시는 역 비행경로 사용

0024

나. 예비경로

| 구 간 | 예 상 항 로 | 고도(FT) | 거리(NM) | 소요시간 |
|---|---|---|---|---|
| 서울→ CLACK | A586 CJU B576 APU B591 SAN TR20 | 24,000 | 1,433 | 5+37 |
| CLARK → KUALA LUMPUR | TR23 LBG G577 MEVAS G582 | 24,000 | 1,383 | 4+54 |
| KUALA LUMPUR → COLOMBO | R461 | 24,000 | 1,338 | 4+32 |
| COLOMBO → BOMBAY | R461 BBM R461N | 24,000 | 819 | 2+54 |
| BOMBAY → DHAHRAN | R219W MAROB B55 AUH G462 PIMAL B58 | 24,000 | 1,354 | 5+20 |

※ 귀환시는 역 비행경로 사용

6. 중간 기착지 협조 요구사항

가. 공통협조 내용

(1) 이.착륙 허가

(2) 항공기 안전주기

(3) 오물처리(쓰레기 / 화장실)

(4) FLEET SERVICE(기내식)

0025

나. 연료 및 숙박시설 지원

(1) 주경로 사용시

| 기 지 명 | 협조국가 | 연료등급 | 연료 요구량(LBS) | 숙 박 지 원 |
|---|---|---|---|---|
| CLARK | 필리핀 / 미국 | JP-4 / JP-5 | 70,000 (35000×2) | . |
| BANGKOK | 태 국 | 〃 | 〃 | 승무원 30명 승 객 130명 |
| BOMBAY | 인 도 | JET A-1 / JP-4 | 〃 | 승무원 30명 승 객 130명 |
| DHAHRAN | 사우디 아라비아 | JP-4 / JP-5 | 〃 | . |

※ 숙박시설 2인 1실 기준 (안전 고려)

(2) 예비경로 사용시

| 기 지 명 | 협조국가 | 연료등급 | 연료 요구량(LBS) | 숙 박 지 원 |
|---|---|---|---|---|
| CLARK | 필리핀 / 미국 | JP-4 / JP-5 | 70,000 (35000×2) | . |
| KUALA LUMPUR | 말레이지아 | 〃 | 〃 | 승무원 30 명 승객 130 명 |
| COLOMBO | 스리랑카 | JET A-1/ JP-4 | 〃 | . |
| BOMBAY | 인 도 | 〃 | 〃 | 승무원 30 명 승객 130 명 |
| DHAHRAN | 사우디 아라비아 | JP-4 / JP-5 | 〃 | . |

※ 숙박시설 2인 1실 기준 (안전 고려)

0026

7. 기 타

가. 영공 통과 및 FIR 통과시간은 추후통보

나. 영공통과 대상국 (14개국)

일본 대만, 필리핀, 인도네시아, 태국, 말레이지아

스리랑카, 인도, 파키스탄, 오만, 아랍 에미레이트

바레인, 사우디, 미얀마

0027

부 표

## 승무원 명단

| 구분 | | 1번기 | | 2번기 | | 예비기 | |
|---|---|---|---|---|---|---|---|
| | | 계급 | 성명 | 계급 | 성명 | 계급 | 성명 |
| 조종사 | | 중령 | 김영곤 | 소령 | 강신종 | 중령 | 강대희 |
| | | 소령 | 류보형 | 소령 | 김석종 | 소령 | 김찬수 |
| | | 대위 | 박수철 | 대위 | 이성우 | 대위 | 박헌식 |
| | | 대위 | 심재관 | 대위 | 이장룡 | 대위 | 이해원 |
| 항법사 | | 소령 | 유헌주 | 소령 | 김길수 | 대위 | 이정록 |
| | | 대위 | 이선근 | 대위 | 김선백 | 대위 | 김태진 |
| 정비사 | | 상사 | 김상한 | 상사 | 이종수 | 상사 | 김창한 |
| | | 상사 | 김경호 | 상사 | 전봉진 | 상사 | 김작수 |
| 적재사 | | 상사 | 장서영 | 상사 | 정대식 | 상사 | 최대성 |
| | | 상사 | 최종천 | 상사 | 김영민 | 중사 | 이주희 |
| 특기 정비사 | 엔진 | 상사 | 김철수 | | | 군의관 2<br>안전요원 3 | |
| | 유압 | 상사 | 최상미 | | | | |
| | 통신 | 상사 | 최정규 | | | | |
| | 전기 | | | 상사 | 서선용 | | |
| | 계기 | | | 상사 | 윤창한 | | |

0028

| 관리 번호 | 91/1140 |
|---|---|

원 본

# 외 무 부

종 별 :

번 호 : PHW-0068 일 시 : 91 0117 1110

수 신 : 장관(중근동,아동) 사본:국방부장관

발 신 : 주 필리핀 대사

제 목 : 군용기 해외 비행에 따른 협조

연:PHW-57

1. 주재국 외무부는 연호 아국 군용기의 주재국 통과에 따른 협조 요청에 대하여 이를 허용한다는 91.1.16. 자 구상서를 보내왔음.(구상서 번호 NO.910205

2. 상기 구상서는 파편 송부하겠음.

(대사 노정기-국장)

예고:91.12.31. 일반

91.6.30.

중아국 1차보 2차보 아주국 국방부

PAGE 1

91.01.17 12:33

외신 2과 통제관 FE

0029

관리번호 91/1270

주 필 리 핀 대 사 관

주비정 700 - 0071 1991.1.17.

수 신 : 장관

참 조 : 아중동국장

제 목 : 군용기 해외비행에 따른 협조

연 : PHW - 0068

91.6.30.

연호 구상서를 별첨 송부합니다.

별 첨 : 상기 구상서 사본 1부. 끝.

예고분 : 일반 1991.12.31

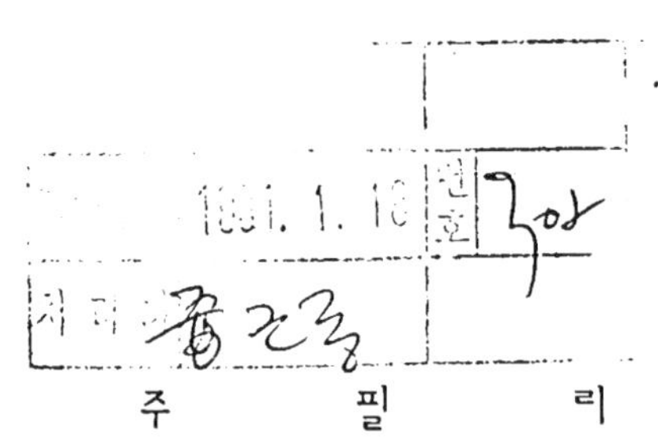

주 필 리 핀 대

0030

No. 910205

The Department of Foreign Affairs presents its compliments to the Embassy of the Republic of Korea and, with reference to the Embassy's Note No. KPH-91-003 dated 11 January 1991, has the honor to inform the Embassy that permission is hereby granted for a Korean Air Force C-130 aircraft for landing and take-off from either Clark Air Base or Villamor Air Base once a month after January 15, 1991, to ferry non-military personnel, particularly medical teams, to the Middle East, provided that the following conditions shall be complied with:

1. The aircraft will follow the approved route;
2. The aircraft will be used only for the purpose stated;
3. While flying over Philippine territory, the aircraft will maintain radio contact with ATO and will follow instructions;
4. When intercepted by Air Defense Units, the aircraft will follow orders; and
5. No aerial photography of any portion of the Philippines will be undertaken.

The Department of Foreign Affairs avails itself of this opportunity to renew to the Embassy of the Republic of Korea the assurances of its highest consideration.

Manila, 16 January 1991

0031

| 관리번호 | 91/1141 |
|---|---|

원본

# 외 무 부

종 별 : 초긴급

번 호 : BMW-0027 일 시 : 91 0117 1230

수 신 : 장관(중근동,아서)

발 신 : 주 미얀마 대사

제 목 : KAL 특별기 미얀마 영공통과

대:WBM-0014

본직은 금 1.17(목) 10:30 주재국 교통부 "우턴옹" 민항국장및 ACC 측과 접촉, 대호 긴급허가를 요청, 주재국 영공통과에 대한 원칙적인 허가를 득하였음. 상세 비행스케쥴은 추후 알려주겠다고 하였는바, 조속 회시 바람.

(대사 김항경-국장)

예고:91.6.30 일반

1991.6.30. 에 예고문에 의거 일반문서로 재 분류됨.

중아국 장관 차관 1차보 2차보 미주국

PAGE 1

91.01.17 15:19

외신 2과 통제관 BA

0032

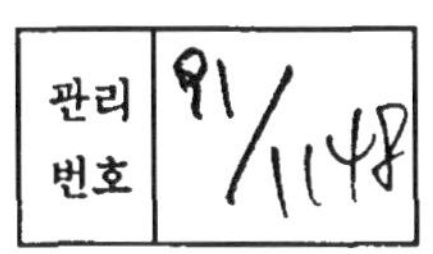

원 본

# 외 무 부

종 별 : 초긴급

번 호 : BMW-0028 일 시 : 91 0117 1720

수 신 : 장관(중근동,아서)

발 신 : 주 미얀마 대사

제 목 : 군의료 지원단 항공기 영공통과

대:WBM-0015,0016

1. 대호 본직은 금 1.17(목) 16:00 주재국 교통부 민항국장과 접촉, 중동지역에 인도적 견지에서의 의료진 파견을 위한 항공기 3 대의 1.20 경 주재국 영공통과 계획을 설명하고 허가를 요청하였는바 우선 구두허가를 득하였음.

2. 당관은 대호 상세사항을 동 국장과의 협의에 따라 주재국 외무성및 교통부에 공한으로 정식 통보예정인바 항공일정등 회시바람

(대사-국장)

예고:91.6.30 일반

1991.6.30 에 예고문에 의거 일반문서로 재 분류됨.

중아국 아주국

PAGE 1

91.01.17 20:46

외신 2과 통제관 CA

0033

관리 번호 91/1201

원 본

# 외 무 부

종 별 : 긴 급

번 호 : NDW-0102 일 시 : 91 0117 1840

수 신 : 장관(중근동)

발 신 : 주 인도 대사

제 목 : 군용기 해외비행 협조

대:WND-0060

당관에서 금 1.17(목) 대호내용을 주재국 외무부 동아국및 관계부처에 통보하고 협조 요청을 한데 대해 외무부측 반응은 다음과 같음.

1. 군용기 비행에 따른 여사한 협조요청이 한국측뿐만 아니라 여타국가로부터도 접수되고 있기 때문에 동건에 대해서는 상부에서 종합적으로 판단, 결정하게 될 것으로 예상됨.

2. 동아국으로서는 동건에 대해서 최대한 빨리 조치를 취할 예정인바,1.20 전의 근무일이 명일(1.18)뿐임을 감안, 허가조치에 필요한 구체비행일정(봄베이 이. 착륙시간 포함)과 다음사항에 대해 명일오전중 지급 회보바람.

0 군용기 탑승승객의 인적구성및 여권 또는 여행증명서 보유여부

0 봄베이 체류시 원하는 숙박시설의 종류 및 비용 정산 방법

(대사 김태지-국장)

예고:91.6.30. 일반

1991. 6. 30. 에 예고문에 의거 일반문서로 재 분류됨.

중아국

PAGE 1

91.01.17 22:38

외신 2과 통제관 CF

0034

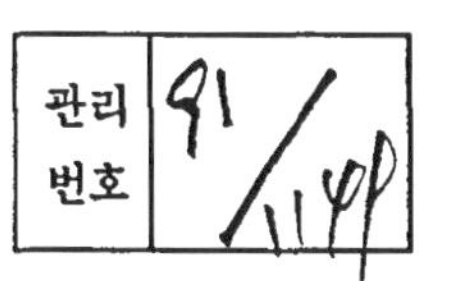

원 본

# 외 무 부

종 별 : 초긴급

번 호 : BHW-0029 일 시 : 91 0117 1810

수 신 : 장관(중근동)

발 신 : 주 바레인 대사

제 목 : 군용기 해외비행

대:WBH-0030,0032

1. 대호, 군용기의 주재국 영공통과 허가(허가번호:CAD/ATC/A-238 17/01/91)를 아래 전문과 같이 득함.

2. 동 군용기의 잠정 운항일정은 1.20 로 통보되었는바, 동 일정 변경시에는 주재국 당국에의 사전 통보를 통해 조정 가능함.

3. 주재국 당국의 허가 전문 아래 타전함.

QU BAHSMKE

.BAHAPYF 171203MA

OUR REF CAD/ATC/A-238 17/01/91.

RYR 171050A IN RESPECT OF AIRCRAFT CALLSIGN KAF5186/5185/5183.

PROPOSIONG OPERATION FROM SEL/MNL/BKK/BOM/DHA ON 20 JAN 91.

PD PERMISSION GRANTED OVERFLY BAHRAIN BUT YOU SHOULD FORWARD

TO:OBBBYEYX OBBBZQZX FLT SCHEDULE OPERATIONAL DATA LISTS AS

STATED IN BAHRAIN AIP RAC 1-1,2.

I.E. FIR ENTRY TIME POSN TYPE FROM FL TAS DEST PD IF YOU

REQUIRE PERMISSION TO OVERFLY OTHER STATES IN THE FIR YOU

171217 JAN91 BAH 082

(대사 우문기-국장)

예고:91.6.30 일반

1991. 6. 30. 에 예고문에 의거 일반문서로 재 분류됨.

중아국

PAGE 1 91.01.18 01:11

외신 2과 통제관 CF

0035

| 관리번호 | 91/1200 |
|---|---|

원 본

# 외 무 부

종 별 : 긴 급

번 호 : BHW-0030 일 시 : 91 0117 1915

수 신 : 장관(중근동)

발 신 : 주 바레인 대사

제 목 : 수송기

대:WBH-0037

연:BHW-0029

1. 대호, 수송기의 주재국 영공통과 허가는 연호로 기보고함.

2. 연호로 보고한 동 항공기 잠정 운항일정은 대호에 의거 주재국 당국에 적의 통보 조정하겠음. 끝.

(대사 우문기-국장)

예고:91.6.30 일반

1991. 6. 30. 에 예고문에 의거 일반문서로 재 분류됨.

중아국 2차보

PAGE 1

91.01.18 02:12

외신 2과 통제관 CA

0036

| 관리번호 | 91/1150 |
|---|---|

원 본

# 외 무 부

종 별 : 긴 급

번 호 : PHW-0075 일 시 : 91 0118 0940

수 신 : 장관(중근동)

발 신 : 주 필리핀 대사

제 목 : 수송기

대:WPH-50

1. 대호관련 당관 구정회 무관이 91.1.17. 당지 미공군 기지 출장 및 미대사관 무관과 접촉, 대호 수송기의 당지 이, 착륙에 따른 제반 협조를 약속 받았음.

2. 당관은 상기 관련 구체적 요청 사항을 외무부에 1.18. 자 별도 문서로 제출하고자함.

(대사 노정기-국장)

예고:91.12.31. 일반

91. 6. 30. 검토필

중아국 차관 1차보 2차보 대책반

PAGE 1 91.01.18 11:04

외신 2과 통제관 FE

0037

| 관리 번호 | 91/152 |
|---|---|

원 본

# 외 무 부

종 별 : 긴 급

번 호 : SKW-0025 일 시 : 91 0118 1040

수 신 : 장관(중근동)

발 신 : 주 스리랑카 대사

제 목 : 수송기

대:WSK-0019(91.1.17)

1. 대호 수송기의 주재국 영공통과에 관하여 주재국측에 기협조 요청한바, 주재국 외무부측의 협조를 확보 하였으며, 금일 오전 주재국 항공국 관계책임자와 면담, 구체 협조를 확보할 예정인바, 금일중 그결과를 회보하겠음.

2. 대호 비행일정에 따르면 아국 수송기는 당지에 기착하지않고 영공 통과만 하게 되어 있음. 이와관련 주재국 외무부측은 만약 아국 항공기의 주재국 기착 경우에는 폐만 사태로 연료부족 관계로 아국 항공기의 비상착륙시 연료공급의 어려움을 지적 하였음을 참고 바람.

(대사 장훈-국장)

예고:91.6.30 일반

1991.6.30. 에 예고문에 의거 일반문서로 재 분류됨.

중아국

PAGE 1 91.01.18 14:30

외신 2과 통제관 DO

0038

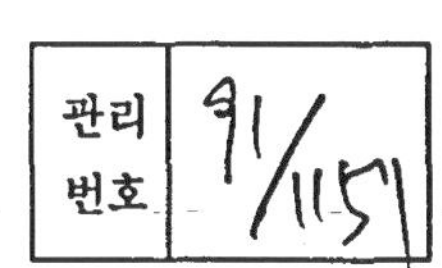

원 본

# 외 무 부

종 별 : 긴 급

번 호 : PAW-0059 일 시 : 91 0118 1100

수 신 : 장관(중근동)

발 신 : 주 파 대사

제 목 : 군수송기 통관

대 WPA-37

연 PAW-31

1. 주재국 외무성에 대호 내용통보하고 독촉중인바, 원칙적으로 문제가 없으나 주재국 군과 협조등 수속상 약간 시간이 지연되고있다함.

2. 금 1.18(금)은 주재국 휴일인 관계로, 명 1.19(토)중 영공통과 허가번호보고위계임.끝.

(대사 전순규-국장)

예고 91.6.30 일반

1991.6.30. 에 예고문에 의거 일반문서로 재 분류됨.

중아국 장관 차관 1차보 2차보 국방부

PAGE 1

91.01.18 15:12

외신 2과 통제관 BA

0039

관리번호 91/115

원 본

# 외 무 부

종 별 : 초긴급

번 호 : NDW-0104 일 시 : 91 0118 1120

수 신 : 장관(중근동)

발 신 : 주 인도 대사

제 목 : 군용기 비행협조

대:WND-0060,0063

연:NDW-0102

대호관련, 당관에서 금 1.18 주재국 외무부및 공군본부측을 재차 접촉한데 대해 주재국측 반응은 다음과 같은바, 지침 지급 회시바람.

1. 영공통과및 숙박시설 제공등은 협조가능하나 항공기 연료제공은 현재 인도의 원유수급및 비축사정상 불가능함을 양지바람.

2. 작년 이락의 쿠웨이트 침공이후 인도의 원유수급사정이 계속 악화되어 옴에 따라 현재 비축분은 거의 바닥이 난 상태인 데다가 금번 전쟁발발로 인해 정부에서는 에너지 추가절약정책을 강화하고 있기 때문에 연료제공은 불가능함.

3. 연료제공이 불가능한 상황에서 대호 비행계획을 그대로 추진할 것인지 금일중 회시바람.

(대사 김태지-국장)

예고:91.6.30. 일반

1991.6.30. 에 예고문에 의거 일반문서로 재분류됨.

중아국 장관 차관 1차보 2차보 국방부

PAGE 1

91.01.18 15:09

외신 2과 통제관 BA

0040

| 관리 번호 | 91/1160 |
|---|---|

| | 분류번호 | 보존기간 |
|---|---|---|
| | | |

# 발 신 전 보

번 호 : WND-0067 910118 2005 AO 사본: 주파키스탄, 오만 대사 긴급 WPA-~~0041~~ WOM -0034

수 신 : 주 인 도 대사. 총영사

발 신 : 장 관 (중근동)

제 목 : 군용기 기착

대 : NDW-0104

국방부는 항로상 최단거리 인접과 급유 목적으로 봄베이를 기착 공항으로 정하였다 하는바 봄베이 중간 기착이 가능토록 관계 고위당국자를 접촉 재교섭 바라며 봄베이가 불가능시 차선책으로 카라치 또는 무스캇으로 운항 계획을 바꿔야 하므로 교섭 결과 긴급 회보 바람. 끝.

(중동아국장 이 해 순)

예 고 : 91.12.31. 일반

91.6.30. [서명]

| 보안 통제 | [서명] |
|---|---|

| 앙 고 재 | 91년 1월 18일 | 중근동과 | 기안자 성명 | | 과 장 | | 국 장 | | 차 관 | 장 관 |
|---|---|---|---|---|---|---|---|---|---|---|
| | | | [서명] | | [서명] | | 전결 | | | [서명] |

| 외신과통제 |
|---|
| |

0041

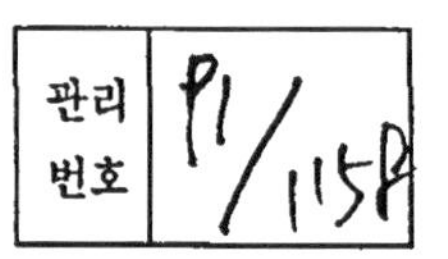

원 본

# 외 무 부

종 별 : 초긴급

번 호 : NDW-0109 일 시 : 91 0118 1240

수 신 : 장관(중근동)

발 신 : 주 인도 대사

제 목 : 군용기 비행협조

대:WND-0063

연:NDW-0104

당관 백성일 공사는 표기건과 관련한 협조를 위하여 금일오전 당지 미국대사관 SMITH 공사(대사대리)를 접촉, 협의하였는바, 동인의 언급요지 아래 보고함.

1. 호주및 카나다등도 금번 전쟁발발 이전에 여사한 군용기 비행에 관한 협조요청을 한데 대해 한국측과 마찬가지로 연료공급문제가 제기된 것으로 알고 있음.

2. 자신은 오늘오후 인도정부 당국자를 면담 예정인바, 한국측의 요청을 다시한번 전달하고 결과를 알려주겠음.

3. 미측으로서는 금번사태와 관련한 공수지원을 함에 있어서 회교국가인 방글라데시와 파키스탄을 통과하지 않도록 조치하고 있음을 참고로 첨언함.

(대사 김태지-국장)

예고:91.6.30. 일반

1991.6.30.에 예고문에 의거 일반문서로 재분류됨.

| 중아국 | 장관 | 차관 | 1차보 | 2차보 | 국방부 |
|---|---|---|---|---|---|

PAGE 1 91.01.18 16:31

외신 2과 통제관 BA

0042

| 관리 번호 | 91/1187 |
|---|---|

| 분류번호 | 보존기간 |
|---|---|
| | |

# 발 신 전 보

번 호 : WJA-0254 외 별지참조 종별 : 긴급

수 신 : 주 수신처참조 대사. ~~총영사~~

발 신 : 장 관 (중근동, 국방부)

제 목 : 군의료지원단 수송기 운항

연 : 별첨

1. 연호 FIR 통과시간 및 항공일정을 별첨 타전하니 주재국 관계당국에 통보하고 필요한 제반조치바람.

2. 주사우디대사는 ~~경우~~ ~~국방부는~~ 다란공항이 위험할 경우, 젯다공항에 이·착륙할수 있도록 조치하고 허가번호등 긴급 보고바람.

수신처 : 주일본, 대만, 필리핀, 인니, 말련, 스리랑카, 인도, 태국, 미국, 바레인, 파키스탄, 미얀마, 오만, UAE, 사우디 대사.

첨 부 : 1. 연호 번호

2. FIR 통과시간

3. 본대 이동시간 계획 . 끝.

91.6.30. 전결

(중동아국장 이 해 순)

예고 : 91.12.31.일반.

| 보안 통제 | |
|---|---|

| 앙 고 재 | 91년 1월 18일 | 중근동과 | 기안자 성명 | | 과 장 | 심의관 | 국 장 | | 차 관 | 장 관 |
|---|---|---|---|---|---|---|---|---|---|---|
| | | | (서명) | | | (서명) | 전결 | | | (서명) |

| 외신과통제 |
|---|
| |

0043

WJA-0249 910118 1227 FK

WCH -0056 WPH -0053 WDJ -0092 WMA -0076 WSK -0020

WND -0064 WTH -0106 WUS -0202 WPA -0037 WBM -0019

WOM -0033 WAE -0052 WSB -0139

처리

0044

# FIR 통과 시간

**서울 → CLARK**

20일 21:00Z
21일 06:00L
서 울 → RORG / 20일 22:42Z → RCTP / 20일 23:10Z
→ RPMM / 21일 01:03Z → CLARK
21일 03:00Z
21일 11:00L

**CLARK → BANGKOK**

21일 05:00Z
21일 13:00L
CLARK → PHILIPPINE ADIZ / 21일 06:11Z → WSJC / 21일 06:50Z
→ VTBB / 21일 09:35Z → BANGKOK
21일 11:10Z
21일 19:10L

/

0045

BANGKOK → BOMBAY

22일 02:00Z
22일 09:00L
BANGKOK → VBRR / 22일 02:24Z → VECP / 22일 04:03Z

→ VABF / 22일 06:21Z → BOMBAY
22일 08:00Z
22일 13:00L

BOMBAY → DHAHRAN

24일 00:00Z
24일 05:00L
BOMBAY → OOMM / 24일 02:31Z → OMAE / 24일 04:19Z

→ OBBB / 24일 05:03Z → DHAHRAN
24일 06:00Z
24일 09:00L

DHAHRAN → BOMBAY

24일 08:00Z
24일 11:00L
DHAHRAN → OMAE / 24일 08:40Z → OOMM / 24일 09:09Z

→ VBF / 24일 10:22Z → BOMBAY
24일 14:00Z
24일 19:00L

2

0046

BOMBAY → DHAHRAN

25일 00:00Z
25일 05:00L
BOMBAY → OOMM / 25일 02:31Z → OMAE / 25일 04:19Z

→ OBBB / 25일 05:03Z → DHAHRAN
25일 06:00Z
25일 09:00L

DHAHRAN → BOMBAY

25일 08:00Z
25일 11:00L
DHAHRAN → OMAE / 25일 08:40Z → OOMM / 25일 09:09Z

→ VBF / 25일 10:22Z → BOMBAY
25일 14:00Z
25일 19:00L

BOMBAY → BANGKOK

26일 04:00Z
26일 09:00L
BOMBAY → VECF / 26일 05:53Z → VBRR / 26일 07:44Z

→ VTBB / 26일 09:00Z → BANGKOK
26일 10:00Z
26일 17:00L

3

0047

BANGKOK → CLARK

28일 02:00Z
28일 09:00L
BANGKOK → WSJC / 28일 03:41Z → RPMM / 28일 06:38Z

→ PHILIPPINE ADIZ / 28일 07:16Z → CLARK
28일 08:10Z
28일 16:10L

CLARK → 서 울

29일 01:00Z
29일 09:00L
CLARK → RCTP / 29일 02:28Z → RORG / 29일 04:01Z

→ RKTT / 29일 04:25Z → 서 울
29일 07:00Z
29일 16:00L

※ 참고사항

○ 서울 출발 일정이 지연될경우 전체적인 일정은 순연됨

○ 일정별 시간은 국제표준시간(Z)과 현재시간(LOCAL)으로 명시하였음.

4

0048

# 본대 이동 시간 계획

○ 대한항공 : DC - 10

| 일 시 | 장 소 | 비 고 |
|---|---|---|
| '91.1.23<br>(17:00) | 서울공항출발 | ※ 김포공항 : 화물적재후 서울공항 14:00 도착<br>※ 환송행사 : 15:00 - 16:30 |
| '91.1.23<br>(23:00)<br>(한국시간 :<br>1.24 02:30) | 인도(봄베이)<br>도착 | |

○ 공군 군용기 : C-130

현지시간 (-) ~~한국 시간~~

| 일 시 | 장 소 |
|---|---|
| '91.1.21(월)<br>06:00(~~20:00~~) | 서울 공항 출발 |
| 11:00(~~12:00~~)<br>13:00(~~14:00~~) | 필리핀(미CLARK) 도착<br>" 출발 |
| 18:10(~~20:10~~)<br>1.22(화)<br>09:00(~~11:00~~) | 방콕 도착 (1박)<br>" 출발 |
| 13:00(~~17:00~~)<br>1.23(수) | 인도(봄베이) 도착<br>(2일간 대기) |
| 1.24(목)<br>05:00(~~09:00~~) | 인도(봄베이) 출발 |
| 09:00(~~15:00~~)<br>11:00(~~17:00~~) | 사우디(다란) 도착<br>" 출발 |
| 19:00(~~23:00~~) | 인도(봄베이) 도착<br>(1박) |

| 일 시 | 장 소 |
|---|---|
| '91.1.25(금)<br>05:00(~~09:00~~) | 인도(봄베이) 출발 |
| 09:00(~~15:00~~)<br>11:00(~~17:00~~) | 사우디(다란) 도착<br>" 출발 |
| 19:00(~~23:00~~) | 인도(봄베이) 도착<br>(1박) |
| 1.26(토)<br>09:00(~~13:00~~)<br>17:00(~~19:00~~) | 인도(봄베이) 출발<br>방콕 도착 |
| 1.27(일) | 휴 식 |
| 1.28(월)<br>09:00(~~11:00~~)<br>16:10(~~17:10~~) | 방콕 출발<br>필리핀(미CLARK) 도착<br>(1박) |
| 1.29(화)<br>09:00(~~10:00~~)<br>16:00(~~16:00~~) | 필리핀(미CLARK) 출발<br>서울공항 도착 |

0049

WJA-0254 910118 2346 DQ

WCH -0062 WPH -0055 WDJ -0097 WMA -0081 WSK -0023

WND -0068 WTH -0110 WUS -0210 WBH -0040 WPA -0042

WBM -0020 WOM -0035 WAE -0053 WSB -0144

0050

91-1-191801

1호

군계 24411-100

수신 : 외무부 비상대책반

참조 : 걸 동역 사정관

제목 : 군용기 일정 계획 확정통보

(관련근거 : 군계24411-98)

발신 : 국방부 군수국(795-6217)

매수 : 4매

FAX 1991. 1.19 전문통제관

NO.988 P.01

91-01-19 18:28 KUKBANG

0051

91-01-19 18:17 KUKE ˙G

군수국 군수국 '91.1

# 비행 일정표

이륙: 20일 21:00Z / 21일 06:00L — 21일 05:00Z / 21일 13:00L — 22일 02:00Z / 22일 09:00L — 24일 00:00Z / 24일 05:00L

서 울 → 클 라 크 → 방 콕 → 카 라 치

착륙: 21일 03:00Z / 21일 11:00L — 21일 11:10Z / 21일 18:10L (1박) — 22일 10:10Z / 22일 15:10L (2박)

25일 06:00Z / 25일 09:00L — 26일 04:00Z / 26일 09:00L — 28일 02:00Z / 28일 09:00L — 29일 01:00Z / 29일 09:00L

→ 제 다 → 카 라 치 → 방 콕 → 클 라 크 → 서 울

24일 06:50Z / 24일 09:50L (1박) — 25일 12:50Z / 25일 17:50L (1박) — 26일 11:55Z / 26일 18:55L (2박) — 28일 08:10Z / 28일 16:10L (1박) — 29일 07:00Z / 29일 16:00L

* 기존 계획 변경내용 : 카라치에서 제다간 왕복운항을 1회로 단축 → 26일 이후 일정변경

* 카라치에서 (TEXACO 유류 회사) 연료 재급유는 파키스탄 정부 승인이 있어야 조치된다고 하므로 조속히 사전 협의 바랍니다.

* 최종 확정 내용임 (1.18. 17:40 현재)

0052

군수국 '91.1

# FIR 통과 시간

서울 → CLARK

20일 21:00Z
21일 06:00L
서 울 → 일본 나하 RORG / 20일 22:42Z → 대만 타이페이 RCTP / 20일 23:10Z

필리핀 마닐라
→ RPMM / 21일 01:03Z → CLARK
21일 03:00Z
21일 11:00L

CLARK → BANGKOK

21일 05:00Z
21일 13:00L
CLARK → PHILIPPINE ADIZ / 21일 06:11Z → 싱가폴 WSJC / 21일 06:50Z

방콕
→ VTBB / 21일 09:35Z → BANGKOK
21일 11:10Z
21일 18:10L

'91-01-19 01:05

029 P02

0053

91-01-19 18:29 KUKBANG

NO.988 P.02

BANGKOK → KARACHI

22일 02:00Z
22일 09:00L
BANGKOK → 미얀마 VBRR / 22일 02:24Z → 인도 캘커타 VECF / 22일 04:03Z

→ 인도 봄베이 VABF / 22일 06:25Z → 파키스탄 카라치 OPKR / 22일 08:55Z → KARACHI
22일 10:10Z
22일 15:10L

KARACHI → KING ABDULAZIZ

24일 00:00Z
24일 05:00L
KARACHI → 오만 무스캇 OOMM / 24일 01:20Z → 아랍에미레이트 OMAE / 24일 01:35Z

→ 바레인 OBBB / 24일 02:15Z → 제다 OEJD / 24일 03:00Z → KING ABDULAZIZ
24일 06:50Z
24일 09:50L

KING ABDULAZIZ → KARACHI

25일 06:00Z
25일 09:00L
KING ABDULAZIZ → 바레인 OBBB / 25일 06:40Z → 아랍에미레이트 OMAE / 25일 07:20Z

→ 오만 무스캇 OOMM / 25일 08:00Z → 파키스탄 카라치 OPKR / 25일 09:20Z → KARACHI
25일 12:50Z

'91 01 19 00:27 HAN SUNG DAE tel 4 920 516

0054

3

KARACHI → BANGKOK

26일 04:00Z
26일 09:00L
KARACHI → 인도 델리 VIDF / 26일 04:52Z → 인도 캘커타 VECF / 26일 07:20Z

→ 버마 VBRR / 26일 09:30Z → 방콕 VTBB / 26일 10:55Z → BANGKOK
26일 11:55Z
26일 18:55L

BANGKOK → CLARK

28일 02:00Z
28일 09:00L
BANGKOK → 싱가폴 WSJC / 28일 03:41Z → 필리핀 RPMM / 28일 06:18Z

→ PHILIPPINE ADIZ / 28일 07:16Z → CLARK
28일 08:10Z
28일 16:10L

CLARK → 서 울

29일 01:00Z
29일 09:00L
CLARK → 대만타이페이 RCTP / 29일 02:28Z → 일본나하 RORG / 29일 04:01Z

→ 한국 대구 RKTT / 29일 04:25Z → 서 울
29일 07:00Z
29일 16:00L

※ 참고사항

○ 서울 출발 일정이 지연될경우 전체적인 일정은 순연됨

○ 일정별 시간은 국제표준시간(Z)과 현지시간(LOCAL)으로 명시하였음.

4

0055

| 관리번호 | 91/1162 |
|---|---|

원 본

# 외 무 부

종 별 : 긴 급

번 호 : PHW-0081 일 시 : 91 0118 1420

수 신 : 장관(중근동,국방부)

발 신 : 주필리핀대사

제 목 : 군수송기 통과

대:WPH-53

연:PHW-68

1. 당관 구무관이 미공군 기지측과 접촉한바 대호 허가번호 없이 당지 이착륙에 협조하겠다고 하였음.

2. 본직은 공군기 당지 도착시 무관대동 클라크 공군기지에 출장, 미 13 공군 사령관을 면담하여 필요한 협조를 재요청 하고 공군기 탑승 아측 인사를 영접하고자함.

(대사 노정기-국장)

예고:91.12.31. 일반

91. 6. 30.

중아국 장관 차관 1차보 2차보 국방부

PAGE 1

91.01.18 15:44

외신 2과 통제관 BA

0056

| 관리번호 | 91/1153 |
|---|---|

원 본

# 외 무 부

종 별 : 긴 급

번 호 : THW-0100 일 시 : 91 0118 1430

수 신 : 장 관(중근동)

발 신 : 주 태국 대사

제 목 : 군수송기 통과

대 : WTH-0104,0106

대호건 주재국 외무성 및 국방성에 구두 및 문서로 긴급협조 요청하였는바,허가번호등 결과 추보하겠음

(대사 정주년-국 장)

예 고 : 91.6.30 일반

1991.6.30. 에 예고문에 의거 일반문서로 재분류됨.

중아국 차관 1차보 2차보

PAGE 1

91.01.18 17:00

외신 2과 통제관 BA

0057

| 관리번호 | 91/1154 |
|---|---|

원 본

# 외 무 부

종 별 : 초긴급

번 호 : JAW-0266 일 시 : 91 0118 1713

수 신 : 장관(중근동)

발 신 : 주 일 대사(일정)

제 목 : 영공통과 허가요청

대 : WJA-0230,0237,0246

1. 대호건 주재국 외무성측에 협조요청한바, 대호 군용기의 서울-클라크기지간 항로는 일본영공이 아니고 ADIZ(AIR DEFENSE IDENTIFICATION ZONE)으로서 일정부의 허가가 필요치 않다함.

2. 이와관련, 일측은 상기 일본영공 통과여부는 ATS 정보(AIR GRAFFIC SERVICE INFORMATION)를 보아야 정확히 판단할수 있다는바, 동건 관련기관에 확인, 결과 지급 회시바람. 끝

(대사 이원경-국장)

예고:91.6.30. 일반

1991.6.30. 에 예고문에 의거 일반문서로 재 분류됨.

중아국 차관 1차보 2차보 국방부

PAGE 1

91.01.18 17:27

외신 2과 통제관 BA

0058

| 관리번호 | 91/1155 |
|---|---|

원 본

# 외 무 부

종 별 : 긴 급

번 호 : SKW-0028 일 시 : 91 0118 1335

수 신 : 장관(중근동)

발 신 : 주 스리랑카 대사

제 목 : 영공통과 허가

대:WSK-0019,20

연:SKW-0025

대호, 아국 수송기의 주재국 영공 통과를 위한 허가를 금 1.18. 득하였는바, 동 허가 번호를 아래 보고함.

1)허가번호(AFTN CODE) AFTN 180644

2)허가문서번호 DCA S/OPS 165

(대사 장훈-국장)

예고:91.6.30 일반

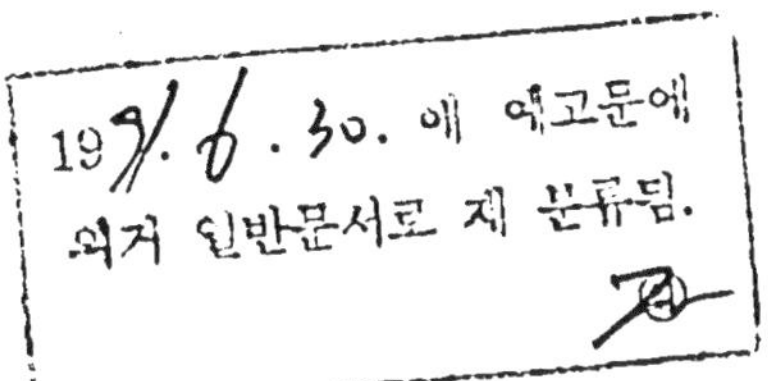

중아국 차관 1차보 2차보 국방부

PAGE 1

91.01.18 17:52

외신 2과 통제관 BA

0059

| 관리번호 | 91/1156 |
|---|---|

원 본

# 외 무 부

종 별 : 초긴급

번 호 : BMW-0031 일 시 : 91 0118 1510

수 신 : 장관(중근동,아서)

발 신 : 주 미얀마 대사

제 목 : 군수송기 통과

대:WBM-0018,0019

연:BMW-0028

연호 주재국 교통부및 ACC 측과 접촉 주재국 영공통과 허가번호를 아래와 같이 받았음.

-아래-

ATS(I)71/3-55/JANUARY 91/18 . 끝.

(대사 김항경-국장): 예고:91.6.30 일반

1991. 6 .30. 에 예고문에 의거 일반문서로 재 분류됨.

중이국 차관 1차보 2차보 아주국 국방부

PAGE 1

91.01.18 18:03

외신 2과 통제관 BA

0060

| 관리번호 | 91/1157 |
|---|---|

원 본

# 외 무 부

종 별 : 초긴급

번 호 : MAW-0093 일 시 : 91 0118 1700

수 신 : 장관(중근동,아동)

발 신 : 주 말련 대사

제 목 : 군수송기 통과

대:WMA-0076,0075

1. UMARDIN 외무부 영사과장은 1.18 16:30 오상식 참사관에게 주재국 정부는 아국의 대호 군 의료 지원단 수송기(3 대)의 주재국 영공통과를 허가하였음을통보하여왔음.

2. 동 과장에 따르면, 상기 허가에 따른 특별한 허가번호는 없다고하며 대호 비행 일정에 따라 아국 수송기가 주재국 영공 접근시 대호 CALL SIGN 을 보내면 영공 통과를 자동적으로 허가할 예정이람. 끝

(대사 홍순영-국장)

예고:91.6.30 일반

1991. 6. 30. 에 예고문에 의거 일반문서로 재 분류됨.

중아국 차관 1차보 2차보 아주국 국방부

PAGE 1

91.01.18 18:42

외신 2과 통제관 CW

0061

| 관리번호 | 91/1168 |
|---|---|

원 본

# 외 무 부

종 별 : 긴 급

번 호 : CHW-0115 　　　　일 시 : 91 0118 1750

수 신 : 장관(중근동)

발 신 : 주 중 대사

제 목 : 군수송기 통과

대:WCH-0051

1. 대호 당관은 주재국 외교부및 국방부와 접촉, 대호 항공기의 주재국영공 통과에대한 허가를 득했음을 보고함.

2. 주재국당국에 대한 통보에 필요한바, 1.21. 및 1.29. 주재국 영공통과 일시를 당관에 조속 회시바람. 끝

(대사 한철수-국장)

예고:91.6.30. 일반

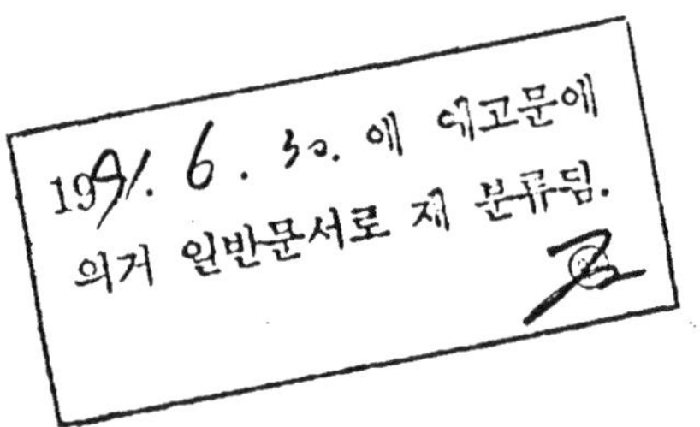


중아국

PAGE 1 　　　　91.01.18 19:34
외신 2과 통제관 DO

0062

| 관리번호 | 91/1164 |
|---|---|

원 본

# 외 무 부

종 별 : 초긴급

번 호 : NDW-0111 일 시 : 91 0118 1650

수 신 : 장관(중근동)

발 신 : 주 인도 대사

제 목 : 군용기 해외비행 협조

대:WND-0060,0063

연:NDW-0104,0109

1. 본직이 금 1.18 주재국 외무부 SYAM SALAM 동아국장과의 오찬 기회에 연호 사항을 거론한데 대해, 인도측은 여타사항에 대한 협조는 가능하지만 연료제공은 불가능함을 양지 바란다는 입장을 재차 밝힘.

2. SMITH 당지 미국공사도 인도측과 접촉하였으나 연료제공은 어느나라에 대하여서도 불가하다는 입장을 밝혔다고 당관에 통보해 옴.

3. 당관으로서는 시간이 촉박함을 감안, 일단 대호에 따라 당지에서의 허가조치및 숙소예약등을 추진중인바, 연료문제에도 불구, 대호 일정에 변화가 없는지 금일중 긴급 회시바람.

(대사 김태지-국장)

예고:91.6.30. 일반

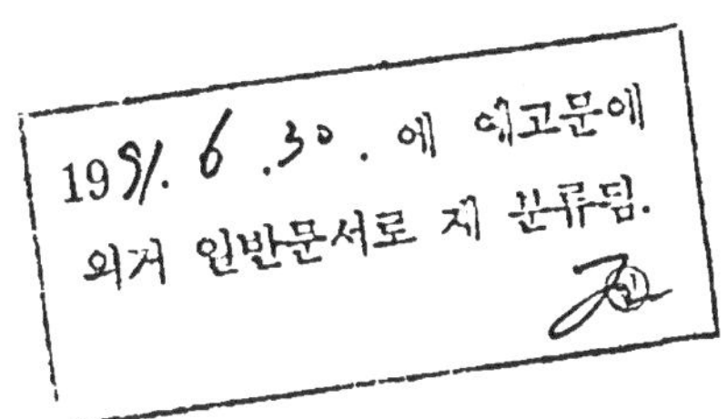


| 중아국 | 장관 | 차관 | 1차보 | 2차보 | 청와대 | 안기부 |
|---|---|---|---|---|---|---|

PAGE 1

91.01.18 20:39

외신 2과 통제관 CH

0063

관리 번호 91/1165

원 본

# 외 무 부

종 별 : 긴 급

번 호 : BHW-0032 일 시 : 91 0118 1400

수 신 : 장관(중근동)

발 신 : 주 바레인 대사

제 목 : 수송기

2941

대:WBH-0030,0037

연:BHW-0029

1. 대호, 주재국 당국은 걸프지역의 현 정세를 감안, 만일의 불의의 사태에대비한 동 수송기의 안전 비행을 위해 하기 내용을 구체적으로 통보하여 줄것을 요청하고 있는바, 회시바람.

가. 봄베이-다란

바레인 영공 진입, 출 일자 및 시각(GMT)

항로(영공통과 국가명등)

FLT NBR

나. 다란-봄베이

바레인 영공 진입, 출 일자 및 시각(GMT)

항로(영공통과 국가명등)

FLT NBR

1991.6.30. 에 예고문에 의거 일반문서로 재 분류됨.

2.FLT NBR 는 상기 '가'의 도착 및 '나'의 출발시 혼선을 피하기 위하여 동일 항공기 일지라도 상호 다른 번호를 부여하여 주어야 한다고 함. 끝.

(대사 우문기-국장)

예고:91.6.30 일반

중아국 장관 차관 1차보 2차보 국방부

PAGE 1

91.01.18 20:58

외신 2과 통제관 BW

0064

| 관리번호 | 91/1167 |
|---|---|

원 본

# 외 무 부

종 별 : 긴 급

번 호 : SBW-0152 일 시 : 91 0118 1400

수 신 : 장 관(중근동,국방부,기정)

발 신 : 주 사우디 대사

제 목 : 군수송기 통과

대:WSB-139

1. 금 1.18 주재국 통합사령부 지원국장 AL-HUSSEIN 장군과 접촉 대호 아국군의료지원단 수송기 운항을 위한 협조를 요청하였던바, 동장군은 다란지역이 절대비행금지구역이어서 아국군용기의 다란 착륙은 불가능하다면서, 군 또는 민간항공기의 리야드 또는 제다공항 착륙 가능여부를 명 1.19 알려주겠다고 하였음

2. 동결과 확인되는대로 보고예정임

(대사 주병국-국장)

예고:91.6.30 일반

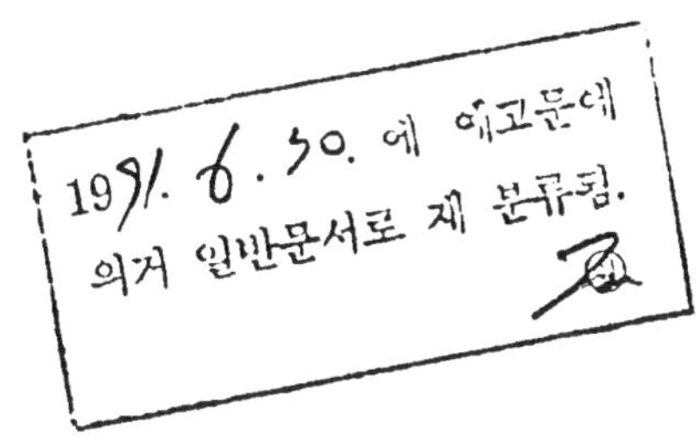


중아국 장관 차관 1차보 2차보 청와대 안기부 국방부

PAGE 1 91.01.18 21:12

외신 2과 통제관 CH

0065

| 관리번호 | 91/1166 |
|---|---|

원 본

# 외 무 부

종 별 : 긴 급

번 호 : PAW-0065 일 시 : 91 0118 1600

수 신 : 장관(중근동)

발 신 : 주 파 대사

제 목 : 군수송기 통과

대 WPA-37

연 PAW-59

1. 당관 무관은 1.18(금)오후 국방부에서 대호 중간 기착지를 봄베이에서 카라치로 변경 예정으로 주재국과 사전교섭토록 지시를 받았다는바, 확인 회시바람.

2. 대 주재국 교섭에 필요하니 변경된 운항일정, 예상항로, 연료등급및 요구량(CBS)등 필요사항 지급 통보바람. 끝.

(대사 전순규-국장)

예고:91.6.30 일반

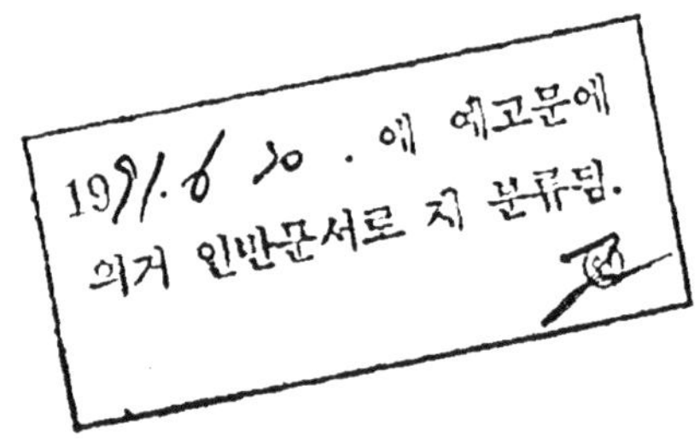


| 중아국 | 장관 | 차관 | 1차보 | 2차보 | 청와대 | 안기부 | 국방부 |
|---|---|---|---|---|---|---|---|

PAGE 1 91.01.18 21:14

외신 2과 통제관 CH

0066

| 관리 번호 | 91/161 |
|---|---|

원 본

# 외 무 부

종 별 : 긴 급

번 호 : THW-0111 일 시 : 91 0118 1900

수 신 : 장 관(중근동)

발 신 : 주 태국 대사

제 목 : 군수송기 통과

대 : WTH-0104,0106

1. 대호 군수송기의 당지 기착관련, FIR 및 영공통과 이.착륙허가, 연료보급 및 각종 서비스 제공등에 관해 주재국 외무성 및 군당국과 긴밀히 협조하여 아측 희망대로 조치하였음. 다만, 이.착륙 허가 번호는 주재국 행정절차상 일정시간이 소요되므로 1.21(월) 09:00 에 아측에 통보해주기로 하였으며 이.착륙허가번호는 이때 받더라도 군수송기의 이.착륙에 전혀 문제가 없다고 함

2. 군수송기 승무원의 숙소는 당지 BANGKOK PALACE 호텔에 예약완료 하였으며 필요차량도 확보하였음

3. 기타상세는 당관 무관이 국방부와 직접협의, 처리하고 있음

(대사 정주년-국 장)

예 고 : 91.6.30 일반

1991. 6.30. 에 예고문에 의거 일반문서로 재 분류됨.

| 중아국 | 장관 | 차관 | 1차보 | 2차보 | 청와대 | 안기부 | 국방부 |
|---|---|---|---|---|---|---|---|

PAGE 1 91.01.18 21:27

외신 2과 통제관 CH

0067

| 관리 번호 | 91/1163 |
|---|---|

원 본

# 외 무 부

종 별 : 긴 급

번 호 : OMW-0016 일 시 : 90 0118 1200

수 신 : 장관(중근동)

발 신 : 주 오만 대사

제 목 : 군용기 영공통과 허가

대:WOM-0024,0033

대호 아국 군용기 주재국 영공통과건 1,17 자로 허가 득한바, 허가 번호는 "OTA NO.034"임.끝

(대사 강종원-국장)

예고:91,6,30. 일반

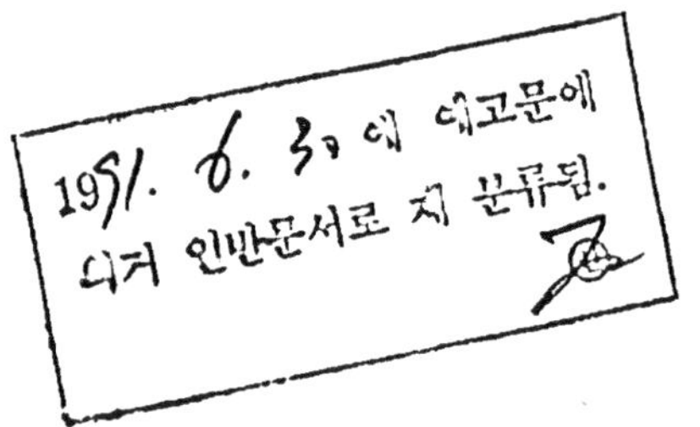


중아국 국방부

PAGE 1

91.01.19 05:27

외신 2과 통제관 BW

0068

| 관리번호 | 91/1182 |
|---|---|

원 본

# 외 무 부

종 별 : 긴 급

번 호 : USW-0308 일 시 : 91 0118 1859

수 신 : 장관(중근동,미안,미북)사본국방장관

발 신 : 주 미 대사

제 목 : 군 수송기 운항 협조

대 WUS-0094,0202,0210

1. 대호 관련, 당관 무관부를 통해 미측으로 부터 취득한 클라크 공군기지 착륙 허가 번호(ALAN)는 B047-91 임.

2. 연료 보급 및 기타 항공기 운항 관련 지원 사항에 대해서도 당관 무관부를 통해 국방부 유관 부서등에 대해 협조 요청필함.

3. 페 만 주변 전쟁 지역 출입시의 안전 문제에 대해서는 일단 유관 부서에협조 요청하였는바, 미측 견해로는 사우디내 현지 관련 당국의 협조를 확보하는 것이 보다 더 긴요할것으로 본다하며, KAL 화물기 지원 관련 기 수립된 한미 연합사와 미 수송 사령부(TRANS COM)간의 채널을 통해서도 동 협조를 요청하면 바람직할것이라함.

(대사 박동진-국장)

91.12.31 일반

91.6.30. 검토필

19 . . . 에 예고문에 의거 인반문서로 재 분류됨.

중아국 차관 1차보 미주국 미주국 국방부

PAGE 1 91.01.19 09:17

외신 2과 통제관 FE

0069

| 관리번호 | 91/1132 |
|---|---|

| | 분류번호 | 보존기간 |
|---|---|---|
| | | |

# 발 신 전 보

번 호 : WOM-0036 910119 0158 FC 종별 : 긴급

WND -0069

수 신 : 주 오만 대사. ~~총영사~~

발 신 : 장 관 (중근동) (사본 : 주인도대사)

제 목 : 군용기 기착

연 : WND-0067, WOM-0033

군용기 중간기착지로 봄베이가 불가능하여 귀지 무스캇 공항에 기착, 다음과 같이 중간급유 지원을 받도록 조치코자하는바, 주재국 관계당국과 긴급 교섭한후 결과 보고바람.

1991.6.30. 에 예고문에 의거 일반문서로 재 분류됨.

1. 기착일시
   - ㅇ 1차 1.22(화) 14:00 (현지시간)
   - ㅇ 2차 1.24(목) 11:00 ( " )
   - ㅇ 3차 1.25(금) 12:30 ( " )
   - ㅇ 4차 1.26(토) 11:00 ( " )
   - ㅇ 5차 1.27(일) 13:30 ( " )

공군참모총장실 이재기 대령 요청

2. 매 기착시마다 7만파운드의 연료급유 요망(JA-1형)

(중동아국장 이 해 순)

예고 : 91.6.30.일반

| | 보 안 통 제 |
|---|---|

| 앙 고 재 | 91년 1월 19일 | 중근동과 | 기안자 성 명 | | 과 장 | | 국 장 | | 차 관 | 장 관 |
|---|---|---|---|---|---|---|---|---|---|---|
| | | | 허 | | | | 전결 | | | |

| 외신과통제 |
|---|
| |

0070

JAN 19 '91 09:34 R.O.K MND P.1

# 국 방 부

58 P 190930
군계24411-121 (795-6217) (795-6712) '91. 1. 19

수신 외무부장관 ( )

참조 비상대책반 (김동억 서기관)

제목 군용기 비행계획 통보

1. 관련근거 : 군계24411-91(91.1.17)

2. 위 근거와 관련하여 군용기 비행시간 및 FIR 통과 시간을 첨부와 같이 통보하니 조치 바랍니다.

첨부 : 비행일정표 및 FIR 통과시간 1부. 끝.

국 방 부 장

군수계획과장 전결

0071

# 비행 일정표

| | | | | |
|---|---|---|---|---|
| 발 | 20일 21:00Z<br>21일 06:00L | 21일 05:00Z<br>21일 13:00L | 22일 02:00Z<br>22일 09:00L | 24일 00:00Z<br>24일 05:00L |
| | 서 울 → | 클 라 크 → | 방 콕 → | 카 라 치 |
| 착 | | 21일 03:00Z<br>21일 11:00L | 21일 11:10Z<br>21일 18:10L | 22일 10:10Z<br>22일 14:10L |
| | | | ( 1 박 ) | ( 2 박 ) |

| | | | |
|---|---|---|---|
| 25일 03:00Z<br>25일 09:00L | 26일 00:00Z<br>26일 05:00L | 27일 03:00Z<br>27일 09:00L | 28일 04:00Z<br>28일 09:00L |
| → 제 다 → | 카 라 치 → | 제 다 → | 카 라 치 |
| 24일 06:50Z<br>24일 09:50L | 25일 09:50Z<br>25일 17:50L | 26일 06:50Z<br>25일 09:50L | 27일 09:50Z<br>27일 17:50L |
| ( 1 박 ) | ( 1 박 ) | ( 1 박 ) | ( 1 박 ) |

| | | |
|---|---|---|
| 30일 02:00Z<br>30일 09:00L | 31일 01:00Z<br>31일 09:00L | |
| → 방 콕 → | 클 라 크 → | 서 울 |
| 28일 11:55Z<br>28일 18:55L | 30일 08:10Z<br>30일 16:10L | 31일 07:00Z<br>31일 16:00L |
| ( 2 박 ) | ( 1 박 ) | |

0072

# FIR 통과 시간

서울 → CLARK

20일 21:00Z
21일 06:00L
서울 → 일본 나하 RORG / 20일 22:42Z → 대만 타이페이 RCTP / 20일 23:10Z

→ 필리핀 마닐라 RPMM / 21일 01:03Z → CLARK
21일 03:00Z
21일 11:00L

CLARK → BANGKOK

21일 05:00Z
21일 13:00L
CLARK → PHILIPPINE ADIZ / 21일 06:11Z → 싱가폴 WSJC / 21일 06:50Z

→ 방콕 VTBB / 21일 09:35Z → BANGKOK
21일 11:10Z
21일 18:10L

BANGKOK → KARACHI

22일 02:00Z
22일 09:00L
BANGKOK → VBRR / 22일 02:24Z → VECF / 22일 04:03Z
(미얀마) (인도 캘커타)

→ VABF / 22일 06:25Z → OPKR / 22일 08:55Z → KARACHI
(인도 봄베이) (파키스탄 카라치)
22일 10:10Z
22일 [illegible]

KARACHI → KING ABDULAZIZ

24일 00:00Z
24일 05:00L
KARACHI → OOMM / 24일 01:20Z → OMAE / 24일 01:35Z
(오만 무스캣) (아랍에미레이트)

→ OBBB / 24일 02:15Z → OEJD / 24일 03:00Z → KING ABDULAZIZ
(바레인) (제다)
24일 06:50Z
24일 09:50L

KING ABDULAZIZ → KARACHI

25일 03:00Z
25일 09:00L
KING ABDULAZIZ → OBBB / 25일 06:40Z → OMAE / 25일 07:20Z
(바레인) (아랍에미레이트)

→ OOMM / 25일 08:00Z → OPKR / 25일 09:20Z → KARACHI
(오만 무스캣) (파키스탄 카라치)
25일 09:50Z

'91 01 19 00:27 HAN SUNG DAE tel 4 920 516 974 P06

0074

3

KARACHI → KING ABDULAZIZ

26일 00:00Z
26일 05:00L
KARACHI → OOMM / 26일 01:20Z → OMAE / 26일 01:35Z
(오만 무스캇) (아랍에미레이트)

→ OBBB / 26일 02:15Z → OEJD / 26일 03:00Z → KING ABDULAZIZ
(바레인) (제다)
26일 06:50Z
26일 09:50L

KING ABDULAZIZ → KARACHI

27일 03:00Z
27일 09:00L
KING ABDULAZIZ → OBBB / 27일 06:40Z → OMAE / 27일 07:20Z
(바레인) (아랍에미레이트)

→ OOMM / 27일 08:00Z → OPKR / 27일 09:20Z → KARACHI
(오만 무스캇) (파키스탄 카라치)
27일 09:50Z
27일 17:50L

KARACHI → BANGKOK

28일 04:00Z
28일 09:00L
KARACHI → VIDF / 28일 04:52Z → VECF / 28일 07:20Z
(인도 델리) (인도 캘커타)

→ VRRR / 28일 09:30Z → VTBB / 28일 10:55Z → BANGKOK
(버마) (방콕)
28일 11:55Z
28일 18:55L

4

029 P03

0075

BANGKOK → CLARK

30일 02:00Z
30일 09:00L
BANGKOK → [싱가폴] WSJC / 30일 03:41Z → [필리핀] RPMM / 30일 06:38Z

→ PHILIPPINE ADIZ / 30일 07:16Z → CLARK
30일 08:10Z
30일 16:10L

CLARK → 시 울

31일 01:00Z
31일 09:00L
CLARK → [대만타이페이] RCTP / 31일 02:28Z → [일본나하] RORG / 31일 04:01Z

→ [한국 대구] RKTT / 31일 04:25Z → 시 울
31일 07:00Z
31일 16:00L

※ 참고사항

- 서울 출발 일정이 지연될경우 전체적인 일정은 순연됨
- 일정별 시간은 국제표준시간(Z)과 현지시간(LOCAL)으로 명시하였음.

5

029 P04 0076 L0:10

| 관리번호 | 91/1171 |
|---|---|

원 본

# 외 무 부

종 별 : 긴 급

번 호 : DJW-0115 일 시 : 91 0119 1100

수 신 : 장관(중근동,아동) 사본:국방부장관

발 신 : 주 인니 대사

제 목 : 군수송기 통과

대:WDJ-0050,0082,0090

1. 주재국 정부는 1.21-29 간 아국 군수송기의 영공통과를 허가하였으며, 허가번호(FLIGHT CLEARANCE NO)는 062-UD-1R-91-P 임.

2. 아국 군수송기의 주재국 영공통과시 매번 관련 제원을 주재국 당국에 사전 통보하여 허가를 받아야 함을 첨언함. 끝.

(대사 김재춘-국장)

예고:91.12.31. 일반

91.6.30.

중아국 차관 1차보 2차보 아주국 국방부

PAGE 1

91.01.19 14:40

외신 2과 통제관 BA

0077

| 관리번호 | 91/1173 |
|---|---|

원 본

# 외 무 부

종 별 : 긴 급

번 호 : THW-0114 일 시 : 91 0119 1100

수 신 : 장 관(중근동)

발 신 : 주 태국 대사

제 목 : 군 수송기 통과

대 : WTH-0104,0106,0110

연 : THW-0111

금 1.19 10:00 주재국 군당국으로부터 표제건 이.착륙 허가번호(MOD 0312029)를 통보 받았음을 보고함

(대사 정주년-국장)

예 고 : 1991.6.30 일반

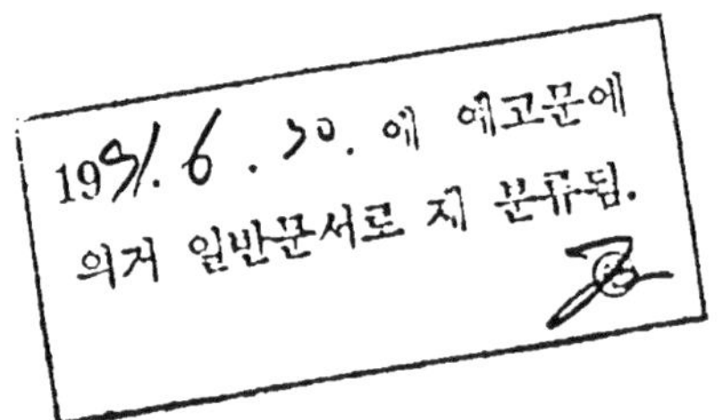


중아국 차관 1차보 2차보 국방부

PAGE 1

91.01.19 14:42

외신 2과 통제관 BA

0078

| 관리 번호 | 91/1172 |
|---|---|

원 본

# 외 무 부

종 별 : 긴 급

번 호 : MAW-0106　　　　일 시 : 91 0119 1120

수 신 : 장관(중근동,국방)

발 신 : 주 말련 대사

제 목 : 군의료 지원단 수송기 운항

대:WMA-0081

연:MAW-0093

대호, 의료 지원단 수송기(C-130 3 대)의 상세한 주재국 영공통과 시간(CLARK-방콕 및 방콕-CLARK 비행시 각각 통과)을 주재국 외무부에 통보필함. 끝

(대사 홍순영-국장)

91.12.31 일반

91. 6. 30. 검토필

중아국　2차보　국방부

PAGE 1

91.01.19　14:43

외신 2과　통제관 CA

0079

| 관리번호 | 91/116 |
|---|---|

원 본

# 외 무 부

종 별 : 긴 급

번 호 : BMW-0033 일 시 : 91 0119 1200

수 신 : 장관(중근동,아서,국방부)

발 신 : 주 미얀마 대사

제 목 : 군의료지원단 수송기 운항

대:WBM-0020

연:BMW-0031

1. 대호 FIR 통과시간은 금 1.19(토) 11:00 주재국 ACC 담당자에게 통보하였음.

2. 대호 첨부 3. 본대이동시간 계획중 대한항공 DC-10 관련 당관 조치사항 있으면 통보바람.

(대사-국장)

예고:91.6.30 일반

1991. 6. 30. 에 예고문에 의거 일반문서로 재 분류됨.

중아국 2차보 아주국 국방부

PAGE 1

91.01.19 14:53

외신 2과 통제관 CA

0080

| 관리번호 | 91/1190 |
|---|---|

원 본

# 외 무 부

종 별 : 초긴급

번 호 : PAW-0069　　　　　일 시 : 91 0119 1230

수 신 : 장관(중근동,국방부)

발 신 : 주 파키스탄 대사

제 목 : 수송기 운항

연 PAW-0065

대 WPA-0042

1. 본직은 금 1.19(토) 오전 SIDDIQUI 외무성 아태국장을 면담, 연호 아국군용기 수송기의 카라치 공항기착 허가건을 지급조치하여 주도록 요청함.

2. 동 국장은 기착허가에 원칙적으로 문제가 없으며, 주재국 관계기관과 접촉 재급유용 유류확보등 보급지원 준비토록함. 그러나 ALAN 을 득하기 위해서는 운항일정, 항로(방콕-카라치-다란)을 주재국에 우선 통보하여야 하는바, 운항일정(특히 카라치 도착시간), 항로(AIR CORRIDOR) 및 연료 소요량을 긴급하시하여 주시고, 출입국 관리사항, 숙소예약 소요등도 통보바람.

3. 걸프사태 발생으로 카라치 비행장이 매우 붐비고 있다고함을 참고바람. 끝.

(대사 전순규-국장)

예고 91.12.31 일반

91.6.30. 검토필

중아국　국방부

PAGE 1　　　　91.01.19　16:42

외신 2과　통제관 DO

0081

| 관리 번호 | 91/1183 |
|---|---|

원 본

# 외 무 부

종 별 : 긴 급

번 호 : JAW-0285 일 시 : 91 0119 1623

수 신 : 장관(중근동)

발 신 : 주 일 대사(일정)

제 목 : 영공통과 허가요청

대:WJA-0254

연:JAW-0266

대호 관련, 주재국 외무성에 ATS 정보를 전달 하였는바, 일측은 연호대로 군용기의 통과구역은 일본영공이 아닌 ADI 지역으로서 일본정부의 허가가 필요치 않다는 입장이며 만일의 사태에 대비, 외무성은 관계당국에 군용기의 통과사실을 통고하는 조치를 취해 놓았다 함. 끝.

(대사-국장)

예고:91.6.30. 일반

통과시간만 표시요

1991.6.30. 에 예고문에 의거 일반문서로 재 분류됨.

중아국

PAGE 1 91.01.19 16:44

외신 2과 통제관 DO

0082

| 원 본 |
|---|
| 암 호 수 신 |

# 외 무 부

종 별 : 긴 급

번 호 : XQSKW-0002 일 시 : 91 0119 1240

수 신 : 김의기 중근동 과장

발 신 : 주 스리랑카 정정검배

제 목 :

대:WSK-0023

1. 대호중 첨부 3. 본대이동시간 계획(대한항공기및 공군기 비행계획)은 첨부 2 의 FIR 통과 시간과 다른바, 본대에 대하여도 별도의 주재국 영공 통과를 득해야 하는지 회보 바람.

2. 대호중 첨부 2 의 FIR 통과 시간은 1.17. 자 대호(WSK-0019)상의 운항 일시와 동일 한것인지 회보 바람. 건승

중아국

PAGE 1 91.01.19 16:47

외신 2과 통제관 DO

0083

원 본

암호수신

# 외 무 부

종 별 : 지 급

번 호 : NDW-0115 일 시 : 91 0119 1300

수 신 : 장관(중근동)

발 신 : 주 인도 대사

제 목 : 주재국의 항공기연료 절약정책

연:NDW-0111

연호관련, DHAWAN 주재국 민간항공장관이 1.18 발표한 걸프전 발발에 따른 항공기연료 절약정책의 요지를 다음 보고하니 참고바람.

0 항공기엔진 연료공급을 25% 감축키 위해 AIR INDIA(국제선)및 INDIAN AIRLINES(국내선)의 운항횟수를 25% 감축하며, 여타 외국항공사들의 인도내 연료공급도 25% 감축함.

0 이를 위해 AIR INDIA 는 이미 걸프지역에 대한 운항을 중단한데 이어 시드니와 홍콩운항을 추가적으로 중단함.

0 상기 정책은 2 주일후 상황의 추이를 보아 재검토할 것임.

(대사 김태지-국장)

중아국 장관 차관 1차보 2차보 청와대 총리실 안기부 동자부

PAGE 1

91.01.19 16:56

외신 2과 통제관 DO

0084

| 관리번호 | 91/1186 |
|---|---|

원 본

# 외 무 부

종 별 : 긴 급

번 호 : NDW-0117 일 시 : 91 0119 1520

수 신 : 장관(중근동)

발 신 : 주 인도 대사

제 목 : 군용기 비행협조

대:WND-0063(1),0068(2)

연:NDW-0111

1. 대호 군용기에 대한 주재국 영공, FIR 통과및 착륙인가번호는 다음과 같음.

가. AOR 392(민간공항 이용시)

나. AOR 393(군용기지 이용시)

2. 대호 비행일정에 변경이 있는 경우, 긴급 회시바람.

3. 대호(2) 첨부사항에 포함되어 있는 민항기(DC-10)에 대해서도 허가조치를 취해야 하는지 여부와 취해야 하는 경우, 구체 비행일정을 아울러 회시바람.

(대사 김태지-국장)

예고:91.6.30. 일반

1991.6.30.에 예고문에 의거 일반문서로 재분류됨.

| 중아국 | 장관 | 차관 | 1차보 | 2차보 | 청와대 | 안기부 |
|---|---|---|---|---|---|---|

PAGE 1 91.01.19 20:06

외신 2과 통제관 FF

0085

| 관리번호 | 91/1193 |
|---|---|

| | 분류번호 | 보존기간 |
|---|---|---|
| | | |

# 발 신 전 보

번 호 : WAE-0056 910119 2140 FF 종별 : 초긴급

수 신 : 주 UAE 대사 ! 총영사

발 신 : 장 관 (중근동)

제 목 : 군 수송기 통과

대 : WAE-0053

연호 FIR(FLIGHT INFORMATION REGION)통과 시간 및 지점 아래와 같음.

(시간은 전부 GMT)

| | | |
|---|---|---|
| 1.24(목) | 00:00 | 카라치발 |
| | 01:20 | 오만(OOMM) 진입 |
| | 01:35 | UAE(OMAE) 진입 |
| | 02:15 | 바레인(OBBB) 진입 |
| | 03:00 | 젯다(OEJD) 진입 |
| | 06:50 | 젯다 도착 |
| 1.25(금) | 03:00 | 젯다 출발 |
| | 06:40 | 바레인(OBBB) 진입 |
| | 07:20 | UAE(OMAE) 진입 |
| | 08:00 | 오만(OOMM) 진입 |
| | 09:20 | 카라치(OPKR) 진입 |
| | 09:50 | 카라치 도착 |

91. 6. 30. 검토필

예 고 : 91.12.31.일반

(중동아국장 이 해 순)

| 보안통제 | |
|---|---|

| 앙고재 | 91년 1월 18일 | 중근동과 | 기안자 성명 | | 과 장 | | 국 장 | | 차 관 | 장 관 |
|---|---|---|---|---|---|---|---|---|---|---|
| | | | | | | | 전결 | | | |

| 외신과통제 |
|---|
| |

0086

| 관리번호 | 91/1185 |
|---|---|

원 본

# 외 무 부

종 별 : 긴 급

번 호 : PAW-0079 일 시 : 91 0119 1830

수 신 : 장관(중근동,대책반,국방부)

발 신 : 주 파 대사

제 목 : 군수송기 운항

연 PAW-69

대 WPA-41

1. 연호, 운항일정및 항로(CORRIDOR)을 금 1.19 1630 공군작전지휘소로부터아래와 같이 전화, 통보받아 주재국 외무성에 통보한바, 확인회시바람.

가. 운항일정

1.22(화)0900 방콕발

1410 카라치 도착

1.24(목)0500 카라치 출발

0950 젯다도착

1.25(금) 0900 젯다출발

1750 카라치 도착

1.26(토)0500 카라치 출발, 방콕경유 귀국

나. 항로(방콕-카라치)R468 VVJB579 NNPG-472 AAE G-472 SASROG8WD

2. 상기 항로관계 통보지연으로 대주재국 교섭 지장이 막심한바, 젯다 향발이륙 항로도 긴급하시하여 주시기 바람.

4. 명 1.20. 주재국과 관계 교섭 결과보고위계임.끝.

(대사 전순규-국장)

예고 91.12.31 일반

중아국 차관 1차보 2차보 국방부

PAGE 1

91.01.19 22:44

외신 2과 통제관 CW

0087

| 관리번호 | 91/1116 |
|---|---|

| 분류번호 | 보존기간 |
|---|---|
| | |

# 발 신 전 보

번 호 : WOM-0039 910119 2341 FF 종별 : 초긴급

수 신 : 주 오 만 대사 /총영사

발 신 : 장 관 (중근동)

제 목 : 군 수송기 기착

연 : WOM-0033

1. 군 수송기 운항 계획 관련, 국방부는 귀지를 거리상 예비 항로로 선정 하였음.

2. 오만 영공 진입 시간 지점, 및 출국시간, 지점과 기착 여부는 다란 상공 전황 추이를 보아, 추후 결정 통보 예정이니, 연호건 사전 주재국과 협조 바람.

(중동아국장 이 해 순)

예 고 : 91.12.31. 일반

91.6.30. 검토필

| 보안 통제 | |
|---|---|

| 앙 고 재 | 91년 1월 18일 | 중근팔 | 기안자 성명 | | 과 장 | | 국 장 | | 차 관 | 장 관 |
|---|---|---|---|---|---|---|---|---|---|---|
| | | | | | | | | | | |

| 외신과통제 |
|---|
| |

0088

국방 : 795-6817

# 海灣 非常對策 本部

題 目: 1991.

(통과허용시간) 서울-쿠웨이트기지간 항로는 일본영공 아님

1 주일본 O.K (ATS 정보를 12시간 전 알 수 있으니 회시바람)

~~2 주대만~~ O.K

기착 ③ ~~주필리핀~~ O.K

④ 주인니 O.K

~~5 주말련~~ O.K Call Sign KAF 518~6

AFTN CODE AFTN 180644

6 주스리랑카 △ ~~……~~ (단 연료공급불가)

기착 ⑦ 주인도 이착륙 문제없으나 (연료공급불가)

OK 기착 ⑧ 주태국 OK 허가번호 대기중

---

① ⑨ 주파키스탄 ? ~~……~~ 주방부 불허이유 재신 고려 (카라치)

~~10 주미얀마~~ O.K ATS(I) 71-3-55/1/91/18

② ⑪ 주오만 1/17 영공통과허가 OTA No.034 불허이유. 카라치 안되는 경우 오만 경유 계획

? 12 주UAE

~~13 주바레인~~ O.K.

목적지 ⑭ 주사우디 다란기지 (미기관)

리야드, 젯다 착륙 1.19 추보

- 이집트 [illegible]

0089

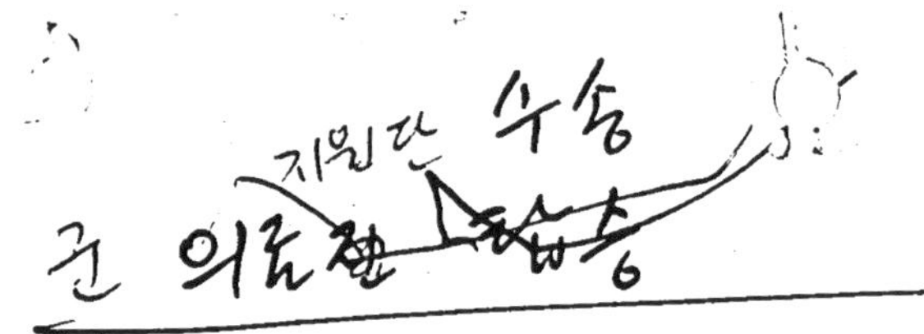


① KAL 서울 방콕경유 — 카라치

② C-130 카라치 — 젯다.

① KAL 일정 (DC-10)

1/23(수) 17:00 성남 출발

방콕 경유

1/24(목) 01:20 카라치 도착

② C-130 (2대.)

1/21(월) 06:00 서울(성남)

필리핀. 태국 경유

1/24(목) 05:00 카라치

11:00 젯다 도착

13:00 〃 출발

21:00 카라치 도착

고려

① 교민 철수 130여 검토

② 외무부 직원 1명 동승

③ 방독면. 〉 2月중 수송

0090

. 10.188.149.77

1. 환송 행사
1/20 성남에서
14:00

2. 출발은

0091

0333-64-2006
김 영환

김동억 서기관

British Petroleum

주오만 대사 면회 (14:00)

① 수송기 2대 5회 이착륙
신청했는데
?

② 1대 번 전체 운항일정이 필요

③ 기종 다른한거

① Call Sign
② 등록번호
③ Route 상태
2 영공 진입 출구
3 오만 영토 통과시간

0092

· 주 UAE 대사 14:00 [illegible]

WAE-0053 이해본

첨부

· 항로 — 어느지점 들어와서 어느지점 나간다
정확한 시간 (1시간)

· 1.26, 01:35(Z) ~ 02:15(Z)

◦ 지점은 확정되지 않았음 (현재)

0093

P KAL KAL 대외비
공보 13.
공보.
5. 26

김동익 서기관님

② ○ 세승편 사무관 숙소(체육국)는 시간 관계로 예약에서 빠졌는데 외무부 주재 대사관을 통하여 기착지마다 숙소 예약 조치를 해 주시길 바랍니다 (방콕, 카라치, 쿨라코)

○ 공군에서는 이미 공무원 30명만 HOTEL(2개실) 예약이 되어 있습니다.

① ○ 카라치 공항 기착시 (수송기 연료 보급 문제) 에 (사우디 다란 공항 기착시) 대한 확인후 국방부와 공군 본부에 즉시 전달을 부탁드립니다.

○ 수송기는 금일 06:00 및 06:05 (1번기) (2번기) 가, 각각 이륙 07:00경 한국 영공을 통과 하였으며 현시각 에도 계획대로 순조로운 비행을 계속하고 있습니다. (계획대로)

0094

| | 분류번호 | 보존기간 |
|---|---|---|
| | | |

# 발 신 전 보

(암호 송신)

번 호 : WSK-0025 910120 0025 DA 종별 : (정정결 참사관)

수 신 : 주 스리랑카 대사/~~총영사~~

발 신 : 장 관(중근동) (김의기)

제 목 : 영공 통과

대: XRSKW-0002

운항 일정상 봄베이에서 연료 제공이 불가능하게 됨에 따라 카라치 또는 무스캇 기착을 검토중이며, 귀지 영공 통과 ~~허가는 취소 바람~~ 가능여부 확인해주시기 바람.

~~(중동아국장 이 해 순)~~

| 보안 통제 | 7h |
|---|---|

| 앙 고 재 | 91년 1월 18일 | 중근동과 | 기안자 성명 | | 과 장 | | 국 장 | | 차 관 | 장 관 |
|---|---|---|---|---|---|---|---|---|---|---|
| | | | | | 7h | | | | | |

| 외신과통제 |
|---|
| |

0095

| 관리번호 | 91/1212 |
|---|---|

원 본

# 외 무 부

종 별 : 초긴급

번 호 : PAW-0080 일 시 : 91 0119 2030

수 신 : 장관(중근동,국방부,대책반)사본주인도 대사-중계필

발 신 : 주 파 대사

제 목 : 수송기 운항

연 PAW-69,79

대 WPA-41,46

1. 연호, 주재국 공군본부는 아국 군수송기의 카라치 공항 이, 착륙 허가번호(ALAN MC602 OF JAN,19)를 금일 1.19(토)2000 시 당관에 전화 통보하여왔음.(동ALAN 은 72 시간 유효하다함)

2. 기타 주파수등 군수송기 운항에 필요한 사항을 추가지시 바라며, 연호 문의사항도 조속 회시바람. 끝.

(대사 전순규-국장)

예고 91.12.31 일반

91.6.30.

| 중아국 | 장관 | 차관 | 1차보 | 2차보 | 청와대 | 안기부 | 국방부 | 대책반 |
|---|---|---|---|---|---|---|---|---|

PAGE 1 91.01.20 01:33

외신 2과 통제관 FF

0096

| 관리번호 | 91/11 [illegible] |
|---|---|

원 본

# 외 무 부

종 별 : 긴 급

번 호 : PAW-0084 일 시 : 91 0120 1200

수 신 : 장관(중근동,대책반,국방부)

발 신 : 주 파 대사

제 목 : 수송기운항

연 PAW-80

대 WPA-46

1. 대호, 주재국과의 교섭및 연락은 당관에서 계속할것이나, 군수송기 중간기착지로 카라치 공항이 결정됨에 따라, 향후 표제관련사항을 주 카라치 총영사관에도 통보바람.

2. 현재 동관련사항에 대해서는 국방부(공군)으로부터 당관 무관부로 전화통보받는 사례가 많아 혼선의 우려가 있는바, 가급적 지시채널을 일원화하여 본부통신만을 통해 지급연락토록 조치하여 주시기 바람. 끝.

(대사 전순규-국장)

예고 91.12.31. 일반

91. 1. 31. [illegible]

중아국 국방부 대책반



91.01.20 16:12

외신 2과 통제관 BA

0097

| 관리번호 | 91/1198 |
|---|---|

| 분류번호 | 보존기간 |
|---|---|
| | |

# 발 신 전 보

번 호 :

종별 : 초긴급

수 신 : 주 수신처 참조 대사,총영사

발 신 : 장 관 (중근동) 910120 1853

제 목 : 군수송기 운항 일정 (최종)

연 : WPA-0046, WJA-0254, WDJ-0097
WOM-0039, WCH-0062, WMA-0081
WAE-0056, WPH-0055, WSK-0023
WND-0068, WTH-0110, WUS-0210
WBH-0040, WBM-0020, WSB-0144

1. 1.20. 현재 확정된 운항 일정 (Local Time) 을 아래 통보함.

1.21(월) 06:00 서울 출발
11:00 클라크 도착
18:00 " 출발
18:10 방콕 도착 (1박)

1.22(화) 09:00 " 출발
14:10 카라치착 (2박)
24 05:00 " 출발 (1차)

1.24(목) 08:00 다란 도착
10:00 " 출발

1.25(금) 18:00 카라치 도착 (1박)
05:00 " 출발 (2차)
08:00 다 란 도착
11:00 " 출발
19:00 카라치 도착 (1박)

1.26(토) 09:00 " 출발
17:00 방 콕 도착 (2박)

1.28(월) 09:00 " 출발
16:10 클라크 도착 (1박)

1.29(화) 09:00 " 출발
16:00 서 울 도착

/....

1991.6.30. 에 예고문에 의거 일반문서로 재분류됨.

| 보안통제 | 기 |
|---|---|

| 앙고재 | 91년 1월 20일 | 중근동과 | 기안자 성명 | | 과 장 | 심의관 | 국 장 | | 차 관 | 장 관 |
|---|---|---|---|---|---|---|---|---|---|---|
| | | | | | | | 전결 | | | |

| 외신과통제 |
|---|
| |

0098

2. 주사우디 대사는 미 7공군에서 다란 이.착륙을 주선한 점을 감안, 주재국 관계 당국과도 교섭, 이.착륙허가번호와 급유문제등 제반 협조 사항 조치 하고 결과 보고 바람.

3. 만일, 기상조건등 부득이한 사정으로 서울 출발 일정이 지연될 경우, 전체적인 일정은 순연되며, 변경 될시 추가 동보 예정임을 참고 바람. 끝.

(중동아프리카국장 이 해 순)

수신처 : 주일본, 대만, 필리핀, 인니, 말련, 스리랑카, 인도, 태국, 미국, 바레인, 파키스탄, 미얀마, 오만, UAE, 사우디 대사, 카라치 총영사

예 고 : 91.6.30. 일반

0099

WJA-0276 외 별지참조

WJA-0276 910120 1853 EE

WCH -0065 WPH -0062 WDJ -0099 WMA -0086 WSK -0026

WND -0073 WTH -0113 WUS -0225 WBH -0045 WPA -0051

WBM -0021 WOM -0041 WAE -0058 WSB -0160 WKA -0006

0100

(?PS-6217)

91. 1. 20.

수신 외무부 장관

참조 비상대책 본부장(중근동과)

제목 군용기 운항 지역 변경 및 FIR 통과시간 변경 통보

1. 91.1.20일 11:30분 현재 카라치에서 젯다 운항을 카라치에서 다란으로 운항지역이 변경되었기 따라 FIR 통과시간을 군중통보하오니 주재국가 (~~카라치~~, 사우디아라비아)에 전문 통보 바랍니다.

(파키스탄,

2. 카라치에서 다란까지 2회 운항 계획 임으로 교민 수송 계획을 통보 바랍니다.

〈끝〉

100

FAX 1991. 1. 20 정보통신(?)

0101 99

# FIR 통과 시간

서울 → CLARK

20일 21:00Z
21일 05:00L
서 울 → RORG / 20일 22:42Z → RCTP / 20일 23:10Z

→ RPMM / 21일 01:03Z → CLARK
21일 03:00Z
21일 11:00L

CLARK → BANGKOK

21일 05:00Z
21일 13:00L
CLARK → PHILIPPINE ADIZ / 21일 06:11Z → WSJC / 21일 06:50

→ VTBD / 21일 09:35Z → BANGKOK
21일 11:10Z
21일 18:10L

0102

BANGKOK → KARACHI

22일 02:00Z
22일 09:00L
BANGKOK → VBRR / 22일 02:24Z → VECF / 22일 04:03Z

→ VABF / 22일 06:25Z → OPKR / 22일 08:55Z → KARACHI
22일 10:10Z
22일 14:10L

KARACHI → DHAHRAN

24일 00:00Z
24일 05:00L
KARACHI → OOMM / 24일 01:20Z → OMAE / 24일 01:35Z

→ OBBB / 24일 02:15Z → OEJD / 24일 03:00Z → ~~KING ABDULAZ~~ DHAHRAN
24일 05:00Z
24일 08:00L

DHAHRAN → KARACHI

24일 07:00Z
24일 10:00L
DHAHRAN → OMAE / 24일 07:40Z → OOMM / 24일 08:09Z

→ OPKR / 24일 09:29Z → KARACHI
24일 13:00Z
24일 18:00L

0103

KARACHI → DHAHRAN

25일 00:00Z
25일 05:00L
[illegible] → OOMM / 25일 01:10Z → OMAE / 25일 03:00Z

→ OBBB / 25일 03:44Z → DHAHRAN
25일 05:00Z
25일 08:00L

DHAHRAN → KARACHI

25일 07:00Z
25일 10:00L
DHAHRAN → OMAE / 25일 07:40Z → OOMM / 25일 08:09Z

→ OPKR / 25일 09:29Z KARACHI
25일 13:00Z
25일 18:00L

KARACHI → BANGKOK

26일 04:00Z
26일 09:00L
KARACHI → VIDF / 26일 04:25Z → VECF / 26일 07:20Z

→ VBRR / 26일 09:30Z → VTBB / 26일 10:55Z → BANGKOK
26일 [illegible]:55Z
26일 [illegible]:55L

3

0104

91-01-19 19:29 4-900-0940

NO.993 P.04

JAN 20 '91 14:45 R.O.K MND

P.1

BANGKOK → CLARK

28일 02:00Z
28일 09:00L
BANGKOK → WSJC / 28일 03:41Z → [illegible]

→ PHILIPPINE ADIZ / 28일 07:16Z → CLARK
28일 08:10Z
28일 16:10L

CLARK → 서 울

29일 01:00Z
29일 09:00L
CLARK → RCTP / 29일 02:28Z → RORG / 29일 04:01Z

→ RKTT / 29일 04:25Z → 서 울
29일 07:00Z
29일 16:00L

※ 참고사항

ㅇ 서울 출발 일정이 지연될경우 전체적인 일정은 순연됨
ㅇ 일정별 시간은 국제표준시간(Z)과 현재시간(LOCAL)으로 명시하였음.

0105

91-01-19 19:29 14-990-0940
NO.082 P.03

JAN 20 '91 14:50 R.O.K MND

P.4

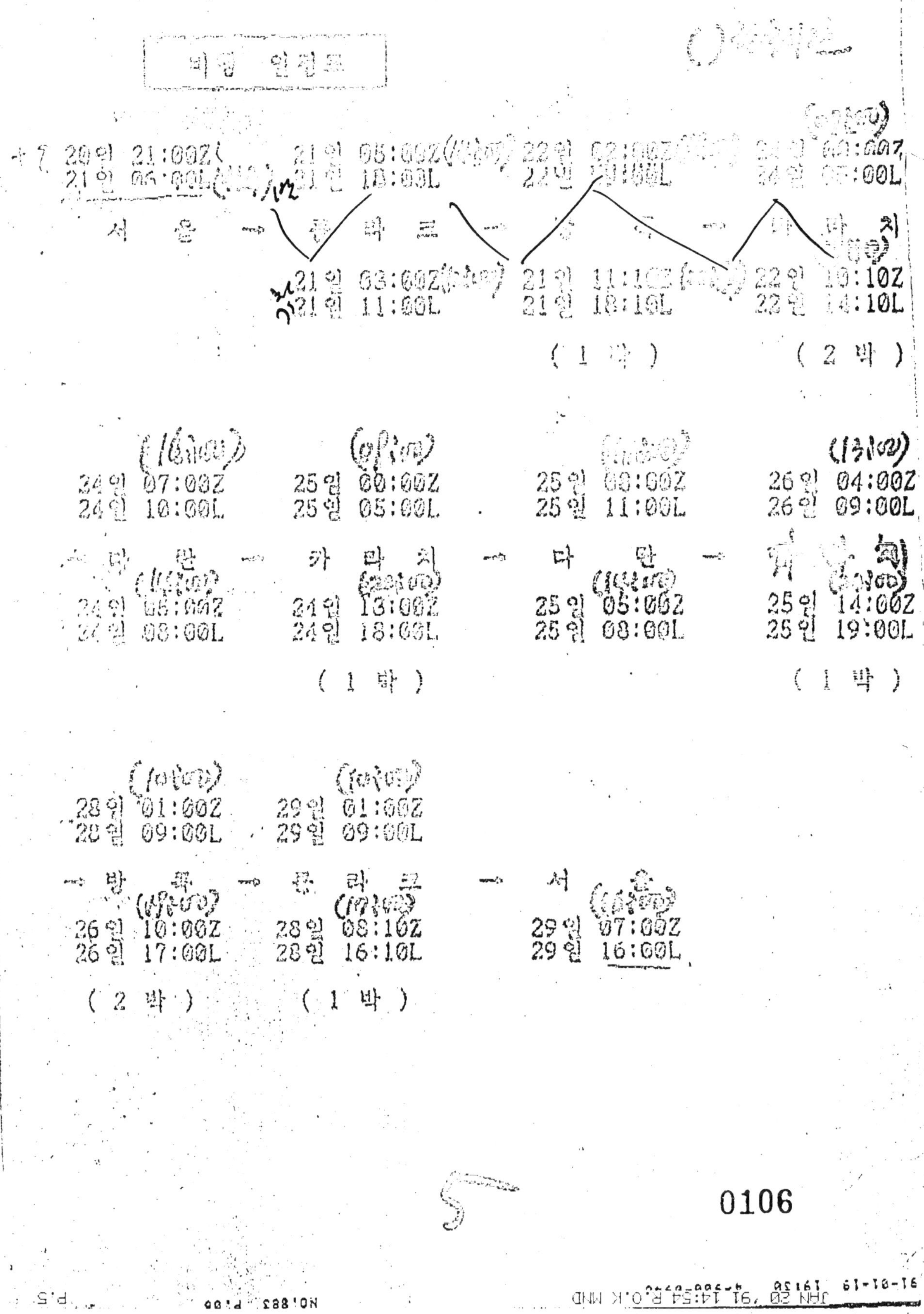

비밀 일정표

| 20일 21:00Z<br>21일 06:00L | 21일 03:00Z<br>21일 11:00L | 21일 05:00Z<br>21일 13:00L | 21일 11:10Z<br>21일 18:10L | 22일 02:00Z<br>22일 10:00L | 22일 10:10Z<br>22일 14:10L | 24일 00:00Z<br>24일 05:00L |
|---|---|---|---|---|---|---|

서 울 → 쿠 라 르 → 방 콕 → 마 바 치

(1 박)  (2 박)

24일 07:00Z 24일 10:00L → 25일 00:00Z 25일 05:00L → 25일 08:00Z 25일 11:00L → 26일 04:00Z 26일 09:00L

→ 다 란 → 카 라 치 → 다 란 → [illegible]

24일 06:00Z 24일 08:00L / 24일 13:00Z 24일 18:00L / 25일 05:00Z 25일 08:00L / 25일 14:00Z 25일 19:00L

(1 박)  (1 박)

28일 01:00Z 28일 09:00L / 29일 01:00Z 29일 09:00L

→ 방 콕 → 쿠 라 르 → 서 울

26일 10:00Z 26일 17:00L / 28일 08:10Z 28일 16:10L / 29일 07:00Z 29일 16:00L

(2 박)  (1 박)

0106

| 관리 번호 | 91/1205 |
|---|---|

원 본

# 외 무 부

종 별 : 지 급

번 호 : OMW-0020 일 시 : 90 0120 1300

수 신 : 장관(중근동)

발 신 : 주 오만 대사

제 목 : 군수송기 기착

대:1)WOM-0036,0039

연:OMW-0016

1. 대호건 대호 1)에 의한 5 회 기착일시 통보만으로 금 1,20. 우선 기착 허가를 득함. 허가 번호는 "DGCAM-072"임.

2. 대호 2)의 1 항은 당지를 예비항로 기착지로 하고 있는바, 실제로 당지를 기착하게되는 경우에도 전항 허가 번호로 기착이 가능함. 다만 사전에 변경된 기착일시및 DETAILS OF ROUTE, ENTRY 및 EXIT 의 일시및 지점등을 사전 통보해야함.

3. 당지에 기착지 않고 영공통과만을 하는 경우는 연호 기취득한 허가번호(OTA NO.034)로 통과 가능함. 다만 이경우에도 변경된 DETAILS OF ROUTE 및 통과일시를 사전 통보해야함.

4. 연료 보급문제는 주재국 당국이 간여치 않아 당관이 당지 BP 회사와 교섭, 당관 지불 보증하에 후불제로 급유가능토록 조치 하였음(불기착시 사전 취소해야함).

5. 당지 기착여부 확정 즉시 지급 통보바람. 끝

(대사 강종원-국장)

예고:91,6,30. 일반

1991. 6. 30. 에 예고문에 의거 일반문서로 재 분류됨.

중아국

PAGE 1 91.01.20 19:49

외신 2과 통제관 DO

0107

| 관리번호 | 91/1207 |
|---|---|

| | 분류번호 | 보존기간 |
|---|---|---|
| | | |

# 발 신 전 보

번 호 : WJA-0277 외 별지참조 종별 : 긴급

수 신 : 주 수신처참조 대사/총영사

발 신 : 장 관 (중근동) 910120 2118

제 목 : 군 수송기 FIR 통보

1991. 6. 30. 에 예고문에 의거 일반문서로 재 분류됨.

1. 연호 운항 일정에 따른 영공통과 및 기착에 필요한 Data 는 아래와 같으니 주재국 관계 당국에 통보 바람.

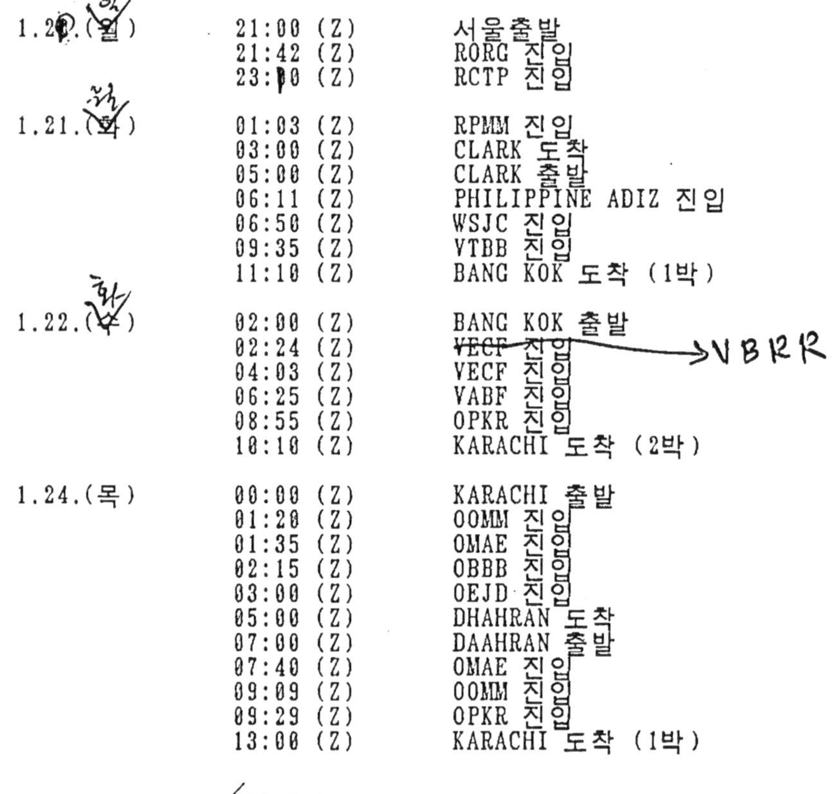

| | | |
|---|---|---|
| 1.20.(일) | 21:00 (Z) | 서울출발 |
| | 21:42 (Z) | RORG 진입 |
| | 23:00 (Z) | RCTP 진입 |
| 1.21.(월) | 01:03 (Z) | RPMM 진입 |
| | 03:00 (Z) | CLARK 도착 |
| | 05:00 (Z) | CLARK 출발 |
| | 06:11 (Z) | PHILIPPINE ADIZ 진입 |
| | 06:50 (Z) | WSJC 진입 |
| | 09:35 (Z) | VTBB 진입 |
| | 11:10 (Z) | BANG KOK 도착 (1박) |
| 1.22.(화) | 02:00 (Z) | BANG KOK 출발 |
| | 02:24 (Z) | ~~VECF~~ VBRR 진입 |
| | 04:03 (Z) | VECF 진입 |
| | 06:25 (Z) | VABF 진입 |
| | 08:55 (Z) | OPKR 진입 |
| | 10:10 (Z) | KARACHI 도착 (2박) |
| 1.24.(목) | 00:00 (Z) | KARACHI 출발 |
| | 01:20 (Z) | OOMM 진입 |
| | 01:35 (Z) | OMAE 진입 |
| | 02:15 (Z) | OBBB 진입 |
| | 03:00 (Z) | OEJD 진입 |
| | 05:00 (Z) | DHAHRAN 도착 |
| | 07:00 (Z) | DAAHRAN 출발 |
| | 07:40 (Z) | OMAE 진입 |
| | 09:09 (Z) | OOMM 진입 |
| | 09:29 (Z) | OPKR 진입 |
| | 13:00 (Z) | KARACHI 도착 (1박) |

/......

| 보안통제 | 기 |
|---|---|

| 앙고재 | 91년 1월 20일 | 중근동과 | 기안자 성명 | | 과 장 | 심의관 | 국 장 | | 차 관 | 장 관 |
|---|---|---|---|---|---|---|---|---|---|---|
| | | | 기안자 | | 기 | | 전결 | | | |

외신과통제

0108

WJA-0277 910120 2118 BX

WCH -0066 WPH -0063 WDJ -0100 WMA -0087 WSK -0027

WND -0074 WTH -0114 WUS -0226 WBH -0047 WPA -0052

WBM -0022 WOM -0042 WSB -0161 WKA -0008

0109

| | | |
|---|---|---|
| 1.25.(금) | 00:00 (Z) | KARACHI 출발 |
| | 01:10 (Z) | OOMM 진입 |
| | 03:00 (Z) | OMAE 진입 |
| | 03:44 (Z) | OBBB 진입 |
| | 05:00 (Z) | DHAHRAN 도착 |
| | 07:00 (Z) | DHAHRAN 출발 |
| | 07:40 (Z) | OMAE 진입 |
| | 08:09 (Z) | OOMM 진입 |
| | 09:29 (Z) | OPKR 진입 |
| | 13:00 (Z) | KARACHI 도착 (1박) |
| 1.26.(토) | 04:00 (Z) | KARACHI 출발 |
| | 04:25 (Z) | VIDF 진입 |
| | 07:20 (Z) | VECF 진입 |
| | 09:30 (Z) | VBRR 진입 |
| | 10:55 (Z) | VTBB 진입 |
| | 11:55 (Z) | BANG KOK 도착 (2박) |
| 1.28.(월) | 02:00 (Z) | BANG KOK 출발 |
| | 03:41 (Z) | WSJC 진입 |
| | 06:38 (Z) | RPMM 진입 |
| | 07:16 (Z) | PHILIPPINE ADIZ 진입 |
| | 08:10 (Z) | CLARK 도착 (1박) |
| 1.29.(화) | 01:00 (Z) | CLARK 출발 |
| | 02:28 (Z) | RCTP 진입 |
| | 04:01 (Z) | RORG 진입 |
| | 04:25 (Z) | RKTT 진입 |
| | 07:00 (Z) | 서울공항 도착 |

2. 관련국 운항 당국의 편의를 위하여 GMT 시간을 통보하니 참고 바람.

끝.

(중동아국장 이 해 순)

수신처 : 주일본, 대만, 필리핀, 인니, 말련, 스리랑카, 인도, 태국, 미국, 바레인, 파키스탄, 미얀마, 오만,

예 고 : 91.6.30. 일반

서울과 주카라치 총영사 대사

0110

臺灣 非常對策 本部

수신 : 수신처 참조
발신 : 장관 (중동1)
題目 : 제목 : 군수송기 FIR 통과

1991.

1. 연초 운항일정에 따른 연공통과 및 기착에 필요한 Data는 아래와 같으니 주재국 관계당국에 통보 바람.

1.20 (일) ~~06:00~~ 서울출발
21:00 (Z)
22:42 (Z) RORG 진입
23:10 (Z) RCTP 진입

1.21 (월) 01:03 (Z) RPMM 진입
03:00 (Z) CLARK 도착
05:00 (Z) CLARK 출발
06:11 (Z) PHILIPPINE ADIZ 진입
06:50 (Z) WSJC 진입
09:35 (Z) VTBB 진입
11:10 (Z) BANG KOK 도착 (1박)

1.22 (수) 02:00 (Z) BANG KOK 출발
02:24 (Z) VBRR 진입
04:03 (Z) VECF 진입
06:25 (Z) VABF 진입
08:55 (Z) OPKR 진입
10:10 (Z) KARACHI 도착 (2박)

1.24 (목) 00:00 (Z) KARACHI 출발
01:20 (Z) OOMM 진입
01:35 (Z) OMAE 진입
02:15 (Z) OBBB 진입
03:00 (Z) OEJD 진입
05:00 (Z) ~~KING ABDULAZ~~ DHAHRAN 도착

(1)

0111

1. 24(목) 07:00(Z) DHAHRAN 출발
07:40(Z) OMAE 진입
09:09(Z) OOMM 진입
09:29(Z) OPKR 진입
13:00(Z) KARACHI 도착 (1박)

1. 25(금) 00:00(Z) KARACHI 출발
01:10(Z) OOMM 진입
03:00(Z) OMAE 진입
03:44(Z) OBBB 진입
05:00(Z) DHAHRAN 도착
07:00(Z) DHAHRAN 출발
07:40(Z) OMAE 진입
08:09(Z) OOMM 진입
09:29(Z) OPKR 진입
13:00(Z) KARACHI 도착 (1박)

1. 26(토) 04:00(Z) KARACHI 출발
04:25(Z) VIDF 진입
07:20(Z) VECF 진입
09:30(Z) VBRR 진입
10:55(Z) VTBB 진입
11:55(Z) BANG KOK 도착 (2박)

1. 28(월) 02:00(Z) BANG KOK 출발
03:41(Z) WSJC 진입
06:38(Z) RPMM 진입
07:16(Z) PHILIPPINE ADIZ 진입
08:10(Z) CLARK 도착 (1박)

②

0112

1. 2P (화) 01:00 (Z) CLARK 출발
02:28 (Z) RCTP 진입
04:01 (Z) RORG 진입
04:25 (Z) RKTT 진입
07:00 (Z) 서울공항 도착.

2. 관련국 운항 당국의 편의를 위하여 GMT 시간을 통보하여 줍니다 바랍니다.

( 중동아-국장 )

91. 12. 31 일반

③

0113

| 관리 번호 | 91/1208 |
|---|---|

| | 분류번호 | 보존기간 |
|---|---|---|
| | | |

# 발 신 전 보

번 호 : WPH-0066 910120 2128 BX 종별 : 긴 급

수 신 : 주 수신처 참조 ~~대사~~. ~~총영사~~ WTH -0116 WSB -0163 WKA -0009 WPA -0054

발 신 : 장 관 (중근동)

제 목 : 군 의료지원단 파견

사우디 아라비아에 파견되는 ~~군~~ 의료지원단 (군수송기와 대한항공 전세기) 귀지 기착시 최대한의 편의와 지원 제공 바람.

~~2. 금번 군 의료진 파견은 월남전 이후 처음 있는일인 점을 감안, 주사우디 대사는 공항에 출영, 교민과 더불어 크게 환영하고 동지원단의 애로가 없도록 조치 바람.~~ 끝.

(중동아국장 이해순)

수신처 : 주필리핀, 태국, 사우디 대사, 주카라치 총영사, 주파키스탄대사

예 고 : 91.12.31.일반

91. 6. 30. 검토필

| 보안 통제 | 7h |
|---|---|

| 앙 고 재 | 91 년 1 월 20 일 | 중근동과 | 기안자 성명 | 차덕 | 과 장 | 7h | 심의관 | 국 장 | 전결 | 차 관 | 장 관 |
|---|---|---|---|---|---|---|---|---|---|---|---|

| 외신과통제 |
|---|
| |

0114

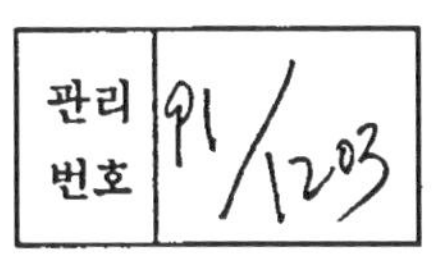

원 본

# 외 무 부

종 별 : 초긴급

번 호 : NDW-0124 일 시 : 91 0120 1750

수 신 : 장관(중근동)

발 신 : 주 인도 대사

제 목 : 군용기 비행협조

대:WND-0073

연:NDW-0117

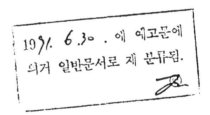

1. 당관은 금 1.20 대호 변경된 비행일정을 주재국측에 통보한데 대해, 주재국측은 새로운 영공및 FIR 통과번호를 다음과 같이 부여하였음.

가. AOR 398(민간공항 이용시)

나. AOR 399(군용기지 이용시)

2. 연호 3 항의 민항기(DC-10)에 대한 조치여부 회시바람.

(대사 김태지-국장)

예고:91.6.30. 일반

1991. 6.30. 에 예고문에 의거 일반문서로 재 분류됨.

중아국

PAGE 1

91.01.20 21:40

외신 2과 통제관 DO

0115

| 관리 번호 | 91/124 |
|---|---|

원 본

# 외 무 부

종 별 : 초긴급

번 호 : AEW-0049 일 시 : 91 0120 2200

수 신 : 장관(중근동,기정)

발 신 : 주 UAE 대사

제 목 : 군수송기 운항

대:WAE-0053,56,58

연:AEW-0028

1. 대호, 주재국 정부는 아측이 요청한 UAE 영공통과를 허가(THE DIP CIEARANCE HAS BEEN GRANTED)하여왔음.

2. 동건관련 주재국 정부는 허가번호, 주파수등은 관례상 통보를 안하고 있으며 허가 그자체로 영공통과에 따른 협조가 이루어 진다고 함을 보고함. 끝.

(대사 박종기-국장)

91.6.30 일반

1991. 6. 30. 에 예고문에 의거 인반문서로 재 분류됨.

중아국 안기부

PAGE 1

91.01.21 03:15

외신 2과 통제관 DO

0116

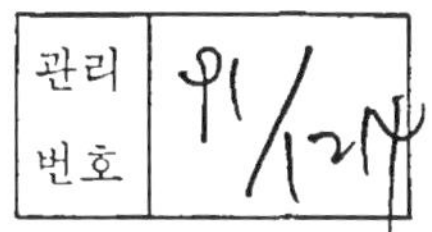

| 분류번호 | 보존기간 |
|---|---|
| | |

# 발 신 전 보

번 호 : WTH-0118 910121 1306 DZ 종별 :

WPH -0068 WSB -0168
WKA -0011

수 신 : 주 수신처 참조 대사/ 총영사

발 신 : 장 관 (중근동)

제 목 : 직원 출장

연 : WTH-0116, WSB-0163, WKA-0009, WPA-0054

1. 연호 군수송기편에 동승한 본부 서승렬 사무관이 사우디 입국 비자 없이 출발 하였으니 현지 조치 바람.

2. 또한 서사무관을 위한 방콕 및 카라치 숙소 추가 예약 바람. 끝.

(중동아국장 이 해 순)

수신처 : 주 태국, 필리핀, 사우디 대사, 주 카라치 총영사

예 고 : 1991.12.31.일반

91. 6. 30.

| 보안통제 | |
|---|---|

| 앙고재 | 91년 1월 21일 | 중근동과 | 기안자 성명 | | 과 장 | | 국 장 | | 차 관 | 장 관 |
|---|---|---|---|---|---|---|---|---|---|---|
| | | | | | | | 전결 | | | |

| 외신과통제 |
|---|
| |

0117

| 관리번호 | 91/1213 |
|---|---|

원 본

# 외 무 부

종 별 : 긴 급

번 호 : PAW-0095 일 시 : 91 0121 1210

수 신 : 장관(중근동,대책반)

발 신 : 주 파 대사

제 목 : KAL전세기 도착

연 PAW-80

대 WPA-54

1. 대호, 카라치 소재 CIVIL AVIATION AUTHORITY 는 KAL DC-10 임시 취항에대하여 문의하여왔는바, KAL 측이 필요조치를 취하였는지 여부임.당관에서 조치할 사항(주재국 이, 착륙허가 취득, 재급유 유류확보, 승무원 숙소확보등)있으면 지급 하시바람.

2. 아울러, 동 KAL 전세기의 당지 체류일정등 참고사항도 통토바람(공군당국으로부터 DC-10, 1 대가 1.24(목)0120 카라치 기착예정이라는 연락을 받은바있음). 끝.

(대사 전순규-국장)

예고 91.12.31 일반

91.6.30. 일반

중아국 차관 1차보 2차보

PAGE 1 91.01.21 16:07

외신 2과 통제관 BA

0118

| 관리번호 | 91/121 |
|---|---|

원 본

# 외 무 부

종 별 : 초긴급

번 호 : PHW-0089 일 시 : 91 0121 1410

수 신 : 장관(중근동), 사본:주태국대사-필

발 신 : 주 필리핀 대사

제 목 : 군수송기 CLARK기지 경유

연:PHW-81

1. 본직은 1.21 10:00 시, 당지 CLARK 기지의 미제 13 공군 사령관을 방문, 금번 아 공군기의 CLARK 기지 사용 협조에 대하여 사의를 표하고, 계속적인 협조를 요청한바, 동 STUDER 공군 소장은 아국의 군의료단 파견에 사의를 표하면서 최대한의 협조 및 지원을 약속했음.

2. 본직(국방무관 및 조서기관 대동)은 이어 10:45 시에 동 STUDER 장군 및 전 참모진과 함께 동기지 TERMINAL 에서 아공군 수송기 요원(31 명)의 도착을 환영하였으며, 이들은 당관에서 제공한 오찬을 마친뒤 13:00 시에 방콕 향발 예정이었으나, 이륙직전 제 1 번기의 유압계통 고장 발견으로 현재 정비 실시중에있음.(작업 소요시간이 3 시간 정도 소요될것으로 판단되는바, 주태국 대사관에 3시간 지연도착 통보 요망).

3. 또한 귀국시 동기지 재사용(1.28: 1 박)에 관한 제반 협조도 완료하였음을 보고함.

(대사 노정기-국장)

1991. 6 .30 . 에 예고문에 의거 일반문서로 재 분류됨.

중아국 장관 차관 1차보 2차보

PAGE 1

91.01.21 15:44

외신 2과 통제관 CF

0119

| 관리번호 | 91/1216 |
|---|---|

원 본

# 외 무 부

종 별 : 초긴급

번 호 : PHW-0093 일 시 : 91 0121 1615

수 신 : 장관(중근동,국방부,태국대사-중계필)

발 신 : 주필리핀대사

제 목 : 수송기 경유

연:PHW-89

아 공군 수송기(2 대)는 고장수리 완료후 1.21. 16:00 시(필리핀 시간)에 CLARK 공군 기지를 이륙, 방콕 향발 하였음을 보고함.

(대사 노정기-국장)

예고:91.6.30. 일반

1991. 6. 30. 에 예고문에 의거 일반문서로 재 분류됨.

중아국 차관 1차보 2차보 국방부

PAGE 1

91.01.21 17:35

외신 2과 통제관 BA

0120

| 관리 번호 | 91/1245 |
|---|---|

| 분류번호 | 보존기간 |
|---|---|
| | |

# 발 신 전 보

번 호 : WPA-0056 910121 1956 AO 종별 : 긴급

수 신 : 주 파키스탄 대사. 총영사 (사본:주카라치총영사) WKA -0012

발 신 : 장 관 (대책본부)

제 목 : KAL 전세기

대 : PAW-0095,0080

연 : WPA-0046

91.6.30. 검토필

1. 대호 KAL기의 이착륙 허가 및 유류 확보, 승무원 숙소예약등은 대한항공측에서 기조치 하였다 함. 수송기

2. 대호 PAW-0080 전문상에는 연료 공급 문제가 언급되지 않았는바, 본건 현지 확인후 긴급 회신 바라며 대호 2항 주파수, 운항 DATA등 상세는 WPA-0046 참조 바람.

3. KAL의 귀지 체류 일정 및 상세 사항 아래와 같으니 참고바람.

가. 목 적 : 의료지원단 수송 (154명)

나. 일 자 : 1991. 1. 23 12:00 김포공항 출발

다. 항공기 : DC/HL7371, KE8035/8045편

라. 일 정 : 서울 1200L/23JAN - 성남 서울비행장 1300L/1700L - 2045BKK/2215 - KHI0120/24JAN - 카라치발 0620L/ 24/JAN - 서울 1755L

계속/.......

| 보안 통제 | 기 |
|---|---|

| 앙 고 재 | 91년 1월 21일 | 중동과 | 기안자 성명 | | 과 장 | 심의관 | 국 장 | | 차 관 | 장 관 |
|---|---|---|---|---|---|---|---|---|---|---|
| | | | 최 | | 기 | | 전결 | | | |

| 외신과통제 |
|---|
| |

0121

마. 착륙허가 : KHI CAA HQCAA 1612/31/AT-1
파키스탄항공청
DATE 20JAN91

바. 카라치 연락처 : KHI 528182, 529899 MR.S.M. ISHAK
FAX NO. 009221, 514234

사. 연 료 : KAL기/공군기 공급 구두약속

아. 승무원 체류 : 공항부근 MIDWAY HOTEL

자. 기 타 : ① 체류 항공기, 승무원 지원은 카라치
KAL 총대리점에서 조치
② 동 항공기 지원위해 KAL 직원 1명 출국
(KE635/21JAN BKK)

차. 동 특별기 루트변경(예:리야드)은 즉시 KAL에
변경 요청됨. 끝.

(중동아국장 이 해 순)

예 고 : 91.12.31.일반

0122

| 관리 번호 | 91/1218 |
|---|---|

원 본

# 외 무 부

종 별 : 긴 급

번 호 : PAW-0099 일 시 : 91 0121 1530

수 신 : 장관(중근동,대책반,국방부),사본:주카라치 총영사(직송필)

발 신 : 주 파 대사

제 목 : 수송기 운항(급유)

대 WPA-51,46

연 PAW-80

1. 대호, 군수송기 카라치 기착시 재급유관련, 주카라치 총영사관을 통해, 카라치 소재 SHAHEEN AIRPORT SERVICE(정부공인 항공기 정비회사)에 필요한 데이타를 전달하고 동수송기용 유류(JET A-1/ JP-4)21 만 LB 를 1.22-26 간 3 회에 걸쳐 공급토록 예약조치 필함.

2. 기타 협조사항은 주 카라치 총영사관이 직접 보고위계임.끝.

(대사 전순규-국장)

예고 91.12.31 일반

91.6.30.

중아국 차관 1차보 2차보 국방부

PAGE 1 91.01.21 20:40

외신 2과 통제관 CE

0123

| 관리번호 | 91/1217 |
|---|---|

원 본

# 외 무 부

종 별 : 초긴급

번 호 : KAW-0018 일 시 : 91 0121 1830

수 신 : 장관(중근동,사본:주파대사-직송필)

발 신 : 주 카라치 총영사

제 목 : 군수송기및 KAL 전세기

대 WKA-0006/12

1. 대호관련 당관은 금 1.21 18:00 현재 아래와같이 군수송기 이착륙에대한필요한 제반조치및 확인을 하였음.

가, 착륙허가

군용기및 KAL 전세기, 공히 당지 항공청(CAA)에서 허가되었으며 FIR 등 관련자료를 당관에서 제시하였음.

나. 급유

급유는 정부허가 사항이 아니며 현재 무제한 제공하고있음. 군용기및 전세기에대하여서는 당지 KAL 지점에서 PIA(파키스탄항공)와의 협조아래 아측이 요구하는 유류전량을 당지 PBS 석유회사로부터 공급받기로 확약받았음.

다. 지상서비스

PIA 에서 일체의 지상서비스를 하기로 하였음.

라. 램프출입

당관공관원및 군용기 승무원이 필요시 하시라도 공항내로 출입할수 있도록 공항내 이동차량조치및 공항 보안 당국과 협조 완료하였음.

마. 숙소

공항 인접호텔에 군용기 승무원용 호텔예약 완료함(1 실 2인,1박 약 40미불)

2.KAL 기 착륙과관련 당지 KAL 지점과 긴밀한 협조체제를 유지하고있으며 군용기 승무원 출입국수속에 준비코저하니 동승무원의 영문명단, 여권번호를 긴급통보바람.

(총영사 조규태-국장)

예고 91.12.31 일반

91. 6. 30. 검토필

| 중아국 | 장관 | 차관 | 1차보 | 2차보 | 국방부 |
|---|---|---|---|---|---|

PAGE 1

91.01.21 23:53

외신 2과 통제관 CE

0124

| 관리번호 | 91/129 |
|---|---|

원 본

# 외 무 부

종 별 : 지 급

번 호 : SBW-0216 WKA-0014 910122 1121 CT

일 시 : 91 0121 1830

수 신 : 장관(중근동,국방부)

발 신 : 주 사우디 대사

제 목 : 군수송기운항

대:WSB-0160,161

대호 군의료지원단 수송기(5185,5186)운항과 관련, 금 1.21 당지 미공군 무관 MCCOMIC 대령으로부터 아래와같이 통보받았음을 보고함

1. 허가번호:CLEARANCE NO.2294

2. 진입방향:2440 N,5100 E.(파키스탄-오만상공-다란방향)

(대사 주병국-국장)

예고:91.6.30 일반

1991. 6. 30. 에 예고문에 의거 일반문서로 재분류됨.

주카타르 총영사

중아국 차관 1차보 2차보 국방부

PAGE 1

91.01.22 00:43

외신 2과 통제관 CE

0125

JAN 22 '91 13:58 R.O.K P.1

91-P-221355

군계 24411

발신 : 국방부장관 (군수계획과장)

수신 : 외무부장관

참조 : 재책본부

제목 : 버든기 작전 업무자료

1. 버든기 작전계획에 의거 첨부와 같이 업무자료를 통보함.

첨부 : 업무자료 1부 끝.

국방부 군수계획과장 [서명]

0126

| | |
|---|---|
| 김영곤 | KIM YUNG GON |
| 류보형 | [illegible] BO HYBONG |
| 박수철 | PARK SOO CHEOL |
| 심재관 | SHIM JAE KWAN |
| 유헌주 | YOU HEON JOO |
| 이선근 | LEE SUN KEUN |
| 김상한 | KIM SANG HAN |
| 김경호 | KIM KYUNG HO |
| 장서영 | CHANG SEO YOUNG |
| 최종천 | CHOI JONG CHUN |
| 김철수 | KIM CHUL SOO |
| 최상미 | CHOI SANG MI |
| 최정규 | CHOI CHUNG KYU |
| 강대희 | KANG DAE HEE |
| 강신종 | KANG SIN JONG |
| 이성우 | LEE SUNG WOO |
| 이장룡 | LEE JANG RYONG |
| 김길수 | KIM GIL SOO |
| 김선백 | KIM SUN BACK |
| 윤한창 | YUN HAN CHANG |
| 서선용 | SEO SUN YONG |
| 김영일 | KIM YUNG ILL |
| 정대식 | JUNG DAE SIK |
| 전봉진 | JUN BONG JIN |
| 이종수 | LEE JONG SOO |

0127

| 관리<br>번호 | 91/1220 |
|---|---|

원 본

# 외 무 부

종 별 : 긴 급

번 호 : OMW-0024　　　　일 시 : 90 0122 2045

수 신 : 장관(대책반,중근동,사본:주태국대사,카라치총영사-중계

발 신 : 주 오만 대사

제 목 : 군용기 오만영공통과 허가번호 재통보

연:OMW-0016

주재국외무부는 아국 군용기 2 대의 주재국영공 통과 관련, 운항일정이 재조정됨에따라 1.22(화)자로 별도의 허가번호를 알려왔는바, 동허가번호는 "DGCAM-111"이니 국방부측에 긴급통보바람.

끝

(대사 강종원-대책반장)

예고:91,6,30. 일반

1991. 6. 30. 에 예고문에 의거 일반문서로 재 분류됨.

중아국　　국방부

PAGE 1　　　　91.01.23　09:56

외신 2과　통제관 BW

0128

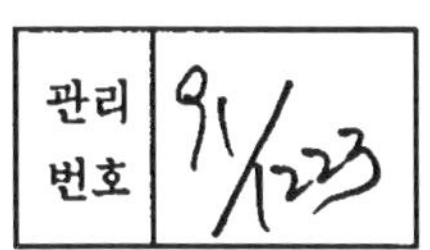

원 본

# 외 무 부

종 별 : 지 급

번 호 : KAW-0021 일 시 : 91 0124 0510

수 신 : 장관(중근동,대책반,국방부) 주파대사, 주사우디 대사

발 신 : 주 카라치 총영사

제 목 : KAL기도착및 군수송기 제다 향발보고

대 WKA-0018

1. 대호 의료지원단은 금 1.24 0140 당지에 예정대로 무사히도착, 승무원을제외한 요원전원 군용기에 탑승,05:00 다란으로 향발함.

2. KAL 기 연장운행과 관련 당지 KAL 지점에 의하면 동지점에서 당지 항공청(CAA)에서 이착륙허가 (허가번호 2778 EA, ADNCNR 60260)를 득하였다함. 끝.

(총영사 조 규태-국장)

예고 91.6.30 일반

1991. 6. 30. 에 예고문에 의거 일반문서로 재 분류됨.

중아국 국방부 대책반

PAGE 1

91.01.24 10:14

외신 2과 통제관 BT

0129

| 관리 번호 | 91/1222 |
|---|---|

원 본

# 외 무 부

종 별 : 지 급

번 호 : THW-0144 일 시 : 91 0124 0800

수 신 : 장 관(중근동,대책반,주카라치 총영사(중계필)

발 신 : 주태대사

제 목 : 군의료진 수송특별기경유

1. 군의료진 수송 대한항공 특별기는 1.23(수) 20:04 당지도착 급유 및기내식을 제공받은후 동일 22:30 카라치로 향발하였음

2. 본직은 김공사, 무관, 정참사관, 무관보와 함께 공항 영접 및 영송하였으며 단장일행 약 10 여명을 대한항공 귀빈실로 안내, 음료제공하고 화환을 증정하면서 이들을 격려하였음.

(대사 정주년-국 장)

예 고 : 91.6.30 일반

1991. 6. 30. 에 예고문에 의거 일반문서로 재 분류됨.

중아국

PAGE 1

91.01.24 11:09

외신 2과 통제관 BW

0130

| 관리번호 | 91-1493 |
|---|---|

원 본

# 외 무 부

종 별 : 지 급

번 호 : KAW-0023 일 시 : 91 0125 0530

수 신 : 장관(중근동,국방부) 사본:주파, 주사우디대사

발 신 : 주 카라치총영사

제 목 : 군수송기 제2차 제다향발보고

연 KAW-0021

연호 군수송기는 1.24 1830 당지도착, 급유및 지원물품을 적재한후 금 1.2505:00 예정대로 다란으로 향발함.

(총영사 조 규태-국장)

예고 91.6.30 일반

1991. 6. 30. 에 예고문에 의거 일반문서로 재 분류됨.

중아국 국방부

PAGE 1 91.01.25 10:03

외신 2과 통제관 BT

0131

| 관리 번호 | 91/228 |
|---|---|

원 본

# 외 무 부

종 별 : 지 급

번 호 : KAW-0025 일 시 : 91 0125 2310

수 신 : 장관(중근동,국방부, 사본:주파,주사우디,주태국대사,주제다총영사)

발 신 : 주 카라치 총영사 (본부중계필)

제 목 : 군수송기 도착및 KAL 특별기 서울향발 보고

연 KAW-0023

1. 연호 군수송기는 다란으로부터 금 1.26 당지에 예정대로도착, 명 1.27 0900 방콕향발예정임.

2.KAL 특별기는 철수교민 250 명을 탑승시키고 금.1.26 2030 당지도착, 급유및 기내식서비스를 받은후 2220 서울로 향발하였음. 본직은 동특별기도착시 당관원과함께 철수교민들을 위로.격려한후 기상전송을하였음끝.

(총영사 조 규태-국장)

예고 91.6.30 일반

1991.6.30.에 예고문에 의거 일반문서로 재 분류됨.

중이국 장관 차관 1차보 2차보 안기부 국방부

PAGE 1

91.01.26 05:04

외신 2과 통제관 BW

0132

| 관리 번호 | 91/1227 |
|---|---|

원 본

# 외 무 부

종 별 : 지 급

번 호 : PAW-0123 일 시 : 91 0126 1000

수 신 : 장관(중근동,대책반,국방부)

발 신 : 주 파 대사

제 목 : 군수송기및 KAL 특별기 기착

대 WPA-54,64

연 PAW-99

1. 연호, KAL 특별기및 군수송기는 당지에서의 일정을 마치고 예정대로 1.25(금) 저녁및 1.26(토)아침 당지출발, 서울 향발함.

2. 당관은 SHORT NOTICE 에 불구하고, 금번 군수송기및 KAL 전세기의 주재국 이착륙 허가에 협조해준 주재국 관계당국(외무성, 공군및 민간항공국)에 적절히 사의 표명 예정이며, 향후 유사한 계획이 있을시 충분한 여유(최소 1 주일전)를 두고 주재국측에 필요한 DATA 를 사전 제공하여 협조 요청할수 있도록 조치하여 주시기 바람. 끝.

(대사 전순규-국장)

예고 91.6.30 일반

1991. 6 .30 . 에 예고문에 의거 일반문서로 재 분류됨.

중아국 차관 1차보 2차보 국방부

PAGE 1

91.01.26 14:12

외신 2과 통제관 CH

0133

| 관리 번호 | 91/1226 |
|---|---|

원 본

# 외 무 부

종 별 : 긴 급

번 호 : KAW-0026 일 시 : 91 0126 0950

수 신 : 장관(중근동,국방부,주태대사,사본주파대사)

발 신 : 주 카라치총영사

제 목 : 군수송기 방콕향발

연 KAW-0025

1. 연호 군수송기는 금.1.26 0900 방콕 향발함.

2. 동수송기에는 군요원및 당부 서사무관, KAL 직원 1 명외 기자 5 명이 탑승하고 있는바 주태대사관에서 동기자들의 아래명단을 참고, 출입국에 필요한 사전 조치를 취하여 주시기바람.

-PARK, KWANG JOO

-KIM, NAK JOONG

LEE, NAK HO

CHO, SUNG HA

RYU, JONG CHOL. 끝

(총영사 조 규태-국장)

예고 91.6.30 일반

1991. 6. 30. 에 예고문에 의거 일반문서로 재 분류됨.

중아국 장관 차관 1차보 2차보 청와대 안기부 국방부

PAGE 1

91.01.26 14:31

외신 2과 통제관 CH

0134

| 관리번호 | 91/1229 |
|---|---|

원 본

# 외 무 부

종 별 : 긴 급

번 호 : PHW-0126 일 시 : 91 0128 1640

수 신 : 장관(중근동,국방부) 사본:주태국대사 - 중계필

발 신 : 주 필리핀대사

제 목 : 공군 수송기 CLARK 기지 도착

연:PHW-93

1. 공군 수송기(C-130 2 대)는 당지 CLARK 미공군 기지에 1.28(월 15:20(필리핀 시간)에 도착하였음.

2. 본직은 금일 조종사 및 동승 요원을 위해 만찬을 주최 위로 격려 계획이며, 이들은 1.29(화) 08:30(필리핀 시간) 서울 향발 예정임.

(대사 노정기-국장)

예고:91.6.30 일반

1991. 6. 30 . 에 예고문에 의거 일반문서로 재 분류됨.

중아국 차관 1차보 2차보 국방부

PAGE 1

91.01.28 18:23

외신 2과 통제관 BA

0135

| 관리번호 | 91/1224 |
|---|---|

원 본

# 외 무 부

종 별 : 긴 급

번 호 : PHW-0130 일 시 : 91 0129 0830

수 신 : 장관(중근동,국방부)

발 신 : 주 필리핀 대사

제 목 : 공군 수송기 CLARK기지 출발

연:PHW-126

연호 공군 수송기는 1.29(화) 08:25(필리핀시간) CLARK 기지를 이륙, 서울 향발함.

(대사 노정기-국장)

예고:91.6.30. 일반

1991.6.30.에 예고문에 의거 일반문서로 재분류됨.

중아국 국방부

PAGE 1

91.01.29 09:40

외신 2과 통제관 BW

0136

외교문서 비밀해제: 걸프 사태 15

걸프 사태 의료지원단 및 수송단 파견 1

초판인쇄 2024년 03월 15일
초판발행 2024년 03월 15일

지은이 한국학술정보(주)
펴낸이 채종준
펴낸곳 한국학술정보(주)
주 소 경기도 파주시 회동길 230(문발동)
전 화 031-908-3181(대표)
팩 스 031-908-3189
홈페이지 http://ebook.kstudy.com
E-mail 출판사업부 publish@kstudy.com
등 록 제일산-115호(2000. 6. 19)

ISBN 979-11-6983-975-4 94340
979-11-6983-960-0 94340 (set)


책에 대한 더 나은 생각, 끊임없는 고민, 독자를 생각하는 마음으로 보다 좋은 책을 만들어갑니다.